本书由南京水利科学研究院专著出版基金资助出版

钢-混凝土组合结构

胡少伟 编译

黄河水利出版社

内 容 提 要

本书应用弹塑性理论分析，系统地介绍了钢－混凝土组合结构的基本原理与设计方法，内容包括剪力连接件，简支组合梁、组合板，连续梁、连续板和框架梁，组合柱及组合框架，以及部分剪力连接理论和组合梁的复合受扭研究与抗扭设计等。可供建筑专业设计及科研人员参阅，也可作有关大专院校师生参考书。

图书在版编目(CIP)数据

钢–混凝土组合结构 / 胡少伟编译. —郑州：黄河水利出版社，2005.10
ISBN 7–80621–949–8

Ⅰ.钢… Ⅱ. 胡… Ⅲ. 钢结构：混凝土结构：组合结构 Ⅳ.TU37

中国版本图书馆 CIP 数据核字(2005)第 091173 号

出 版 社:黄河水利出版社
地址:河南省郑州市金水路 11 号　　邮政编码:450003
发行单位:黄河水利出版社
发行部电话：0371 – 66026940　　传真：0371 – 66022620
E-mail：yrcp@public.zz.ha.cn
承印单位:河南省瑞光印务股份有限公司
开本:787 mm×1 092 mm　1 / 16
印张:12
字数:275 千字　　印数:1—2 000
版次:2005 年 10 月第 1 版　　印次:2005 年 10 月第 1 次印刷

书号:ISBN 7–80621–949–8 / TU·61　　定价:25.00 元

前　言

本书是根据 R.P.Johnson 著作 *Composite Structures of Steel and Concrete*，结合近年来组合结构在国内外的发展及其工程应用与相关科研成果和有关文献，并参照作者多年的研究课题报告编译而成。

本书共分六章和有关附录，内容包括：第一章 绪论，给出了组合结构发展情况和相关的基本概念；第二章 剪力连接件，阐述了连接件的工作原理与连接方法；第三章 简支组合板和组合梁，该部分是本书的重点，分别介绍了组合梁和组合楼板的工作原理和设计过程，包括抗振和抗火设计的有关内容；第四章 连续梁、连续板及框架梁，给出了连续组合梁负弯矩区受力分析方法和裂缝计算分析控制，后又阐明了连续组合梁的整体分析理论；第五章 组合柱及组合框架，介绍了组合框架、结点和柱子的受力分析和设计方法；第六章 组合梁的受扭研究与抗扭设计，为作者近年来一系列科研项目的总结，给出了组合梁复合受扭的分析理论和设计方法及其构造要求。

各章均有工程实例，便于读者掌握和理解。

本书可作为土木工程、交通工程设计计算和施工技术人员的参考书，也可作为土建、水利、交通和工程力学相关专业的研究生和高年级本科生的教学辅导教材。

本书是在清华大学聂建国教授指导下完成的。硕士生潭英、涂启华、李勇等帮助校阅了书稿。本书的出版还得到南京水利科学研究院专著出版基金资助。在此一并表示感谢。

编译者

2005 年 8 月于南京

符 号 表

符号	含义	符号	含义
A	偶然作用；面积	r	回旋半径
a	距离；几何参数	S	内力或内力距；板宽
b	宽度；	s	间距；滑移
C	系数；临界周长；正弦刚度	t	厚度；时间
c	距离	u	周长； 距离
d	直径；深度；距离	V	剪力；竖向力或荷载
E	作用效应；弹性模量	v	单位长度上剪力
e	偏心距；距离	W	截面模量
F	作用力	w	裂缝宽度；单位长度上荷载
f	材料强度；自然频率；系数	X	材料某一特性值
f_{ck}	混凝土抗压强度特征值	x	距离；坐标轴
f_{sk}	钢筋屈服强度特征值	y	距离；坐标轴
f_y	结构钢名义抗拉屈服强度	Z	形状系数
G	恒载；剪切模量	z	距离；坐标轴；力臂
g	恒载	α	角度；比率；系数
H	水平力(荷载)	β	角度；比率；系数
h	高度；厚度	γ	部分安全系数(总是连同下标：如A，F，G，M，Q，a，c，s，v)
I	面积惯性矩	Δ	微分
K	系数	δ	钢贡献率；挠度
k	系数；连接件模量；刚度	ε	应变；系数
L	长度；跨度	ξ	临界阻尼比
l	长度；跨度	η	系数；抗力比
M	弯矩；质量	θ	温度
M_{Rd}	抵抗弯矩设计值	λ	荷载系数；长细比
M_{Sd}	所用内弯矩设计值	μ	摩擦系数；弯矩比
m	单位宽度的弯矩值；单位长度或面积的质量；组合板系数	ν	泊松比
		ρ	质量密度；钢筋率
N	轴力；剪力连接件数量	σ	正应力
n	模量比；数量	τ	剪应力
P_R	单个剪力连接件抗剪值	ϕ	钢筋直径；旋转角；曲率
p	斜度；间距	χ	屈曲折减系数；比率
Q	可变荷载	ψ	定义可变荷载代表值系数；应力比
q	单位长度可变荷载		
R	抗力；响应参数；反应		

下标

A	偶然的
a	结构钢
b	屈曲；梁
c	压力；混凝土；圆柱体
cr	临界
cu	立方体
d	设计
e	弹性(或者 el)；等效 (或者 eff)
f	边缘；满载；完成品；火灾；傅立叶
G	永久的
g	面积中心
h	拱高、拱曲、下垂
i	指标(代表一个数)
k	特征值
l	纵向
LT	横向扭转
M	材料的
m	均值
min	最小值
max	最大值
n	中性轴
p	压型钢板；周长；塑性
pl	塑性
Q	变量
R	抗力
r	折减的；肋部
rms	均方根
S	内力；内力矩
s	钢筋；剪跨；板
t	拉力；全部；横向
u	极限
v	相关于剪力连接件
w	腹板
x	沿杆件坐标轴
y	横截面主轴；屈服
z	横截面次轴
ϕ	直径
0，1，2	定值

目　录

前　言
符号表
第一章　绪　论 ……(1)
1.1　组合梁与板 ……(1)
1.2　组合柱与框架 ……(7)
1.3　设计原理及欧洲规范 ……(7)
1.4　材料特性 ……(12)
1.5　直接作用(荷载) ……(14)
1.6　分析与设计方法 ……(15)
第二章　剪力连接件 ……(20)
2.1　引言 ……(20)
2.2　矩形截面简支梁 ……(20)
2.3　向上抛起 ……(23)
2.4　剪力连接方法 ……(24)
2.5　剪力连接件的特性 ……(26)
2.6　部分剪力连接 ……(29)
2.7　滑移对应力与挠度的影响 ……(31)
2.8　组合板中的纵向剪力 ……(32)
第三章　简支组合板、组合梁 ……(36)
3.1　引言 ……(36)
3.2　设计实例 ……(36)
3.3　组合楼板 ……(38)
3.4　实例：组合板 ……(49)
3.5　组合梁——向下弯曲及竖向剪切 ……(57)
3.6　组合梁——纵向剪切 ……(64)
3.7　正常使用下应力与变形 ……(71)
3.8　混凝土收缩与温度的影响 ……(74)
3.9　组合楼板结构的振动 ……(74)
3.10　组合梁防火 ……(78)
3.11　实例：简支组合梁 ……(79)
第四章　连续梁、连续板及框架梁 ……(89)
4.1　引言 ……(89)
4.2　连续组合梁的负弯矩区 ……(90)

4.3　连续梁的整体分析 ……(103)
4.4　连续梁的应力与变形挠度 ……(108)
4.5　连续梁的设计技巧 ……(109)
4.6　例子：连续组合梁 ……(110)
4.7　连续组合板 ……(117)
第五章　组合柱及组合框架 ……(118)
5.1　引言 ……(118)
5.2　组合柱 ……(119)
5.3　梁－柱结点 ……(120)
5.4　无侧移组合框架的设计 ……(123)
5.5　例子：组合框架 ……(127)
5.6　欧洲规范4中对柱的简化设计法 ……(131)
5.7　实例：组合柱 ……(137)
第六章　组合梁的受扭研究与抗扭设计 ……(144)
6.1　概述 ……(144)
6.2　组合梁受扭试验研究 ……(152)
6.3　组合梁的开裂扭矩计算 ……(154)
6.4　组合梁的抗扭承载力计算 ……(159)
6.5　组合梁的受扭构造 ……(163)
6.6　组合梁的抗扭设计 ……(165)
附录A　部分剪力连接理论 ……(175)
A.1　简支梁理论 ……(175)
A.2　实例：部分相互作用 ……(177)
附录B　有包壳的工字型截面柱主轴弯曲的相互作用曲线 ……(179)
参考文献 ……(181)

第一章 绪 论

1.1 组合梁与板

1.1.1 组合梁与板的起源和发展

1.1.1.1 组合梁与板的起源

建筑和桥梁的结构设计主要涉及抵抗与承受荷载。因为没有更好的材料像钢筋混凝土那样有低造价、高强度，并且耐腐蚀、耐磨损、耐火的优点，除了大跨度桥梁外，一般楼板、桥面板均使用钢筋混凝土，所以钢筋混凝土板的经济跨度不大于它相应的板厚正好足够抵抗它将承受的点荷载，或正好提供足够的隔音效果。对于跨度大于几米的情况，将板放置在墙或梁上比单纯增加板厚要经济。单梁也是钢筋混凝土的情况下，结构的整体式特性使得板可充当梁的上部翼缘。当跨度超过 10 m，特别是在钢易于被火破坏的敏感性不成问题的情况下(比如桥梁或多层停车场)造价低，过去常常习惯于将钢架设计成既承受混凝土板自重又承受混凝土板的荷载。现在剪力连接件的发展使剪力连接件在连接板与梁中得到应用，取得了已被长期使用的混凝土 T 型梁的效果。本书中所使用的“组合梁”术语就是指这种结构类型。1926 年，J.Kahn 依据上述思想，在钢梁上外包混凝土，并在它们之间加入各式各样的连接件，获得了组合构件的专利权，标志着钢–混凝土组合构件的出现。

1.1.1.2 钢–混凝土组合构件形式

随着组合构件应用范围的不断扩大，产生了众多的钢–混凝土组合构件形式：

(1)钢–混凝土组合梁、柱。

(2)钢–混凝土组合板、叠合板。

(3)钢管混凝土组合柱。

(4)预应力钢–混凝土组合构件等。

1.1.1.3 组合梁截面组成

一般组合梁截面由四部分组成：

(1)钢筋混凝土翼板。形式有现浇钢筋混凝土板、压型钢板混凝土组合楼板、钢筋混凝土叠合板等。

(2)板托。板托是在混凝土翼板与钢梁上翼缘之间的承托部分。

(3)剪力连接件。它是钢筋混凝土翼板与钢梁共同工作的基础，主要用来承受钢筋混凝土翼板与钢梁交界面之间的纵向剪力，且抵抗二者之间的相对滑移，还可抵抗钢筋混凝土翼板与钢梁之间的掀起作用。

(4)钢梁。一般的形式有工字型钢梁、焊接钢板梁、箱型钢梁、蜂窝梁、短桁梁。

1.1.1.4 组合梁的发展

以钢–混凝土组合梁为最基本构件的钢–混凝土组合结构，兼有钢结构和钢筋混凝土结构的优点，并且能发挥钢材抗拉强度高、混凝土抗压强度高的材料特性。因此，钢–混凝土组合结构是一种较理想的新型结构体系。

钢–混凝土组合梁从开始出现到现在，其应用范围不断扩大：从桥梁结构上的大跨桥面梁、工业建筑上的重荷载平台梁和吊车梁，到要求所用梁截面高度小、自重轻的民用建筑中的组合楼层，都有广泛应用，它的应用发展大致可分为四个阶段：

(1)钢–混凝土组合梁大约出现于20世纪20年代，随后，在30年代中期出现了在钢梁和混凝土板之间加入各式各样连接件的构造方法。

(2)从20世纪40年代到60年代可认为是组合梁发展的第二阶段。在这一阶段，对组合梁开始进行深入、细致的试验研究。许多技术先进的国家都制定了有关组合梁的设计规范或规程。最早的组合梁设计规范或规程大都针对桥梁结构：美国颁布于1944年，德国颁布于1945年，日本制定于1959年。各国应用和研究钢–混凝土组合梁几乎都是从桥梁结构开始的。

(3)从20世纪60年代到80年代可认为是组合梁发展的第三阶段。本阶段在总结以前研究和应用成果的基础上，进一步改进了有关组合梁的设计规范或规程。随着钢产量的增加和高层建筑的发展，使得组合结构的应用和发展几乎日趋赶上钢结构的发展。各国30层以上的高层建筑中有20%采用了压型钢板混凝土组合楼盖，其中也包括组合梁。1971年由欧洲国际混凝土协会(CEB)、欧洲钢结构协会(ECSS)、国际预应力联合会(FIP)以及国际桥梁与结构工程协会(IABSE)共同成立了组合结构委员会，并正式公布了《钢–混凝土组合结构规程》。可见，组合结构在当时已经发展为继钢结构和钢筋混凝土结构以后的一种新型结构，受到广泛重视。

(4)从20世纪80年代初至今，为组合结构应用和发展的第四阶段。进入80年代，相继出现了预制装配式钢–混凝土组合梁、预应力钢–混凝土组合梁和用压型钢板作为楼层混凝土板底模的组合梁等多种型式的组合梁。

目前，组合梁又一新的应用发展方向为：用于地下结构、结构加固，特别是把工字型钢腹板按折线形切开改焊为高度更大的蜂窝形梁，既提高了抗弯能力，又便于管道通过有洞的腹板，非常适合于工业厂房。另外，预弯型钢–混凝土预应力组合梁也得到了应用，该梁是将预制的带有挠度的工字型钢梁，加载状态下在下翼缘浇筑混凝土，待混凝土达到一定强度后卸载，使下翼缘混凝土预压，然后将其运至现场吊装，铺设预制梁板，浇筑上部混凝土，成为装配整体构件。

20世纪70年代以来，我国对组合梁的性能进行了较系统的研究，取得了可喜的成果。在此基础上，我国有关部门新修订、编制了《钢结构设计规范》(GBJ17—88)、《高层建筑钢结构设计与施工规程》和《火力发电厂主厂房组合结构设计暂行规定》等规范。上述规范、规程中均包括了组合梁的内容，但均未给出组合梁抗扭设计计算的相关条款。

1.1.2 钢–混凝土组合梁、板在工程中的应用

1.1.2.1 多层工业厂房

1988年开始建设的国家重点建设项目——太原第一热电厂五期，由山西省电力勘测

设计院设计。该工程的集中控制楼位于两台锅炉之间，处在第一台锅炉的安装通道上，只有在第一台锅炉的大件吊装完、塔吊退出后才能进行全面施工，因此第一台机组能否早日发电取决于集中控制楼的工期。对集中控制楼设计必须选择施工工序简单、便于立体交叉作业和多层同时施工且能最大限度地加快施工速度的结构形式。为此，在钢–混凝土组合楼层的三个方案(现浇楼板、压型钢板–混凝土组合楼板、混凝土叠合楼板组合梁)中选择了叠合板组合梁方案，柱为钢管混凝土柱，通过加强环同组合梁相连，形成了完整的钢–混凝土组合结构体系。当时，由于钢–混凝土叠合板组合梁的应用在国内尚无先例，又无设计规范可循，因此在设计前，山西省电力勘测设计院和郑州工学院合作对叠合板组合梁进行了试验研究，包括钢筋混凝土简支叠合板、连续叠合板、钢–混凝土叠合板简支和连续组合梁等。研究成果为叠合板组合楼层结构设计提供了依据。次梁沿纵向布置(梁跨 9 m)并支承在梁跨为 7 m 的主梁上。在板的上表面沿每米宽布置 1 列、纵向间距为 300 mm、直径为$\phi 6$的构造抗剪钢筋。浇灌预制板时在其上表面用竹扫帚对其拉毛以保持具有一定的粗糙度。组合梁混凝土翼缘的横向配筋率为 0.7%，包括伸出预制板端 120 mm 的“胡子筋”和现浇层中的负钢筋。组合梁中支座弯矩调幅取 15%。值得指出的是，由于叠合板组合楼层设计在当时尚无规范可循，又没有实例参考，故集中控制楼楼层结构设计偏于保守。尽管如此，它同现浇组合楼层相比，不仅缩短工期 1/3，而且由于节省了支模工序和模板等降低造价 18%。与压型钢板组合楼层相比，节省钢材 30%，降低造价 76%。由于缩短工期使第一台机组提前发电所创造经济效益近 700 万元。继太原第一热电厂第五期工程之后，第六期工程和阳泉第二发电厂等工程也采用了叠合板组合梁结构。

1.1.2.2 高层建筑

北京国际技术培训中心的两幢 18 层塔楼，楼盖结构采用冷弯薄壁型钢–混凝土简支组合梁，跨度 6 m，间距 1.5 m，组合梁全高 300 mm(包括混凝土楼板厚度)。组合楼盖结构设计是以试验研究成果为依据的。剪力连接件设计节省栓钉用量达 47%(仅这 2 幢高层建筑的楼盖结构就节约栓钉数近 10 万个)。与钢筋混凝土叠合楼板相比较，结构自重降低 29%，水泥消耗节约 34%，钢材消耗节约 22%，木材消耗节约 7%，造价降低 5%，施工周期缩短 25%，并且使建筑标准提高了一大步，实现了建设部对小康住宅提出的“造价不高水平高，标准不超质量高”的要求，为我国城镇住宅建设提供了一种轻型、优质、大跨的楼盖结构形式，这种新型组合梁在高层建筑楼盖结构中具有广阔的应用前景，有利于推动大开间灵活分隔的高层建筑的发展。

钢–压型钢板混凝土组合结构在高层建筑中的应用也在不断发展，如深圳赛格广场、上海世界金融大厦、金茂大厦等超高层建筑的楼板也采用了压型钢板组合楼板。压型钢板组合楼盖的最大优点是施工速度快，但造价比较高。

1.1.2.3 桥梁结构

1993 年，北京市市政工程设计研究总院设计的北京国贸桥，在三个主跨采用了钢–混凝土叠合板连续组合梁结构。当时，叠合板组合梁在国内城市立交桥中的应用尚属首次。其综合效益体现在以下几方面：

(1)比原现浇桥面板方案节省近 4 000 m^2 的高空支模工序和模板，减小现场湿作业量，缩短工期一半，未中断下部交通。

(2)比钢筋混凝土梁桥减轻自重约 50%。

(3)比钢桥节省钢材 30%左右。

模拟汽–超 20 的静载试验结果和分析表明，该桥具有同现浇桥面板组合梁一样的受力性能，再次证明钢–混凝土叠合板组合梁具有良好的整体工作性能。它在桥梁结构中的成功应用实现了“轻型大跨、预制装配、快速施工”的目的，符合我国城市立交桥建设的国情。继国贸桥之后，仅北京又有 30 多座大跨立交桥的主跨采用了这种结构形式，最大跨度已达到 70 m，取得了显著的技术经济效益和社会效益。于 2000 年建成通车的深圳北站大桥跨度 150 m，是首座全钢–混凝土组合结构桥梁。桥面结构采用了新型预应力钢–混凝土空心叠合板梁体系，促进了现代桥梁结构向“轻型大跨”、“预制装配”以及“快速施工”的方向发展，并且实现了大跨桥梁与城市美学的完整统一。于 2000 年竣工的位于江苏盐城横跨京杭大运河的预应力简支组合梁桥，其跨高比达到了 27.3：1。此外，国内的长沙、岳阳、海口、鞍山、石家庄、济南、西安等城市也正在建造大跨钢–混凝土叠合板组合梁桥结构，最大跨度已达到 95 m。

钢–混凝土叠合板组合梁用于城市大跨立交桥的设计是依据换算截面法，使控制截面的最大应力和挠跨比不超过《公路桥涵钢结构及木结构设计规范》(JTJ025—86)的规定值，但在挠度计算时应考虑滑移效应。为了提高连续组合梁中支座桥面板的抗裂性以提高其防渗能力，应在负弯矩区施加预应力。

上海南浦大桥和杨浦大桥的桥面结构也采用了钢–混凝土叠合梁结构，钢纵梁和钢横梁形成施工拼装单元，预制钢筋混凝土桥面板铺装就位之后，通过钢梁上翼缘预制板端间的接缝混凝土和剪力连接件的作用使钢梁和混凝土桥面板连成整体，形成组合梁。预制板上表面没有现浇混凝土，这种组合梁对预制板的制作精度和接缝混凝土的质量要求很高。严格说来，它是预制板组合梁，是钢–混凝土叠合板组合梁的特例，当叠合板组合梁中现浇层厚度为零时就变成了这种情况。一般情况下，在预制板上表面浇一层现浇混凝土，通过接缝混凝土、现浇层混凝土和连接件把钢梁、预制板和现浇层连成整体的组合梁比预制板组合梁的整体性能更好。

钢–混凝土叠合板组合梁的显著优点是省掉了高空支模工序和模板。用于桥梁可以不中断下部交通，用于建筑可以省去满堂脚手架，对于减少现场作业量和保护环境等都是有利的。有关专家对多座城市大跨立交桥结构方案(包括预应力钢筋混凝土桥、钢桥及钢–混凝土组合梁桥)比较后认为，钢–混凝土叠合板组合梁桥方案的综合效益最好。

1.1.2.4 结构加固与修复

我国经过几十年大规模的基本建设之后，尤其是在国民经济由快速发展到趋于稳定成熟发展的时期，已有建筑物和构筑物的维修、改造和加固将占据越来越重要的地位。另外，在交通建设领域，相当一部分 20 世纪五六十年代建成的桥梁由于技术标准低、通过能力差，严重影响到了整条交通线路的畅通。从现有国情来看，对这部分桥梁除了进行一定数量的拆除重建外，对其进行技术改造也是一个行之有效的途径。钢–混凝土组合梁以其轻巧的构造和便捷的施工，可以在不增加甚至降低结构自重的前提下大幅度提高桥梁上部结构的承载力，因此在桥梁加固及改造领域具有一定的优势。于 2001 年 3 月完工通车的北京市机场路苇沟大桥是一座应用组合梁进行桥梁改造加固的成功实例。原苇沟桥建于 1953 年，为全长 204 m 的多跨钢筋混凝土梁桥，设计荷载为汽–10 级，已不满足当前的通行要求。根据对结构现状的验算评估，采用钢–混凝土叠合板组合梁替代原吊梁，并在主梁负弯矩区段施加预应力的方案进行了改造加固。改造后，吊梁重量由 850 kN 降低到了 490 kN，比原吊梁减轻了 42%，同时抗弯承载力提高了 97%，并大大提高了该桥的整体刚度，减小了挠度，其车辆通行等级由汽–10 提高到了汽–20。通车前进行的静载试验表明，该桥的改造达到了设计要求。

1.1.3 组合梁的受力性能研究概况

最早对组合梁进行研究的为加拿大 Gillespie 等人，于 1922 年对组合梁进行了试验工作。英国学者 E.S.Andreus 首次提出了基于弹性理论的换算截面法，这标志着对钢–混凝土组合梁开始进行定量化研究。但由于换算截面法没有考虑钢与混凝土交界面相对滑移的影响，后来的一些学者提出了考虑钢与混凝土交界面相对滑移的分析法。1951 年美国的 N.M.Newmark 等人提出了求解组合梁交界面剪力的微分方程解法。这种方法假设材料均为弹性、剪力连接件的“荷载—滑移”关系为线性关系，通过求解微分方程，最终求出挠曲线。之后，英国 R.P.Johnson 和 L.C.P.Yam 都从不同的角度出发导出类似的微分方程。根据钢为弹塑性材料、混凝土为非线性弹塑性材料的实际特点，R.I.Malamery 等人提出了计算部分剪力连接组合梁的非线性简化迭代法，此法考虑了滑移和掀起的影响，给出了表示位移函数的基本平衡及协调方程。

国内外对部分剪力连接组合梁的研究表明：当连接件的数量达到完全剪力连接时，连接件数量的增加对钢–混凝土组合梁的极限强度几乎没有影响;当连接件的数量少到一定程度后，钢–混凝土组合梁的极限强度开始降低，直到最后只有钢梁本身的承载能力。1965 年 R.G.Slutter 与 G.C.Driscoll 建立了部分剪力连接的极限强度理论。1975 年 R.P.Johnson 根据前人的研究提出了简化的分析方法，认为部分剪力连接的极限抗弯强度是根据完全剪力连接和纯钢梁的极限抗弯强度按连接件数进行线性插值而确定的。由于连接件是应用和研究中首先需解决的课题，郑州工业大学先后对槽钢连接件、栓钉连接件进行了试验研究，对《钢结构设计规范》中的栓钉连接件的抗剪承载能力计算公式提出了修正意见；哈尔滨建筑大学等单位对弯筋连接件进行了理论分析及推出试验，接着，又对压型钢板组合梁的栓钉连接件进行了研究，发现了压型钢板组合梁栓钉连接问题实质上为混凝土肋参与工作时，肋与栓钉构成的整体受力问题，并对国际通用的计算公式进行了评述和验证；清华大学也对剪力连接件在组合梁中的实际承载力进行了深入的试验研究及理论分析，给出了《钢–混凝土组合结构设计规程》(1997 修订稿)有关公式的修正式。

工程中大部分组合梁在荷载作用下都存在程度不同的滑移。1950 年，N.M.Newmark 等人分析了部分剪力连接件组合梁的滑移和荷载的关系，并给出了滑移沿梁长分布图。1964 年，J.C.Chapman 和 S.B.Richnan 在诸多假定的基础上，给出了滑移的计算式。20 世纪 80 年代，郑州工学院等单位也对滑移进行了进一步研究，找出了影响滑移的主要因素。国内外一些学者曾提出了考虑滑移效应的挠曲微分方程，但是公式复杂，不便于应用。清华大学聂建国等在对滑移效应进行了试验及理论分析后指出：滑移效应不能忽视，它会引起曲率、挠度和转角增大，弹性抗弯强度降低，用未考虑滑移效应的换算截面法计算组合梁的变形值比试验值偏小，后提出了用折减刚度法计算组合梁的变形，精度高，公式简单，实用性强。

M.A.Bradford 在研究了徐变和收缩对组合梁的影响规律后，编制了分析程序，并计算了六个截面的持时挠度变形。R.Lawther 曾采用“徐变率法”分析了组合梁的挠度及滑移，精度较高。1994 年，L.Dezi 等人研究了收缩对部分剪力连接件组合梁的变形及受力影响，给出了有关的计算公式。

随着有限元理论的发展，有限元法被用于钢–混凝土组合梁的研究。1988 年，南京工学院施耀忠提出采用偏心板单元计算组合梁抗弯问题。1997 年，清华大学余洲亮采用八结点等参单元及六结点界面单元，将荷载–滑移关系假定为二折线弹塑性模型，对钢–混凝土组合梁在低周反复荷载下的工作性能进行了电算分析，结果较为满意。美国的 W.C.Mccarthy 和国内朱聘儒等人均做了这方面的尝试。但他们采用了线性应力—应变关系和小变形的假定，与组合梁的非线性应力—应变关系不相符，因此结果不理想。

已有的用有限元法分析组合梁的程序假设过多，只能用于特殊类型的组合梁，很难加以推广、应用于一般组合梁的分析计算中。

1.1.4 组合梁复合受力性能研究

20 世纪 80 年代初期，哈尔滨建筑大学先后进行了 17 根梁的受弯、受剪性能试验研究。分析中采用了将钢梁和混凝土板视为墙肢，将连接件视为拟高层结构分析模型，将截面分解为完全组合和完全不组合两部分叠加的二弯矩模型，两种模型的计算结果均与试验结果吻合良好。分析结果表明：按简化塑性方法进行梁的抗弯、抗剪和连接件设计计算是可靠的；当有板托时，应考虑混凝土部件的抗剪作用，并给出了建议的计算公式。当采用完全剪力连接时，正常使用条件下，相对滑移使梁的跨中挠度增加 15%左右。郑州工业大学、清华大学先后对深托座梁、压型钢板组合梁和钢筋混凝土叠合板组合梁进行了试验研究，提出了压型钢板组合梁抗弯承载力按简化塑性方法的计算公式，并对梁的抗弯刚度进行了探讨，建立了按塑性方法计算叠合板组合梁的抗弯和混凝土板纵向抗剪能力计算公式，给出了板中的构造横向最小配筋率。

连续组合梁具有较好的经济效益，但在负弯矩区钢筋混凝土翼板受拉、钢梁受压，此时，梁截面受弯、受剪性能、裂缝宽度计算及内力重分布等问题都明显地暴露出来，值得深入的研究。哈尔滨建筑大学共进行了 3 根连续梁、7 根简支伸臂梁的试验研究，并进行了相应的电算分析。近年来，负弯矩区截面抗剪能力的研究解释了负弯矩区截面抗剪强度比塑性计算值有所提高的原因是腹板在复合应力作用下的钢材强化效应，并通过力比、弯矩比等参数变化分析了负弯矩区截面强度破坏情况和极限荷载、使用荷载限值，提出了负弯矩区强度破坏和局部屈曲破坏的界限、弯剪共同作用下的相关关系及设计界限。郑州工业大学对静载下组合梁柱连接性能进行了试验研究，主要参数是板中纵向钢筋配筋率和钢柱形式的变化。清华大学也对连续组合梁进行了研究。但国内未开展组合梁的抗扭性能研究。

1959 年，Adekola 指出：弯压作用下，横向拉应力会超过混凝土的抗拉强度而出现纵向开裂，应使钢筋有足够的锚固长度以防止梁的过早破坏。1967 年，Roderick 等在对组合梁的各种破坏类型分析后指出：当翼板中横向钢筋不足时，可能发生栓钉的拉出、剪坏而使混凝土板纵向开裂。1975 年，R.P.Johnson 根据 A.H.Mattock 和 N.M.Hawkins 对钢筋混凝土剪力传递的试验结果，指出组合梁在受弯过程中可产生两种剪切破坏。同时，混凝土翼板的纵向开裂也可用剪力摩擦理论分析，并给出了具体的组合梁翼板纵向抗剪承载力计算公式。R.Lawther 等人假设混凝土与钢为线弹性材料，用“徐变法”分析了受弯压组合梁的变形，成功地考虑了长期荷载的影响。D.J.Oehlers 等人对组合梁的抗弯极限强度进行了系统研究后指出：相同的组合梁采用完全剪力连接或部分剪力连接时，分析结果相差较大，应规定连接件的最大间距和最小强度值，以便避免发生过大滑移而导致混凝土过早开裂。之后，R.Narayanan 等较为系统地研究了连续组合梁桥在动力荷载作用下，钢梁腹板可能发生的局部屈曲，指出钢梁腹板的局部屈曲将引发翼缘的较大变形。他最后提出了设计方法建议，以避免局部屈曲。南非学者 N.W.Dekker 等人把梁分为正弯矩区和负弯矩区，讨论了正弯矩区和负弯矩区不同的计算方法，给出了考虑腹板局部屈曲的分析模型。

1.2 组合柱与框架

起初，出于防火考虑，将钢框架中的钢柱外包时，混凝土不被考虑与受力，钢柱外包混凝土的情况设计，后来人们认识到外包混凝土减少了柱的有效长细比，从而提高了柱的屈曲荷载，计算缩减长细比的经验方法仍自然被某些钢结构设计规范采用。这种简化的方法是不合理的，因为外包混凝土也承担了轴力与弯矩，而更多经济的设计方法被试验证明是有效的，并且是现成的。

当对钢没有防火要求时，一个组合柱能够不使用模板而在钢管内直接填充混凝土来建造，早期使用钢管混凝土的著名例子为一个四层的公路入口，而目前在建筑中使用钢管混凝土设计的方法已经取得。

在框架结构中，可能有组合梁、组合柱或二者均有，设计方法必须考虑柱与梁之间的相互作用，于是必须考虑许多梁柱结点的类型。

20 世纪 60 年代早期，在美国剑桥和伦敦建成了两幢刚接的组合框架建筑。目前广泛使用的是标准栓钉联结，在建筑物中，使连结的刚度增强到被称为“刚接”是十分昂贵的，即使最简单的连接件，也有足够的刚度来减少梁一定程度的变形。因此，目前人们对测试连接件及发展框架中半刚性连接件的设计方法表现出了极大的兴趣。目前还没有这样的设计方法被广泛接受。

1.3 设计原理及欧洲规范

1.3.1 背景

在设计中，必须考虑荷载的随机性，材料的变异性与施工中的偏差，以便减少设计使用期内结构不能正常使用或失效概率，使这种概率低得足于让人们接受。自从 1950

年使用以来，这个课题的进一步研究将过去的安全系数和荷载系数设计法综合起来，发展为综合的概率极限状态设计理论。在英国它的首次重复使用是于 1972 年在 CP110《结构的混凝土》，目前，全部的英国规范和大多数国家的结构设计都使用此法。

在第二次世界大战后，起草国际规范的工作开始展开，首先是混凝土结构，后来是钢结构。组合结构委员会于 1971 年建立，为 1981 年的标准化规范作准备。在欧洲统一市场完成的目标日期定为 1993 年 1 月后不久，欧洲地区委员会于 1982 年开始帮助起草文件，即现称的欧洲规范，它将被欧洲联盟的 12 个国家使用。在 1990 年，欧洲自由贸易区的 7 个国家加入，这项工作的管理任务也移交给欧洲公共标准化协会。欧洲公共标准化协会是 19 个国家的国家标准组织的联盟，它北至冰岛和芬兰，南到葡萄牙和希腊。

现在计划出台 9 部欧洲规范，总共超过 50 个部分，每一个规范首先作为初步标准(ENV)出版，并伴之以各国的全国应用性文件，全部与本卷相关的欧洲规范现在或不久将达到这个阶段。它们是：

欧洲规范 1：第一部分 设计基础；

欧洲规范 1：设计基础及应用 第二部分：总则与重力荷载及作用荷载、雪载、风载和火；

欧洲规范 2：第 § 1.1 部分混凝土结构设计，总则与建筑规则；

欧洲规范 3：第 § 1.1 部分钢结构设计，总则与建筑规则；

欧洲规范 4：第 § 1.1 部分，钢–混凝土组合结构设计，总则与建筑规则；

欧洲规范 4：结构耐火设计。

在作为初步设计标准试行的末期，欧洲规范的每一部分均被修订，且将作为欧洲标准(EN)出版，所以上面所列出的欧洲标准的各部分出版本均于 1998 年后相继出台，预计该 19 个国家的所有相关规范几年之后将停止使用。

当然与本书联系最为密切的英国规范是 BS5950，由于它与欧洲规范 4 是平行发展的，所以有相同之处。欧洲规范的设计原理、术语与注释符号，比相应的目前英国规范更合理，所以总体上说使用欧洲规范是方便的。欧洲规范 4 第一部分将被简单引用为欧洲规范 4 或 EC4，并将指出它与英国规范的显著不同。

1.3.2 极限状态设计原理

1.3.2.1 作用

欧洲规范 2、3 和 4 给出了极限状态设计法的定义、分类和原理，并强调了建筑物的结构设计，这些章节的大部分内容将最终被欧洲规范 1 第一部分取代，其范围扩展到包括桥梁、塔、桅杆、密室与油罐有关基础等。“作用”这个词出现在欧洲规范 1 第二部分的标题中，但没有出现在英国规范中。“作用”的分类如下：

- 直接作用(作用于结构上的力或荷载)。
- 间接作用(施加于结构上的变形，如基础沉降、温度改变或混凝土收缩)。

因此“作用”比荷载含义更广，类似的欧洲规范术语“作用效应”比“应力效应”含义更广，它不仅包括了弯矩、剪力，还包括应力、应变、变形、裂缝宽度等。欧洲规范术语应力效应是指内力或弯矩。

下面介绍的极限状态设计法范围局限于本书的设计实例。

有两类极限状态：

- 结构破坏极限状态。
- 正常使用极限状态，例如过大的变形振动或过大的混凝土裂缝宽度。

有三类设计状态：

- 永久状态，相对于正常使用而言。
- 临时状态，如施工期间。
- 偶然状态，如火灾或地震。

有三类主要作用类型：

- 永久作用(有时称为恒载)，如结构自重。
- 可变作用(有时称为活载)，如外加荷载、风载或雪载。
- 随机荷载，如车辆的冲击。

“作用”的空间变化是下列之一：

- 固定型(永久作用)。
- 自由型(其他作用类型)，意思是作用可以在相关面积或长度的任一部位发生。

永久作用由特征值 G_k 表示。所谓特征隐含表示作用的衰减，采用假定的一个数值分布，该数值分布的模型采用随机变量，永久荷载通常取算术平均值(50%的折减)。

可变荷载有四个代表值：

- 特征值 Q_k 衰减率通常低于 5%。
- 组合值 $\psi_0 Q_k$ 假定某作用伴有另一个“可变作用”的设计值。
- 频繁 $\psi_1 Q_k$ 出现值。
- 拟永久值 $\psi_2 Q_k$。

组合系数 ψ_0、ψ_1、ψ_2(全都小于 1.0)的值在欧洲规范 1 中的相关部分中给出，如办公楼楼板的外加荷载属 B 类，它们各自分别为 0.7、0.5 和 0.3。

“作用”的设计值一般为

$$F_d = \gamma_F F_k$$

特殊情况下有：

$$G_d = \gamma_G G_k \tag{1-1}$$

$$Q_d = \gamma_G G_k \text{ 或者 } Q_d = \gamma_Q \psi_i Q_k \tag{1-2}$$

其中 γ_G 和 γ_Q 是欧洲规范中给出的作用的分项安全系数，它们依赖于所采用的极限状态，也依赖于所考虑工作是有利的还是不利的，本书中使用的值在表 1-1 中给出。

表 1-1　永久荷载设计状态 γ_G 和 γ_Q 的值

作用类型	永久作用		可变作用	
	不利的	有利的	不利的	有利的
承载能力极限状态	1.35*	1.35*	1.5	0
正常使用极限状态	1.0	1.0	1.0	0

注：*表示除了复核失稳或大变异系数的情况。

“作用效应”是结构对“作用”的反应：

$$E_d = E(F_d) \tag{1-3}$$

其中函数 E 代表结构分析过程，当“作用效应”是内力或弯矩时，有时记着 S_d(来自法语)。承载能力极限状态的检验包括：

$$S_d \leqslant R_d \text{ 或 } E_d \leqslant R_d \tag{1-4}$$

这里 R_d 是所考虑的系统或构件或横截面的设计抗力。

1.3.2.2 抗力

抗力，用材料特性的设计值来计算，X_d 由下式计算：

$$X_d = \frac{X_k}{\gamma_M} \tag{1-5}$$

这里 X_k 是材料特性标准值，γ_M 是相应该特性的分项安全系数。

典型的标准值有小于 5%的折减(例如混凝土的抗压强度)，由于统计分布很难很好建立，代之以名义值(例如钢材的屈服强度)，使之能用 X_k 值设计。

在欧洲规范中，γ_M 的下标可由一个字母 M 代替，表示该字母所表示的材料。如表 1-2 中所示，给出了本书中使用的 γ_M 的值。虽然一个焊接栓钉剪力连接件的抗力 P_R 受钢与混凝土两种材料特性影响，但它仍被视为单一材料来处理。

表 1-2　材料特性和抗力的值

材料	钢材	钢筋	压型钢板	混凝土	剪力连接件
特性	f_y	f_{sk}	f_{yp}	f_{ck} 或 f_{cu}	P_{Rk}
γ_M 的符号	γ_a	γ_s	γ_{ap}	γ_c	γ_v
承载能力极限状态	1.10	1.15	1.10	1.5	1.25
正常使用极限状态	1.0	1.0	1.0	1.0 或 1.3	1.0

注：f_y 和 f_{yp} 是名义屈服强度，f_{sk} 是屈服强度标准值，f_{ck}、f_{cu} 分别为混凝土圆柱体和立方体试块强度标准值。

1.3.2.3 γ_F、γ_M 和 ψ 的取值范围

在欧洲规范中，这些系数的数值以及某些其他数据均有取值范围，这表明国家标准组织成员可以在它们自己国家应用规程中规定。其他值(不同于欧洲规范中)，当特征作用取自国家规范或一个国家希望从该取值范围中选定不同的安全限度时，这显然是必要的。

对于钢材 γ_a 的取值，在极限状态设计中特别保守，一些国家(包括英国)都希望采用低于欧洲规范规定的和本书式(1-10)所采用的取值。

1.3.2.4 组合作用

欧洲规范系统利用过去的已有经验来处理。一个事件承载能力极限状态的主要原理为：

- 永久作用出现在所有的组合形式中。
- 每个可变作用依次作为主导作用(也就是达到其最大设计值)，并以其他相关变量的较低的组合值相组合。
- 设计用的作用，采用通过上述过程求出的最不利的状况。

组合值的使用，允许不考虑随时间变化的各可变作用的相关性。

例如：假设一个构件上的弯矩 M_d 受自重 G 施加的竖向荷载 Q_1 和风载 Q_2 影响，对于永久设计状态的修正的基本组合为：

$$\gamma_G G_K + \gamma_{Q_1} Q_{K,1} + \gamma_{Q_2} \psi_{0,2} Q_{K,2} \tag{1-6}$$

以及

$$\gamma_G G_K + \gamma_{Q_1} \psi_{0,1} Q_{K,1} + \gamma_{Q_2} Q_{K,2} \tag{1-7}$$

在实际应用中，哪种组合占主导地位通常是明显的，对于低层建筑物，风载对楼层不重要，所以外加荷载占主导地位，应使用表达式(1-6)。但是对于大跨轻质屋盖，将由表达式(1-7)来控制，正负风压都应考虑。

偶然设计状态的组合值将由本书 3.3.7 给出。

对于正常使用极限状态，定义了三种组合，其中烦琐的是“罕遇”组合，欧洲规范 4 推荐它来核查梁与柱的变形。对于上面给出的例子，它是：

$$G_K + Q_{K,1} + \psi_{0,2} Q_{K,2} \tag{1-8}$$

或者

$$G_K + \psi_{0,1} Q_{K,1} + Q_{K,2} \tag{1-9}$$

假定其中 Q_1 为主导的可变作用，其他是：

- 常遇组合：

$$G_K + \psi_{1,1} Q_{K,1} + \psi_{2,2} Q_{K,2} \tag{1-10}$$

- 拟永久组合：

$$G_K + \psi_{2,1} Q_{K,1} + \psi_{2,2} Q_{K,2} \tag{1-11}$$

欧洲规范 4 推荐用拟永久组合来检查混凝土中的裂缝宽度，常遇组合在欧洲规范 4 中 § 1.1 提到，目前不被使用。

本书中使用的组合系数取值来自欧洲规范 1，组合系数在表 1-3 中给出。

表 1-3　组合系数

系数	φ_0	φ_1	φ_3
办公楼 C 类房屋中施加于楼板上的荷载	0.7	0.7	0.6
风载	0.6	0.5	0

1.3.2.5　作用的简化组合

欧洲规范中允许在建筑结构中使用简化组合，对于上例，假定 Q_1 比 Q_2 更为不利，它们如下：

- 对于承载能力极限状态，更不利的组合为：

$$\gamma_G G_K + \gamma_{Q_1} Q_{K,1} \tag{1-12}$$

以及

$$\gamma_G G_K + 0.9\times(\gamma_{Q_1} Q_{K,1} + \gamma_{Q_2} Q_{K,2}) \tag{1-13}$$

• 对正常使用极限状态的罕遇组合，更不利的组合为：

$$G_K + Q_{K,1} \tag{1-14}$$

以及

$$G_K + 0.9\times(Q_{K,1} + Q_{K,2}) \tag{1-15}$$

1.3.2.6 极限状态设计原理的评价

"工作应力"或"许可应力"设计已经部分地被极限状态设计所取代，因为极限状态为满足应用提供了明确的极限。计算出的应力不可能达到像构件抗力那样高的置信度，所算出的高应力值可能很重要，也可能不重要。

极限状态设计法一个明显的不足之处是：当可变荷载在不同范围内改变，会出现不同的极限状态，极限状态设计需用几套设计计算方法，而对于一些老的设计方法，只用一种设计方法就足够了，这并不完全正确。在使用极限状态设计时，常常可以自动地确定某些正常使用的极限状态不会发生，反之亦然。欧洲规范 4 § 1.1 部分利用在 § 3.4.5、§ 3.7、§ 4.2.5 与 § 4.4 部分提供的设计方法，常常可以避免确定正常使用极限状态的应力限值。

1.4 材料特性

有关钢材、混凝土与钢筋的材性知识是现成的，这里只是讲述有关组合结构的材料特性。

整体分析中，要确定梁或框架上的弯矩或剪力，尽管混凝土使用了等效模量考虑了混凝土在持续特性压应力下的徐变，仍可以假定三种材料都是线弹性的，混凝土由于拉伸、收缩产生的裂缝影响可以考虑，但这在建筑物中极其次要。

虽然混凝土受压应力—应变曲线，钢筋受拉、受压应力—应变曲线(如图 1-1 所示)，之间存在很大的差别，但是有时仍可以使用刚塑性整体分析，混凝土达到它的最大压应力时，它的应变在 0.002 ~ 0.003 之间，当达到更大的应变时混凝土被压碎，几乎丧失全部的抗压强度。混凝土在受拉中脆性很大，在开裂之前应变能力仅约为 0.000 1(即每米只有 0.1 mm)，图中显示梁或柱中混凝土的最大压应力不大于它立方体强度的 80%。钢材屈服的相应应变与混凝土的压溃应变相似，但应变更大时，钢材应力持续的缓慢增加，直到总应变达到屈服应变的 40 倍以上，因为只有当所有钢材屈服或受压钢材屈曲或混凝土压碎时，才达到截面最大抗力。所以对组合结构而言，只有在上部受支承的连续梁中，钢材的颈缩和断裂才是重要的。

因为弹性分析的结果是不可靠的，除非混凝土的开裂、收缩与徐变被充分地考虑，又因为塑性分析比较简单，并导致更经济的设计，所以在局部分析中，只要有可能，就要用塑性分析来确定横截面的抗力。

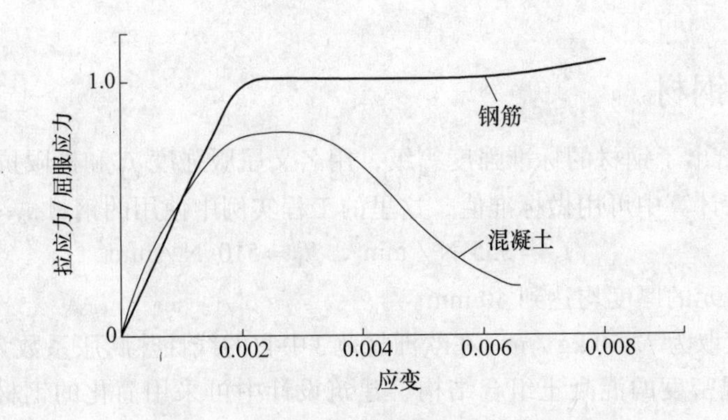

图 1-1　混凝土与钢材的应力—应变曲线

与钢材相比较，混凝土 γ_M 更大，这不仅反映了混凝土块的强度具有更多的离散性，而且反映了由于混凝土在凝固水分的流失，横截面尺寸大的误差，尤其在钢筋的位置处引起的随构件深度的混凝土强度的变化。

这里分别给出单一材料的简单介绍。

1.4.1　混凝土

欧洲规范 2 与 4 中常用的混凝土强度等级为 C25 ~ C30，它的 28 天的标准抗压强度为 $f_{ck} = 25\ \text{N}/\text{mm}^2$ (棱柱体)与 $f_{cu}=30\ \text{N}/\text{mm}^2$ (立方体)，所有的设计公式都使用 f_{ck}，而不用 f_{cu}，于是在这里的实例中，将采用等级 C30 混凝土(以英国术语)，f_{ck} 取为 $25\ \text{N}/\text{mm}^2$，欧洲规范 4 给出的混凝土的其他特性如下：

- 平均抗拉强度：$f_{ctm}=2.6$
- 上下 5%的分位数：

$$f_{ctk\,0.95}=3.3\ \text{N}/\text{mm}^2$$

$$f_{ctk\,0.05}=1.8\ \text{N}/\text{mm}^2$$

- 基本抗剪强度：$\tau_{Rd}=0.25 f_{ctk}\ /\ \gamma_c=0.30\ \text{N}/\text{mm}^2$
- 线性热膨胀系数：10×10^{-6} / ℃

常规密度混凝土密度 ρ 为 2 400 kg / m³，它用于本书实例中的组合柱和腹板，但楼板用轻骨料混凝土建造，密度为 1 900 kg / m³，欧洲规范 4 中给出 C25 / C30 等级混凝土的平均值为正切弹性模量平均值

$$E_{cm}=30.5(\rho/2\,400)^2\ \text{kN}/\text{mm}^2$$

其中 ρ 以 kg / m³ 为单位。

1.4.2　钢筋

EN10080 规定钢筋的标准强度等级以标准屈服强度 f_{sk} 表示。这里的工程实例中，f_{sk} 的取值：钢筋条为 500 N / mm²，对于焊接的钢纤维或钢筋网为 500 N / mm²，这里假定两种钢筋都满足 EN10080 中规定的“高黏结力”与“高延性”的要求。

钢筋的弹性模量 E_s 一般取 200 kN / mm^2，但在一个组合截面中，可取 E_a =210 kN / mm^2，误差忽略不计。

1.4.3 结构钢材

EN10025 给出了钢材的标准强度等级，用名义屈服强度 f_y 和极限抗压拉强度 f_u 来表示，这些值在计算中可用做标准值，这里的工程实例中使用的钢材 s_{355}，它的

$$f_y = 355\ \mathrm{N / mm^2},\quad f_u = 510\ \mathrm{N / mm^2}$$

对于所有单元的厚度均达到 40 mm。

钢材的密度取为 7 850 kg / m^3，在欧洲规范 3 中它的线性热膨胀系数为 12×10^6 / ℃，但对钢筋与常规密度的混凝土组合结构，建筑设计中可采用简化的钢材的热膨胀系数 10×10^6 / ℃。

1.4.4 压型钢板

这种材料的屈服强度可达 235 N / mm^2，甚至高于 460 N / mm^2，压型肋的高度在 45 mm 至 200 mm 以上，形状多样 (参见图 3-9)。压型钢板包括凹角与开口槽，计算含混凝土板的组合作用有多种计算方法，将在 § 2.4.3 中讨论。

薄板的厚度一般在 0.8 ~ 1.5 mm 之间，在每个表层一般涂有 0.02 mm 厚的镀锌防腐层。这种材料的弹性特性适用于作为结构钢材。

1.4.5 剪力连接件

这种材料的详述与抗剪能力的计算将于第二章中给出。

1.5 直接作用(荷载)

现在给出实际工程中使用到的荷载的特征均摘自欧洲规范 1。

永久荷载(恒载)是结构自重以及它的装饰的自重。在组合构件中，钢材部分通常首先建造，所以必须明确这是只有在钢材构件抵抗荷载情况和混凝土达到足够强度形成有效组合作用的情况。在这些类型之间恒载的不同依赖于建造方法。组合梁和板分类为支撑型或非支撑型两种。在支撑型建造中，沿钢构件长度等间距支撑直到混凝土达到某一定值，通常为其设计强度的 3 / 4，然后全部恒载被认为由组合构件承受。当不使用支撑时，在弹性分析中，假定钢构件承受它的自重以及模板与混凝土板的自重，其他恒载如楼板饰面和隔墙，通常在后来才增加上，所以认为其被组合构件承担。在承载能力极限状态设计法中(§ 3.5.3)，认为施工方法对构件抗力的影响忽略不计。

建筑物中主要的竖向可变荷载是均布荷载，分布在每一楼层。对办公楼，欧洲规范 1 § 2.4 部分给出对于承受人群密集和通道处，它的标准值为：

$$q_k = 5.0\ \mathrm{kN / m^2}$$

对于计算抗力的点荷载，取集中荷载 Q_k =7.0 kN，作用在任何 50 mm^2 上，取如此高

的荷载值是考虑了建筑物可能被改变用途。办公楼层的典型荷载 q_k 取 3.6 kN / m^2。

当构件如柱子承受来自几层($n \geqslant 2$)上面的活载 q_k，这些荷载的总和值应乘一个系数

$$\alpha_n = \frac{2 + (n-2)\varphi_0}{n} \tag{1-16}$$

其中 φ_0 由表 1-3 给出，这考虑到全部几层楼面同时出现满载的可能性较小。

建筑物中主要的水平可变荷载为风载，欧洲规范 1 § 2.7 节给出了风载取值。尽管在大的平坦表面积上摩擦阻力可能很重要，但风载通常由每个外表层的压力与吸引力组成，对组合梁的设计影响很小。但对侧面无支撑的框架结构和高层建筑中却是十分重要的。

既考虑均布荷载又考虑集中荷载的计算方法对各种直接作用都是足够的。间接作用如温度的均匀变化和混凝土的收缩都可导致组合结构的应力与变形，但对建筑物的结构设计影响很小。

1.6 分析与设计方法

本部分的目的是把要用到的主要分析方法做一预览，其中大多数方法直接应用了目前广泛运用与钢结构或混凝土结构中的方法。

钢结构设计者应熟悉有关弯曲的基本弹性理论以及假定构件全截面达到屈服受拉或受压的简单的塑性理论这两种理论。这两种理论都将运用于组合构件，所不同的是：

- 弹性理论通常不考虑混凝土参与受拉，塑性理论则完全不考虑。
- 在弹性理论中，压区混凝土除以弹性模量比 E_a / E_c 再除以其宽度，就转化为系数。
- 在塑性理论中，压区混凝土的等效屈服应力在欧洲规范 2 和 4 中取为 0.85 f_{ck}，其中 f_{ck} 是混凝土的棱柱体强度标准值。使用这种方法的例子在 § 3.5.3 与 § 5.6.4 中介绍。

在英国，混凝土的抗压强度定义为立方体强度 f_{cu}，在欧洲规范(C20 / C25 到 C50 / C60)混凝土强度等级的定义中，f_{ck} / f_{cu} 的取值范围为 0.78 ~ 0.83。于是应力 0.85 f_{ck} 的值相应于在 0.66 f_{cu} 和 0.70 f_{cu} 之间的某一个值，这与 BS5950 规范吻合，在 BS5950 中无系数横截面的塑性抗力取 0.67 f_{cu}。

系数 0.85 考虑了在标准棱柱体试件测试与在结构构件中混凝土的受力过程的多种不同。包括结构中荷载作用时间较长，所考虑的横截面的应力梯度的出现，以及混凝土的边界条件的不同。

混凝土结构设计者应熟悉换算截面法以及上面所提到的等效矩形应力理论。组合梁与钢筋混凝土梁的弹性工作性能相比的基本区别是组合梁中钢截面受拉比钢筋面积大，因为它自己有较大的抗弯刚度，同时也抵抗大部分垂直剪力。

组合截面的弹性特性的公式比钢截面或钢筋混凝土截面的公式复杂。主要原因是受弯的中和轴可能位于钢梁腹板、钢梁翼缘或构件的翼缘上。组合梁原理不比工字型截面的钢梁复杂。

1.6.1 纵向剪力

学生们虽然在弹性梁的垂直剪应力学习中已经熟悉了公式：

$$\tau = \frac{vA\bar{y}}{Ib} \tag{1-17}$$

但往往会对此公式感到困惑，因此有必要对此公式进行解释。

我们首先研究由于存在一竖向剪力 v 而引起的如图 1-2 所示弹性工字梁的剪应力。对于通过腹板的横截面 1—2，扣除的区域为它的翼缘，面积为 A_f，从中和轴到其形心的距离为 $\frac{1}{2}(h-t_{\mathrm{f}})$，截面 1—2 宽为 t_{w}，其上的纵向剪应力为 τ_{12}，因此有：

$$\tau_{12} = \frac{\frac{1}{2}vA_{\mathrm{f}}(h-t_{\mathrm{f}})}{It_{\mathrm{w}}}$$

其中 I 为截面关于 XX 轴的面积二阶矩。

考虑小单元 1234 的纵向平衡，如果它的面积 t_{w}、t_{f} 远远小于 A_{f}，那么截面 1—4 和截面 2—3 的平均剪应力近似表示为

$$\tau_{14}t_{\mathrm{f}} = \frac{1}{2}\tau_{\mathrm{R}}t_{\mathrm{w}}$$

对不同截面重复使用公式(1-17)可得：纵向剪应力的变化沿腹板呈抛物线分布，在翼缘上呈线性变化，如图 1-2 所示。

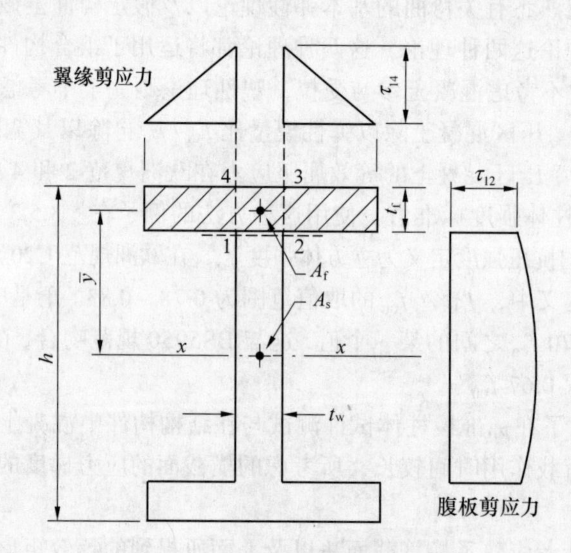

图 1-2 弹性工字型截面剪应力

本节中弹性梁的第二个例子如图 1-3 所示。这代表组合梁向下弯曲，其中中和轴的高度为 x，混凝土板厚为 h_c，混凝土板与钢梁的接触面为 6—5，混凝土截面转化为钢截面，图示的阴影面积为等效钢截面。在 $ABCD$ 面的混凝土假设已开裂，不能抵抗纵向应力，但能够传递剪应力。

方程(1-17)是以弯曲应力的变化率为基础，于是应用于此时，当扣除的面积参与计算时，面积 $ABCD$ 就被省略。假设翼缘的阴影面积均为 A_{f}，面 6—5 的纵向剪应力由下式给出：

$$\tau_{65}=\frac{vA_{\mathrm{f}}\overline{y}}{It_{\mathrm{w}}} \tag{1-18}$$

其中，$\overline{y}$是扣除的面积的形心到中和轴而不是到面 6—5 的距离，如果对面 6—5 下的阴影区域，A 与 $\overline{y}$ 被计算，就能获得相同的 τ_{65} 值，因为决定 x 值的这两个 $A\overline{y}$s 是相等的。

对面 6—5，梁的每单位长度剪力(记为 v)等于 $\tau_{65}t_{\mathrm{w}}$，它比 τ_{65} 更有意义，因为按弹性理论这是由剪力连接件抵抗的剪力，这一理论用于桥面板的剪力连接件的设计中，不用于建筑物中，因为在建筑物设计中有一个更简单的承载能力极限状态法。

对于诸如 2—3 的截面，单位长度的纵向剪力由下式给出为：

$$v=\tau_{23}x=\frac{VA_{23}\overline{y}}{I} \tag{1-19}$$

该平面内混凝土的剪应力 τ_c 为：

$$\tau_c=\frac{v}{h_c} \tag{1-20}$$

由于开裂混凝土能承担剪力，所以它与 τ_{23} 不相等，尽管换算的截面为钢截面，但由于转换的是宽度，不是高度，所以不必除以模高比。区域上的应力不会因转化而折减，另一解释为因为换算并不改变 A_{23} / I 之比，所以方程式(1-19)的剪力 v 是不依赖于材料的。

τ_c 沿混凝土板翼缘宽度的变化是三角形，如图 1-3 上部所示。

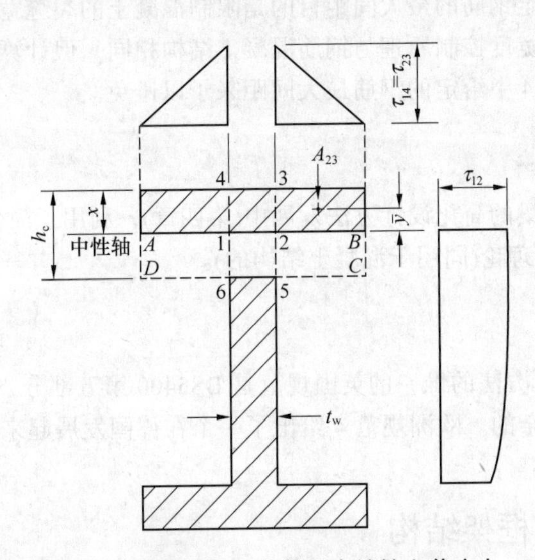

图 1-3 混凝土板组合截面中性轴上剪应力

1.6.2 纵向滑移

剪力连接件不是刚性的，在组合梁中混凝土与钢构件之间会发生微小的纵向滑移。这个问题在其他类型结构中是不出现的。关于滑移的分析也是十分复杂的，由于简化方法的出现，在设计中不必考虑纵向滑移。

1.6.3 变形

由于混凝土徐变与收缩的影响使得钢筋混凝土梁的变形计算比钢梁的计算更为复杂，但是由 BS8110 给出的跨高比限制提供了核查过大变形的简化方法。这些简化方法对组合梁，尤其是无支撑建造的组合梁是不可靠的。因此，对组合梁的变形，一般采用类似于钢筋混凝土的方法来计算。

1.6.4 竖向剪力

用于钢梁的方法也适用于组合梁，具有细长腹板的梁，对钢梁与混凝土板的连接组合有一些有利之处，但混凝土翼缘对竖向剪力的抗力比钢构件小得多，因此一般不予考虑。

1.6.5 梁翼缘与腹板的屈曲

这对钢筋混凝土的许多设计者而言是个新问题，在连续梁中，它导致未加劲的柔性翼缘和腹板的约束。欧洲规范 4 中，这些与欧洲规范 3 中给定的钢梁相同。在英国规范中，有关腹板的取值要求比对钢梁的更为严格。

1.6.6 裂缝宽度控制

混凝土规范中规定钢筋的最大间距目的是限制混凝土的裂缝宽度，以保持外观与避免钢筋的腐蚀，裂缝宽度控制原理与钢筋混凝土结构相同，但计算可能更为复杂。裂缝一般可采用欧洲规范 4 中给定的钢筋最大间距来予以避免。

1.6.7 连续梁

在建筑物的连续梁的简化设计方法发展中(第四章)，利用了简化塑性理论(同用于钢结构的)和弯矩重分布理论(同用于混凝土结构的)。

1.6.8 柱子

给出组合柱设计方法的惟一的英国规范是 BS5400 第五部分“组合桥”，该方法用于建筑结构是相当复杂的。欧洲规范 4 给出了一个在德国发展起来的更简单的方法，该方法将在 § 5.6 中详述。

1.6.9 建筑物的框架结构

组成框架的组合构件主要是钢材，而不是混凝土。所以在欧洲规范 4(§ 5.4)给出的设计方法是建立在欧洲规范 3 钢结构的设计方法基础上，梁–柱接点以相同的方法分类，用相同的标准把框架分为加斜撑框架与无斜撑框架以及分为有摇摆框架与无摇摆框架。目前尚无出现既简单又合理的组合框架设计方法，这方面的很多研究工作正在开展，特别是采用半刚性连接的设计研究工作。

1.6.10 结构耐火设计

钢材与压型钢板有较高的热传导性，使得它们在火中强度损失比混凝土更快。建筑结构有最小的耐火强度要求(一般地是 30 分钟到 2 小时)，以确保人员撤离和保护消防人员安全。这导致对混凝土最小厚度和钢筋面积作出规定或者对钢框架的绝热作出规定，由防火试验与参数的有限元法分析已经导出可靠的设计法。防火工程是一项复杂的课题，本书在 § 3.3.7、§ 3.10 与 § 5.6.2 中介绍其中几种方法，在 § 3.4.6 与 § 3.11.4 中介绍实例。

第二章　剪力连接件

2.1　引言

现存的钢筋混凝土设计方法与钢结构设计方法无法解决钢与混凝土连接的基本问题。作用于剪力连接件上的力主要是纵向剪力，但还有其他的力，因为连接件上有栓接与焊接，所以它是严重且复杂的应力集中区，精确的分析是不可能的。连接件的设计方法是通过经验与试验修正建立、发展的，这将在§2.4节中予以描述。

最简单的组合构件就是如图2-1所示的使用于楼板结构中的类型。混凝土楼板连续地覆盖于工字型截面钢梁上，并由工字型钢梁支撑。它的设计跨向沿 Y 轴，这与由墙及钢筋混凝土T型梁来支撑相同，剪力连接件放置于钢构件与混凝土板之间，使两者共同工作，作为组合梁的法向为 X 轴。因为工字型钢梁在跨中的主要作用是抗拉，如图同T型梁中的钢筋，所以工字型钢不再视为梁。压力由板的有效宽度来承担，这在§3.4中解释。

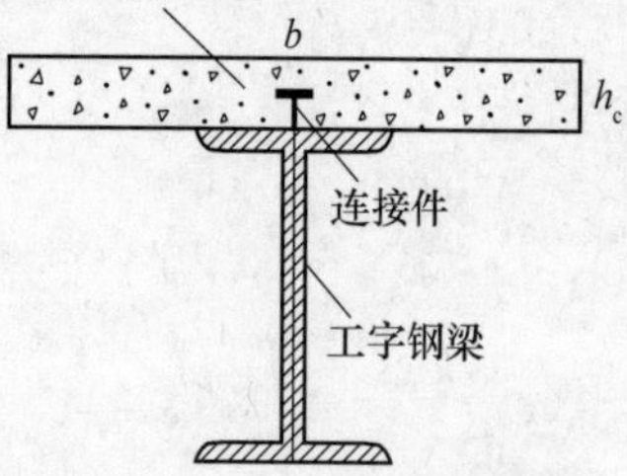

图2-1　组合梁典型横截面

在建筑物中，但不是在桥梁中，这些混凝土板通常与压型钢板组合，压型钢板放置在钢梁的上翼缘顶。

有关建筑物中梁与柱的剪力连接件承载能力极限状态设计法，将分别在§3.6和§5.6.6中介绍。

本章主要介绍：剪力连接件对简支梁工作性能的影响，剪力连接件的设计方法，剪力连接件的标准试验以及组合板中的剪力连接件。

2.2　矩形截面简支梁

木制组合梁曾经在中世纪使用，今天仍用于胶合板结构中，如图2-2所示的梁由两根相同大小的木方叠合而成，它承受沿跨度 L 每单位长度为 W 的荷载。它的各部分均由扬氏模量为 E 的弹性材料做成，梁自重忽略不计。

2.2.1　无剪力连接件的情况

我们首先认为在交界面 AB 没有剪力连接件也没有摩檫，由于上层梁的挠度不可能大于下层梁的挠度，因此上下层梁就如独立的一样，每根梁单位长度承受荷载为 $w/2$，面积二阶矩为 $bh^3/12$，通过交接面的竖向压应力为 $w/2b$，每根梁的跨中弯矩为 $wl^2/16$。按梁的基本理论，跨中应力分布如图2-2(c)所示，每一部件的最大弯应力 σ 为：

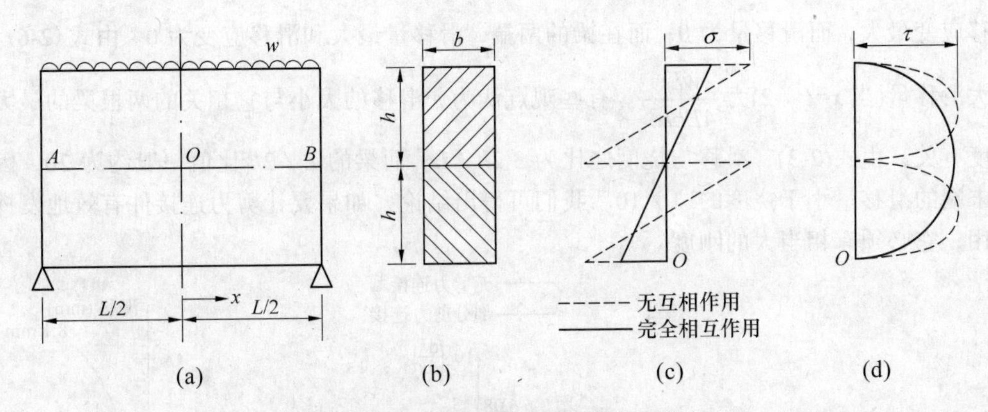

图 2-2　剪力连接件上弯曲和剪力效应

$$\sigma = \frac{My_{\max}}{I} = \frac{3wl^2}{8bh^3} \tag{2-1}$$

最大剪应力 τ 发生在支座附近，由简化弹性理论给出的抛物线形分布如图 2-2(d)，每个构件的中心线处：

$$\tau = \frac{3}{2}\frac{wl}{4}\frac{1}{bh} = \frac{3wl}{8bh} \tag{2-2}$$

最大挠度 δ 由下式给出：

$$\delta = \frac{5(w/2)l^4}{384EI} = \frac{5}{384}\frac{w}{2}\frac{12L^4}{Ebh^3} = \frac{5wL^4}{64Ebh^3} \tag{2-3}$$

每根梁矩跨中 x 处截面上弯矩为 $M_x = w(L^2 - 4x^2)/16$，于是上层梁的底部纤维的纵向应变 ε_x 为：

$$\varepsilon_x = \frac{My_{\max}}{EI} = \frac{3w}{8Ebh^2}(L^2 - 4x^2) \tag{2-4}$$

下层梁的上部纤维有一个大小相等、方向相反的应变，在这些相邻纤维之间的应变差值称为滑移应变，为 $2\varepsilon_x$。

由试验易知两个或更多的柔性木制板条或直板荷载作用下两根构件梁的末端会形成如图 2-3(a)的形状。交界面的滑移量 s 在 x=0(对称点)为 0，最大值在 $x = \pm L/2$ 处，只有在 x=0 处的横截面假定才成立。滑移应变(如上定义)与滑移是不同的(概念)，应变是位移的变化率，滑移应变是沿梁长的滑移的变化率。因此

$$\frac{\mathrm{d}s}{\mathrm{d}x} = 2\varepsilon_x = \frac{3w}{4EBh^2}(L^2 - 4x^2) \tag{2-5}$$

积分后为

$$s = \frac{w}{4Ebh^2}(3L^2x - 4x^3) \tag{2-6}$$

因为当 x=0，s=0，所以积分滑移常数为 0，于是式(2-6)给出了沿梁长的滑移分布。§2.7 中所研究的梁，按式(2-5)、式(2-6)计算的结果见图 2-3。图 2-3 表明，在跨中

滑移应变最大，而滑移量为 0；而在梁的两端，滑移量最大和滑移应变为 0。由式(2-6)，最大滑移量(当 $x=L/2$)为 $\frac{wL^3}{4Ebh^2}$。有些观点认为，滑移的大小与它相关的两根梁的最大挠度有关，由式(2-3)，滑移与挠度之比为 $3.2h/L$。而梁的 $L/2h$ 比值一般约为 20，因此末端的滑移量小于挠度的 1／10。我们可得出结论，如果要让剪力连接件有效地发挥作用，它必须有相当大的刚度。

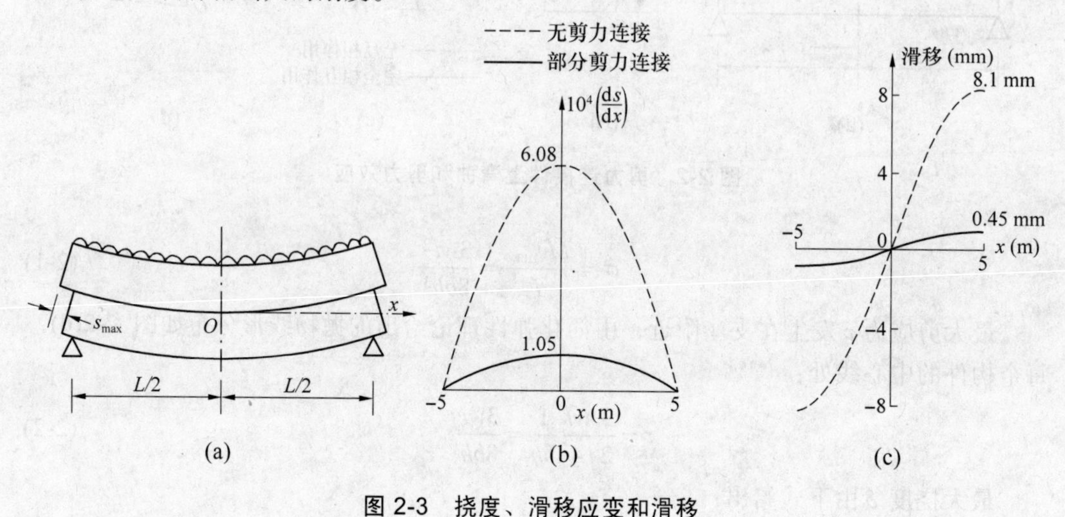

图 2-3　挠度、滑移应变和滑移

2.2.2　完全剪力连接

现在假设如图 2-2 所示的两个半根梁由一无限刚度的剪力连接件连接而成。两构件形如一体，滑移和滑应变处处为零，可以认为平截面假定成立，这种情况称为完全剪力连接。除了一种情况例外(§3.5.3)，实际中所有的组合梁与柱的设计都是基于完全剪力连接而得到的。

对于宽为 b、高为 $2h$ 的组合梁，$I=2bh^3/3$，基本理论给出的跨中弯矩为 $wL^2/8$，纤维的最大弯曲应力为

$$\sigma=\frac{My_{\max}}{I}=\frac{wL^2}{8}\frac{3}{2bh^3}h=\frac{3wL^2}{16bh^2} \tag{2-7}$$

截面 x 的垂直剪力为：

$$V_x=wx \tag{2-8}$$

中和轴上的剪应力为：

$$\tau_x=\frac{3}{2}wx\frac{1}{2bh}=\frac{3wx}{4bh} \tag{2-9}$$

最大剪力为：

$$\tau=\frac{3wL}{8bh} \tag{2-10}$$

如图 2-2(c)、(d)中比较了应力与完全剪力连接的非组合梁的应力的差别，由于剪力

连接件的存在，最大剪应力没有改变，但最大弯曲应力减半。

跨中的挠度为

$$\delta = \frac{5wL^3}{384EI} = \frac{5wL^4}{256Ebh^3} \tag{2-11}$$

该值是它原来挠度(式(2-3))的 1 / 4。因此，对于指定的梁，剪力连接件既增加了梁的强度，也增加了梁的刚度，实际对于给定的荷载可以减小梁的尺寸，也降低了造价。

本例中(但不总是如此)，交接面 AOC 正好为组合构件的中性轴，因此在交界面处最大纵向剪应力等于最大竖向剪应力，由式(2-10)知，它发生于 $x=\pm\dfrac{L}{2}$ 处，其值为 $\dfrac{3wL}{8bh}$。

剪力连接件必须根据单位长度上的纵向剪力 v 来设计，即通常所说的剪力流，在本例中，它为

$$v_x = \tau_x b = \frac{3wx}{4h} \tag{2-12}$$

半跨上的总体剪力流的大小可由方程(2-12)积分得到，等于 $3wL^2 / 32h$，通常 $L / 2h=20$，于是全跨上的剪力连接件必须抵抗的总剪力为

$$2\times\frac{3}{32}\frac{L}{h}wL = 8wL$$

这样，这个剪力是梁承受全部荷载值的 8 倍，一个有用的经验为梁上剪力连接件的强度比梁承受荷载值大一阶，这表明剪力连接件是必须有极大的强度的。

在弹性设计中，剪力连接件按照剪力流的大小放置。因此，如果剪力连接件的设计抗剪强度为 P_{Rd}，它们应该有的间距 P 由下式给出：

$$pv_x \ngtr P_{\mathrm{Rd}}$$

由式(2-12)得：

$$P \ngtr \frac{4P_{\mathrm{Rd}}h}{3wx} \tag{2-13}$$

这叫三角形分布，来自 v—x 的图形(图 2-4)。

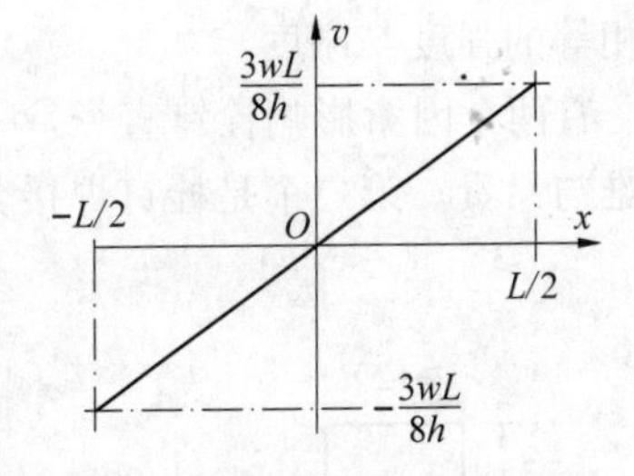

图 2-4　连接件三角形分布剪力流

2.3 向上抛起

在上例中，交界面 AOB 上的正应力除了梁端处为压应力，且均等于 $w / 2b$，如果荷载 w 作用于下层构件，应力将为拉应力(这样的荷载情况是不可能的，除了悬吊于上部组合板钢架上的移动吊车外)。但是仍有其他情况使应力在交界面上产生向上的掀起，这是有如下的复杂效果引起的：如作为组合梁翼缘的钢筋混凝土板的抗扭刚度，剪力连接件拉力附近的三轴应力，在箱形梁桥中，钢筋的抗扭刚度等。

在变截面梁中或只完成了部分翼缘的梁中，通过交界面的拉力也可能发生。没有剪力连接件的两个构件中，如图 2-5 所示就是一个简单例子，AB 放置在 CD 上并承受分布荷载。

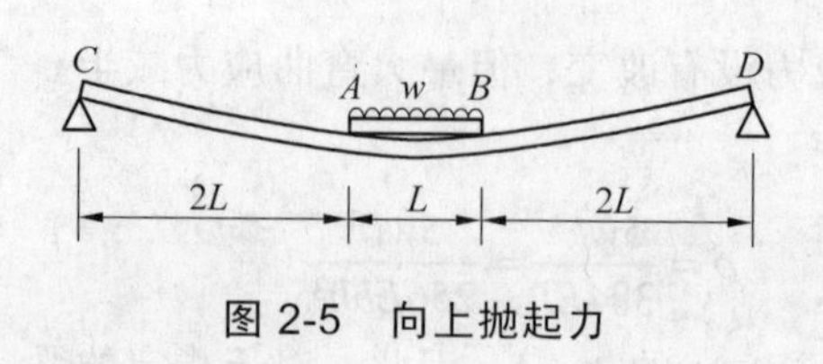

图 2-5 向上抛起力

基于上述原因，英国的实际的规范不允许对没有剪力连接件的组合梁用极限承载能力法进行设计。

大多数组合梁有如图 2-1 所示的横截面，对这类梁试验研究表明：在荷载较低时大部分纵向剪力由交接面的黏结力传递，荷载增高，黏结力遭破坏，并且不可能恢复。于是设计计算中，认为黏结强度为零，在研究中，黏结力可有意地在混凝土浇筑前在钢翼缘上涂上油脂而消除。对无外边式梁，最常用的剪力连接件形式是先将柱钉接到钢部分的上翼缘顶，然后在楼板或桥面板浇筑时将剪力连接件埋在现浇混凝土里。

2.4 剪力连接方法

2.4.1 粘接

在变形连接件普遍使用前，组合梁与混凝土的交接面上剪力是由钢梁与混凝土板之间的锚固粘接作用承担的。本书重点介绍剪力连接件的受力性能。

2.4.2 剪力连接件

使用最广泛的连接件是大头栓钉，如图 2-6 所示，它的直径范围是 13 ~ 25 mm，长度(h)为 65 ~ 100 mm，有时也使用更长的栓钉。现行的英国规范要求用于制造栓钉的钢材要有至少 450 N / mm^2 的抗拉强度和不少于 15%的伸长率。栓钉连接件的优点为焊接过程快捷，它们几乎不阻碍混凝土板中的钢筋栓钉垂直于中轴的各方向，承受剪力时具有相等的强度与刚度。

有两个因素影响栓钉直径。一个是焊接过程，当直径超过 20 mm 时，焊接变得更为困难与昂贵。第二个是栓钉焊接其上的板或翼缘的厚度 t (见图 2-6)。美国的一项研究发现，如果栓钉满足 $d / t \leqslant 2.7$，那么栓钉的静态强度能得到完全利用，在欧洲规范 4 中，规定 d / t 的上限值为 2.5。使用反复荷载的试验导致在英国桥梁规范中制定如下规则：当翼缘板承受波动的拉应力后，d / t 不要超过 1.5。这些规定禁止在组合板中使用栓钉作为剪力连接件。

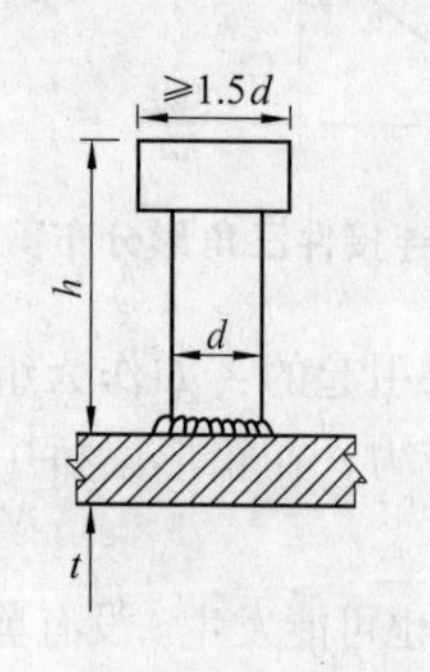

图 2-6 大头栓钉剪力连接件

一个栓钉能承担的最大剪力是相当低的，大约为 150 kN，其他类型具有更高强度的连接件已经出现，主要用于桥梁中。它们是：有带环钢筋，T 形带环钢筋，马蹄形钢筋、槽钢如图 2-7(a)。其中带环钢筋连接件强度最大，它的极限抗剪强度能达到 1 000 kN。欧洲规范 4 中给出了块状连接件由钢筋制成的锚件，角钢连接件摩擦型栓钉强力连接件，对环氧粘合剂也曾做过尝试，但是对于板被粘合在钢梁下表面，是否能提供可靠的抗掀起的抗力还不清楚。

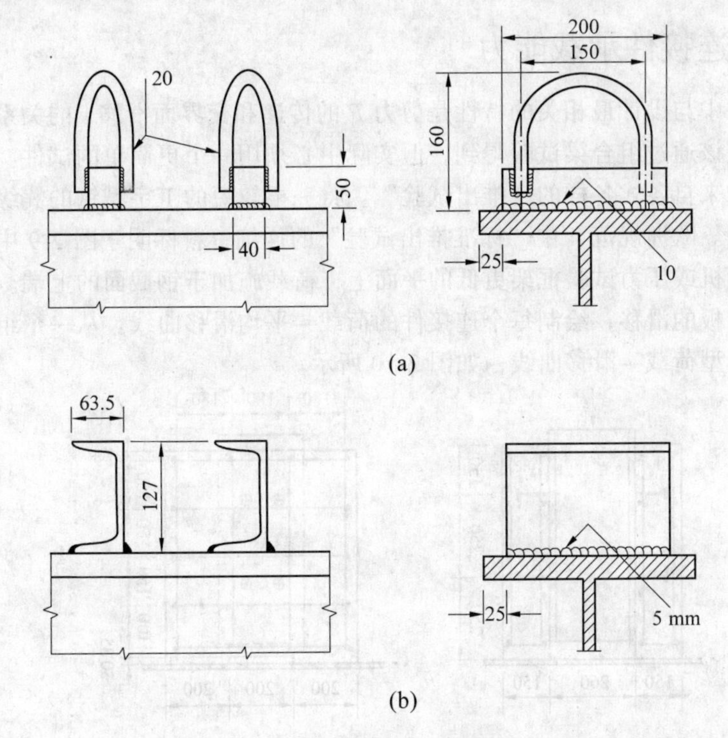

图 2-7　其他类型的剪力连接件(单位：mm)

2.4.3　压型钢板剪力连接件

在建筑物中压型钢板通常用做楼板的永久模板，因此称为“组合板”，典型的横截面如图 2-8、图 2-14、图 2-20 和图 3-12 所示。因为把剪力连接件焊于厚度小于 1 mm 的材料上是不实际的，剪力连接件或者被压进混凝土或者卷成浅凹线置入混凝土中，或者靠压型钢板的凹槽形状防止钢板与混凝土分离。

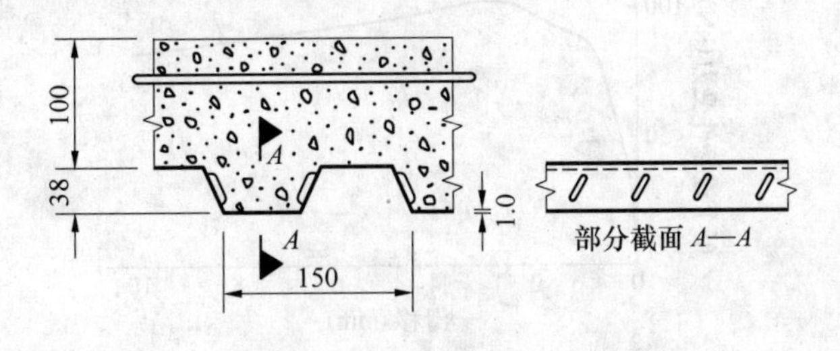

图 2-8　组合板(单位：mm)

混凝土板(组合板)抗纵向剪力 § 2.8 中介绍，它的设计将在 § 3.3 中介绍。

2.5 剪力连接件的特性

2.5.1 剪力连接件承载能力

剪力连接件中与设计最相关的特性是剪力 P 的传递和交界面滑移 s 的关系，荷载滑移曲线理论上应该通过组合梁试验得到，但实际中必须用一个更简单的试件。绝大多数连接件的数据均来自各式各样的“推出试验”。将一根较短的工字型钢的翼缘与两个小的混凝土板相联。欧洲规范 4 中“标准推出试验”的详细资料标明于图 2-9 中，板被放置在比压力试验机或压力试验框架更低的平面上，荷载施加于钢截面的上端。在几个点测量钢构件与两板的滑移，绘制每个连接件的荷载—平均滑移曲线。从一个组合板试验中得到的一个典型荷载—滑移曲线，如图 2-10 所示。

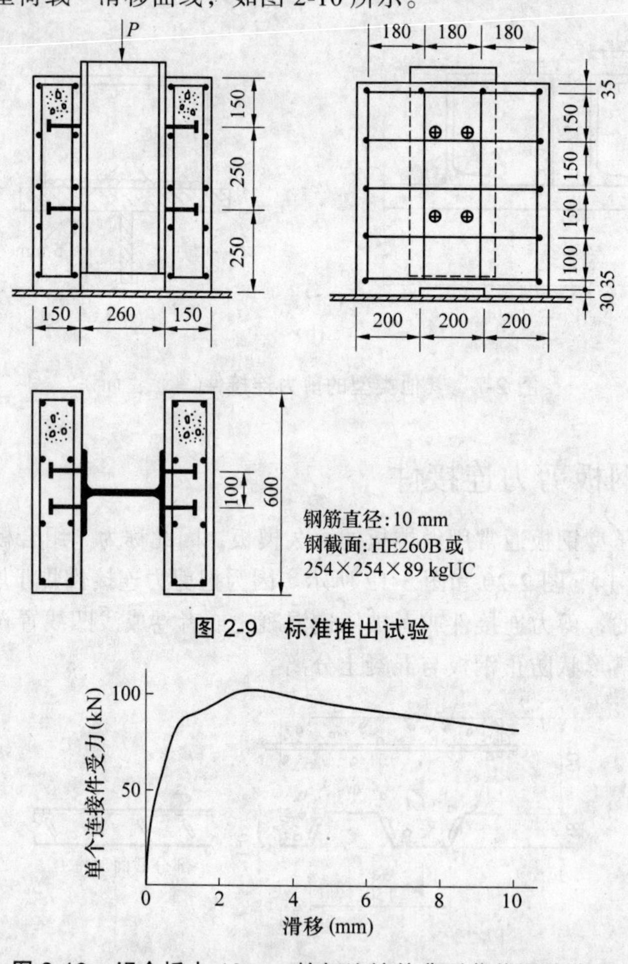

图 2-9 标准推出试验

图 2-10 组合板中 19 mm 栓钉连接件典型荷载滑移曲线

工程上因为测试新型连接件的设计强度是一件相当昂贵的事情，所以设计者通常使用已知抗剪设计强度的剪力连接件。如果要获得可靠的结果，试验必须详细制定，因为荷载—滑移的关系受多个因素的影响，包括：

(1)试验试件中的连接件个数；

(2)连接件周围的混凝土板上的平均纵向应力；

(3)连接件附近的板中钢筋的强度、布置、大小；

(4)连接件周围的混凝土厚度；

(5)每个板的底部侧移的自由程度，以及施加于连接件的掀起力；

(6)钢–混凝土交界面的黏结力；

(7)混凝土板的强度；

(8)每个连接件的底部周围的混凝土的密实程度。

图 2-9 所示所有细节包括了相应的(1)~(6)条相关的要求，规定的钢筋数量与混凝土板的大小均比英国规范要求的要大，在英国规范中，“推出试验”标准试件自从 1963 年以来几乎没有改变。按欧洲规范试验得出的结果受混凝土板劈裂影响较小，从而给出了更好的梁中连接件的工作性能的预测。

因为混凝土的强度影响破坏模式以及破坏荷载，所以必须做相应不同混凝土强度等级的试验。当栓钉周围的混凝土破坏时，栓钉可能达到它的最大承载力，但在高强混凝土中，栓钉将被剪断，这就说明了为什么满足 $h/d\geqslant4$ 的栓钉的设计抗剪力在欧洲规范 4 中取下列两值中的较小值：

$$P_{\mathrm{Rd}}=\frac{0.8f_{\mathrm{u}}(\pi d^{2}/4)}{\gamma_{\mathrm{v}}} \tag{2-14}$$

和

$$P_{\mathrm{Rd}}=\frac{0.29d^{2}(f_{\mathrm{ck}}E_{\mathrm{cm}})^{1/2}}{\gamma_{\mathrm{v}}} \tag{2-15}$$

其中 f_{u} 为钢材的极限抗拉强度($\leqslant 500\ \mathrm{N/mm^2}$)。$f_{\mathrm{ck}}$ 与 E_{cm} 分别是混凝土的棱柱体强度和混凝土平均正弦弹性模量，h 与 d 的尺寸如图 2-6 所示。推荐的分项安全系数γ_{v}的值为 1.25(基于统计标准研究)，当 $f_{\mathrm{u}}=450\ \mathrm{N/mm^2}$ 时，当 f_{ck} 大于 $30\ \mathrm{N/mm^2}$，式(2-14)起控制作用。忽略γ_{v}，方程式(2-14)显然代表栓钉钉杆在平均应力为 $0.8f_{\mathrm{u}}$ 时发生剪切破坏。为解释方程式(2-15)，假设力 P_{R} 沿连接件长度的分布区域等于钉杆直径的两倍，研究表明，栓钉杆承受的应力集中于栓底部，如图 2-11 所示，那么平均应力近似为 $0.145(f_{\mathrm{cm}}E_{\mathrm{cm}})^{1/2}$。欧洲规范 4 中给出的它的数值范围对应于 C20/C25 混凝土的 $110\ \mathrm{N/mm^2}$ 到 C40/C50 混凝土的 $171\ \mathrm{N/mm^2}$。因此，这样的混凝土在混凝土破坏时承受的平均应力从 $5.5f_{\mathrm{ck}}$ 到 $4.3f_{\mathrm{ck}}$。这个估计忽略了栓钉底部焊缝处的扩大直径部分，如图 2-6 所示，但可清楚地看到有效的抗压强度是混凝土棱柱体强度的几倍。

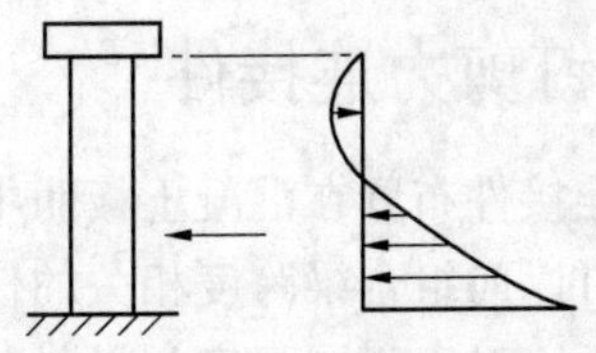

图 2-11　栓钉连接件钉杆承受应力(单位：mm)

只有当连接件上面的混凝土被它周围的混凝土、钢筋和钢板翼缘横向约束时，混凝土才可能达到如此高的强度。在这个小而重要的区域里，推出试验的结果可能被混凝土的密实度甚至被骨料颗粒的分布而影响。这被认为是所得结果离散的主要原因。

考虑这种离散的通常方法是把标准抗力 P_{RK} 取作为三次测试的最低值再折减 10%的值，然后修正大于该最小值的所有连接件强度的测量值。

梁中连接件的荷载—滑移曲线受混凝土翼缘的纵向应力和推出试验中板的纵向压力不同的影响。当翼缘受压时，在弹性范围内的荷载—滑移(刚度)大于推出试验的结果。当板受拉(如在下垂弯矩区内)，连接件的刚度明显降低，但极限抗剪力降低很少，这就是为什么在欧洲规范 4 中只在下垂弯曲区内允许使用部分剪力连接件的原因。

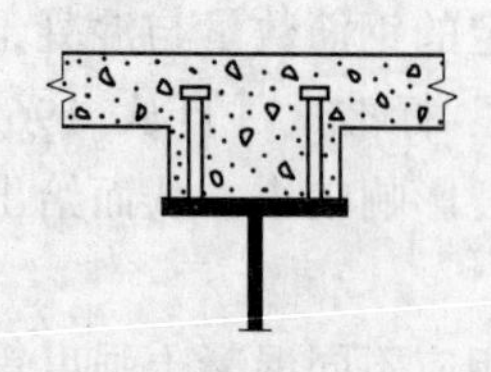

图 2-12　变截面连接件太靠近自由表面

在两种情况下会发生在推出试验中得到的剪力连接件的抗力对于设计来讲太高了，一种是重复荷载，如通过桥的车辆、行人等；另一种情况是与剪力连接件粘接的混凝土的横向约束力小于推出试验中的横向约束力，如在变截面梁中剪力连接件太靠近自由表面，如图 2-12 所示。因此，在变截面梁中，只有在梁的横截面满足特定条件时，才允许使用连接件抗力的标准方程。在欧洲规范 4 中这些特定条件是：连接件边缘的混凝土保护层不得少于 50 mm(如图 2-13 中的线 *AB*)，自由的混凝土表面不得位于线 *CD* 内，其线 *CD* 为连接件的底部与钢翼缘的 45° 角线，满足这些要求的变截面梁如图 2-13 中的 *EFG*。

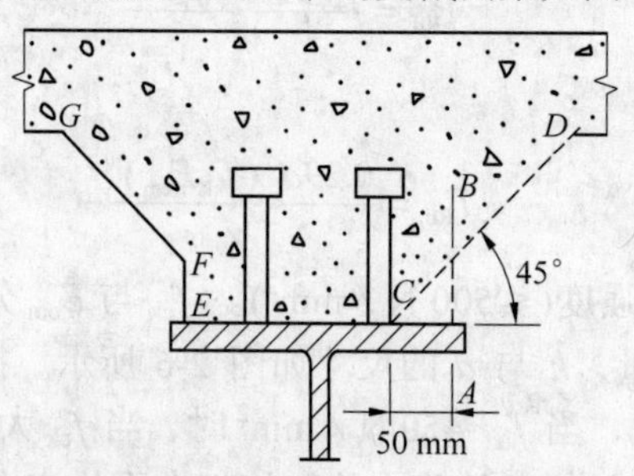

图 2-13　变截面的详细规定

对于 L 形梁的自由端，同样也有关于钢筋混凝土加厚部分的详细规定。

试验表明，轻骨料混凝土对剪力连接的局部应力的抗力略小于相同立方体强度的常密度混凝土。基于这点考虑，欧洲规范 4 规定对中轻质混凝土降低它的 E_{cm} 取值，对于密度为 1 750 kg / m^3 的混凝土，由方程式(2-15)算出的抗力只是正常密度混凝土的 73%，在英国这个取值被认为太低了，在 BS5950 中相应的比值为 90%。

2.5.2　带压型钢板的栓钉剪力连接件

当使用压型钢板时，栓钉连接件布置在混凝土板肋中，板肋形状有一个起拱的形状并位于呈加厚凸起部位，方向可以向组合梁跨度相关的任何方向延伸。测试表明，由于混凝土板肋的局部破坏部位，所以对于相同强度的材料剪力连接件的抗剪力有时低于实心板中的抗剪力。

为此，欧洲规范 4 规定了折减系数，应用于由方程式(2-14)和式(2-15)求得的抗力 P_{Rd}，当肋板平行于梁时，系数为：

$$k_1 = 0.6\frac{b_0}{h_p}(\frac{h}{h_p}-1) \leqslant 1.0 \tag{2-16}$$

其中 b_0、b_p 与 h 的尺寸如图 2-14 所示，h 应不大于$(h_p + 75)$ mm。

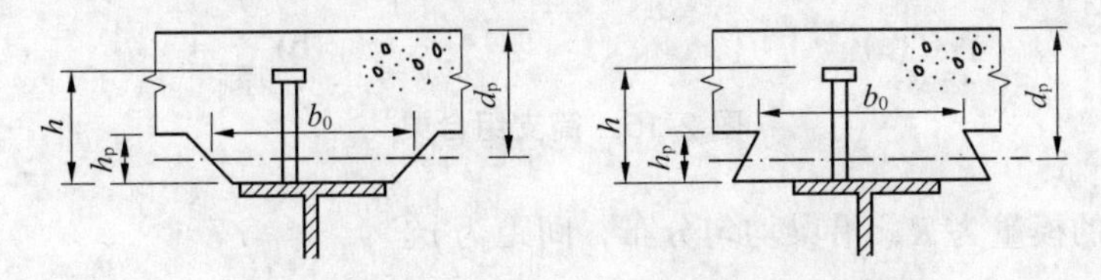

图 2-14　组合梁和组合板在相同方向跨度

当压型肋板垂直梁时，系数为：

$$k_1 = \frac{0.7}{\sqrt{N_r}}(\frac{h}{h_p}-1) \leqslant 1.0 \tag{2-17}$$

其中 N_r 为一条横过梁的肋条的剪力连接件的数目，计算中一般取为不大于 2。

这些系数是基于在北美提出的公式，并根据近年来更多的欧洲压型钢板试验的结果进行了修正。它们的安全保证率并不统一，需要更多的试验数据作为其他连接(非栓钉)的折减系数的依据来改进这些取值。在一些国家的通常做法：先在钢板上开洞，再将栓钉穿过此洞焊于钢翼缘上，这与在美国及北美的“穿板焊”是不同的。

2.6　部分剪力连接

在研究完全剪力连接的简支组合梁时，认为滑移量处处为 0，然而，推出试验结果表明，即使是最小的荷载，滑移也不为 0，因此有必要知道由于滑移量的存在梁的工作性能如何改变。这最好通过一个基于弹性理论的分析加以说明，但所导出的微分方程对于每种荷载情况必须重新求解，这对设计者来讲太复杂了。尽管如此，部分剪力连接理论仍有用，因为它是预测在工作荷载下梁工作性能的更简单方法发展的起点，以及得到由于混凝土收缩和不均匀的热膨胀引起的而交界面上的剪应力计算方法。

当剪力连接件所受的荷载不大于理论的极限强度值的一半时,用弹性分析是恰当的。图 2-10 中荷载与滑移曲线中的相关部分 OB 可用直线 OB 代替，这个误差极小，这条线给出的荷载滑移比称为连接件模量 K。

为简单起见，分析的范围限于跨长 L(见图 2-15)、单位长度上承受分布荷载 w 的简支组合梁。横截面由厚度 h_c、截面积 A_c 及惯性矩为 I_c 的混凝土板以及相应特性为 h_s、A_a 与 I_a 的对称钢截面组成。混凝土形心到钢截面形心 S 的距离 d_c 由下式给出：

$$d_c = \frac{h_c + h_s}{2} \tag{2-18}$$

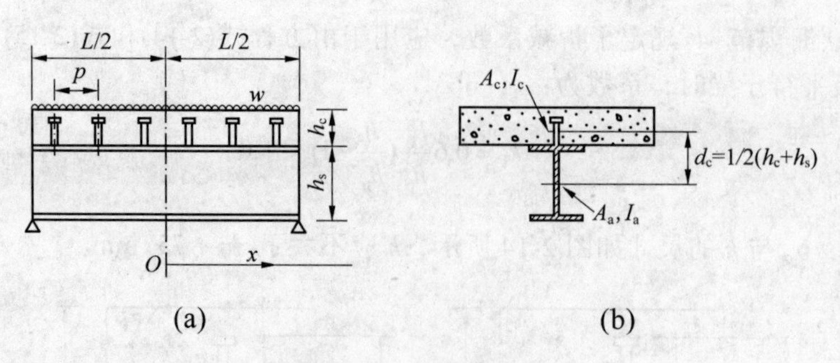

图 2-15　简支组合梁

剪力连接的模量为 K，沿梁均匀分布，间距为 p。

钢的弹性模量为 E_a，短期荷载下混凝土模量为 E_c，在分析中用等效模量 E_c' 来描述混凝土徐变，这时

$$E_c' = k_c E_c$$

其中 k_c 为折减系数，从徐变应变与弹性应变的比值而计算出来。模量比 n 定义为 $n = E_a / E_c$，于是

$$E_c' = \frac{k_c E_a}{n} \tag{2-19}$$

假定混凝土的拉、压刚度相同，因为分析中发现，除了剪力连接程度非常低的情况，混凝土的拉应力太低了就会对结果几乎不引起误差。

分析的结果以构件的横截面积及剪力连接件的刚度 α 与 β 的两个函数来表达，它们由下列方程来定义：

$$\frac{1}{A_0} = \frac{n}{k_c A_c} + \frac{1}{A_a} \tag{2-20}$$

$$\frac{1}{A'} = d_c^2 + \frac{I_0}{A_0} \tag{2-21}$$

$$I_0 = \frac{k_c I_c}{n} + I_a \tag{2-22}$$

$$\alpha^2 = \frac{k}{p E_a I_0 A'} \tag{2-23}$$

$$\beta = \frac{A' p d_c}{k} \tag{2-24}$$

在组合梁中，钢截面比混凝土截面薄，并且钢的热传导系数比混凝土的大得多，因此对于温度的变化钢的反应比混凝土快得多。如果两种构件是自由的，那么它们的长度改变率将不同。但剪力连接件阻碍了这种情况的发生，导致了在两种材料中产生的应力大得足以影响设计。混凝土板的收缩也有类似的影响，在分析中考虑这些不均匀应变的简单的方法是假定混凝土板在与钢梁连接后，混凝土板均匀缩短，相对于钢，单位长度

缩短率为 ε_c。

附录 A 中给出了滑移 s 相对于从跨中沿梁长开始 x 处的控制方程：

$$\frac{d^2 s}{dx^2}-\alpha^2 s=-\alpha^2 \beta wx \tag{2-25}$$

于是，对于本题的边界条件为：

$$\left.\begin{aligned} s&=0 \quad (x=0) \\ \frac{ds}{dx}&=-\varepsilon_c \quad (x=\pm L/2) \end{aligned}\right\} \tag{2-26}$$

方程式(2-25)的解答为：

$$s=\beta wx-\left(\frac{\beta w+\varepsilon_c}{\alpha}\right)\operatorname{sech}\left(\frac{\alpha L}{2}\right)\sinh \alpha x \tag{2-27}$$

由此可得整个梁上的滑移应变与应力的表达式。横截面上的应力依赖于整个梁上的荷载、边界条件及剪力连接件。它们不能通过所考虑的截面上的弯矩与剪力而算得。这就是实际工程中足够简单的设计方法必须依据于完全连接理论的主要原因。

2.7 滑移对应力与挠度的影响

对于由两个相等大小和刚度单元组成的组合梁，完全剪力连接和无剪力连接的弹性分析在前面已介绍。它的横截面可认为是如图 2-16 所示的钢与混凝土梁的换算截面。虽然这种截面形式并不会在工程中用到，但该梁的部分剪力连接分析却很好地说明了连接件的柔度对交界面滑移以及对应力、挠度的影响。

附录 A § A.2 给出了一根典型组合梁的数值，将梁高 0.6 m、跨度 10 m 代入式(2-27)，得到 x 与 s 的关系式为：

$$10^4 s=1.05x-0.001\,7\sinh(1.36x) \tag{2-28}$$

最大滑移发生在跨端 $x=\pm 5$ m 处，从方程式(2-28)中得到，它是 ± 0.45 mm。

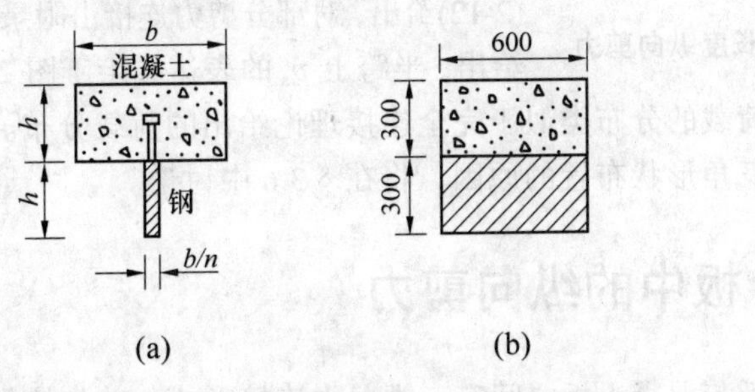

图 2-16　钢混凝土梁换算截面(单位：mm)

由 § 2.2.1 与 § 2.2.2 所得的结果也能适用于此梁。由方程式(2-6)知，如果没有剪力连接件，它的最大滑移量将是 ± 8.1 mm，因此剪力连接件大大减少了梁端的滑移，但滑移并没有消除。对应于无剪力连接和部分剪力连接的沿梁长的滑移，滑移应变的变化如图 2-3 所示。

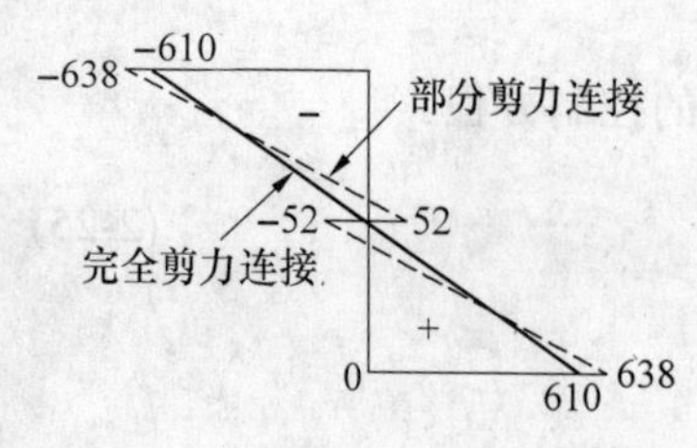

图 2-17　跨中纵向应变($\times 10^{-6}$)

连接件模量 K 取作 150 kN / mm(附录 A)。每个连接件的最大荷载是 K 倍的最大滑移量。由部分连接理论给出的这一荷载为 67 kN，它远远低于假设荷载—滑移关系是合理的，能算出的每个连接件的极限强度 100 kN，理论与部分剪力连接理论给出的跨中纵向应变如图 2-17 所示，由滑移引起的边界纤维应变的增加量 28×10^{-6} 远远低于交接面上的滑移应变 104×10^{-6}。由于滑移，混凝土中的最大正压应力从 12.2 N / mm^2 增加到 12.8 N / mm^2，有 5%的改变量，较高的压力为立方体强度的 43%。因此，材料为刚性的假定是合理的。

部分剪力连接曲率与完全剪力连接曲率之比为 690 / 610，即 1.13。沿梁长曲率的积分表明，由于滑移，挠度的增加量也是大约 13%。由于本例中连接件的模量取值相当低，又忽略了黏结力的影响，因此实际工程中，滑移对挠度的影响比本例的要小。

跨中的混凝土纵向压力正比于它的平均压应变，由图 2-17 可知，对于完全剪力连接它是 305×10^{-6}，对于部分剪力连接它是 293×10^{-6}，折减 4%。

滑移对构件弯曲性能的影响可概括如下。可认为跨中弯矩 $\dfrac{wL^2}{8}$ 为混凝土的弯矩 M_c、钢构件的弯矩 M_a 和组合弯矩 Fd_c 的总和(如附录 A 图 A.1)：

$$M_c + M_a + Fd_c = \frac{wL^2}{8}$$

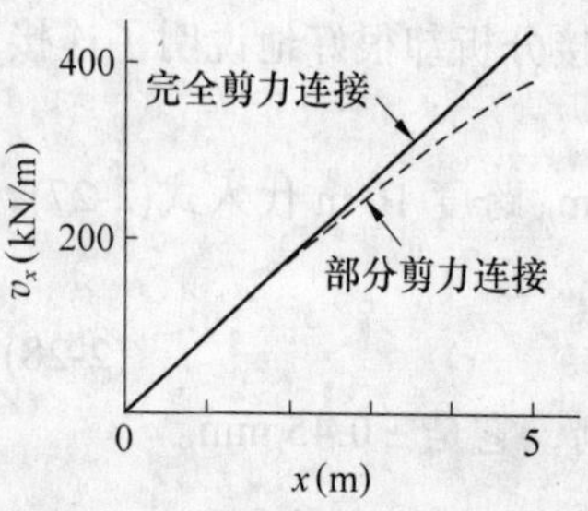

在完全连接的分析中，Fd_c 占全部弯矩的 75%，M_c 和 M_a 各占 12.5%。部分剪力连接分析表明，滑移使得 Fd_c 只占全部弯矩的 72%，于是 M_c 与 M_a 分别占到了 14%。相应的曲率的增加为 $\dfrac{14-12.5}{12.5}$，约为 13%。

图 2-18　单位长度纵向剪力

交接面上单位长度的剪力对于完全剪力连接由方程式(2-12)给出，对部分剪力连接由附录 A 方程式(A.1)和式(2-28)给出、半跨上 v_x 的表达式绘于图 2-18 中，表明在弹性范围内，连接件上荷载的分布类似于完全连接理论给出的荷载分布。剪力连接件使用均匀布置，而不使用三角形状布置的原因，将在 § 3.6 中讨论。

2.8　组合板中的纵向剪力

在压型钢板与混凝土板之间有三类剪力连接形式，首先依靠钢板与混凝土板之间的自然黏结，除非防止交接面的分离(掀起)，否则自然黏结力是不可靠的。因此，人们生产出带凹角形状的钢板(如 Holorib)，这种剪力连接称为“摩擦连接”。这些压纹的效果完全依赖它们的深度，这些深度在生产期间就必须精确控制。第 3 类连接件称为“末端锚固型”。它通过一片钢板放于钢梁上，利用栓钉穿过钢片与钢翼缘来提供。

2.8.1　$m—k$ 或剪切—黏结测试

剪力连接件的有效性能通过简支组合板的加荷试验来研究，如图 2-19 所示试验说明，每个剪跨 L_s 通常为 $L/4$，其中 L 为梁跨度，通常为 3 m，有三种可能的破坏模型。

- 在如图 2-19 中 1—1 截面的弯曲破坏；
- 在如图 2-19 中 2—2 截面的纵向剪切破坏；
- 在如图 2-19 中 3—3 截面的垂直剪切破坏。

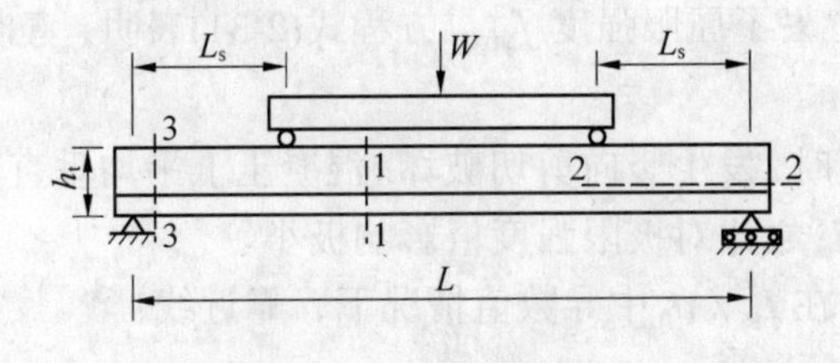

图 2-19　组合板临界截面

试验中试件所要发生的破坏模型依赖于剪跨 L_s 与板的有效高度 d_p 之比，如图 2-20 所示，根据欧洲站做的试验，试验结果绘成以 $\dfrac{V}{bd_p}$ 及 $\dfrac{A_p}{bL_s}$ 为轴的图形(图 2-21)，现解释其原因。

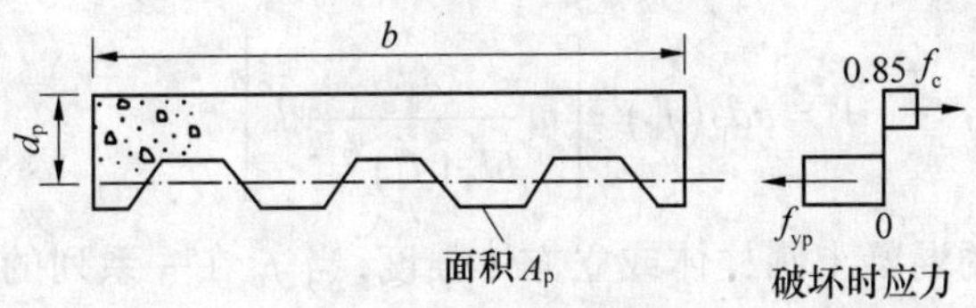

图 2-20　组合板抵抗弯曲

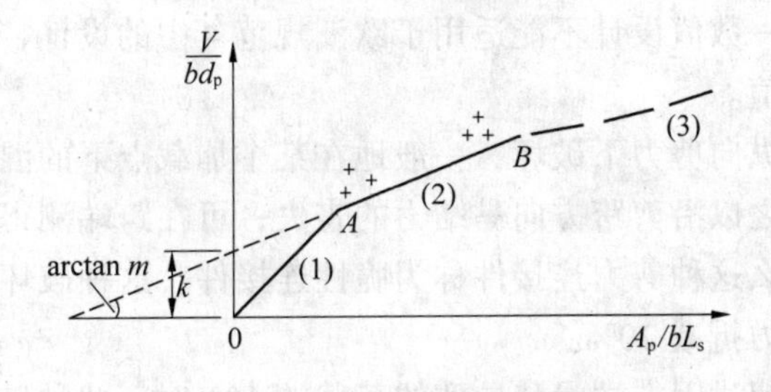

图 2-21　$m—k$ 定义

当 L_s/d_p 比值较高时，发生弯曲破坏，最大的弯矩 M_u 为

$$M_u = VL_s \tag{2-29}$$

其中 V 是最大垂直剪力，假设它比板的自重大得多。一件宽为 b 的试件应该在总截面 A_p 中包括具有多个完整波长的钢板。弯曲破坏可由简单的塑性理论得到其模型，全部钢材达到屈服应力 f_{yp} 并且大部分混凝土达到 $0.85f_c$，这里 f_c 为圆柱体强度。力矩略小于 d_p 但近似为

$$M_u \propto A_p f_{yp} d_p \tag{2-30}$$

由方程式(2-29)得：

$$\frac{V}{bd_p} = \frac{M_u}{bd_p L_s} \propto \frac{A_p f_{yp}}{bL_s} \tag{2-31}$$

在一系列试验中，钢的屈服强度 f_{yp} 保持不变，并且对纵向剪力破坏没有影响，因此在图 2-21 中从轴上省去了屈服强度 f_{yp}。方程式(2-31)表明，弯曲破坏应该绘成一条经原点的直线。

当 L_s / d_p 为较低值时，发生竖向剪切破坏。混凝土上平均垂直剪应力大约为 V / bd_p，当前规范中假设 A_p / bL_s 之比对极限强度值影响极小。

纵向剪切破坏发生在 L_s / d_p 中导数值情况下，靠近线：

$$\frac{V}{bd_p} = m\left(\frac{A_p}{bL_s}\right) + k \tag{2-32}$$

基于方程式(2-32)的设计是欧洲规范 4 中给定的两种方法中的一个(另一个在§3.3.2 中介绍)，现行的方法类似于已广泛使用几十年的方法，称为"m—k 法"，在该方法中，m 与 k 通常由下式确定

$$V = bd_p \left(f_c\right)^{1/2} \left[m \frac{A_p}{bL_s \left(f_c\right)^{1/2}} + k \right] \tag{2-33}$$

其中，f_c 为所测的混凝土圆柱体或立方体强度，当 f_c 在一系列的试验中改变较大时，该方程的结果 m、k 是不会令人满意的，所以 f_c 从方程(2-32)中省去。两方法相比较表明对 m 影响较小，但使用不同的单位，两个方程会给出不同的值。例如，按 BS5950 第 4 部分的方法算得的某一数值设计不能适用于欧洲规范 4 中的设计，但是能从原始试验数据中获得一个新的数值。

全部试验都将是纵向剪力下破坏，一般地在某个加载点下的混凝土中裂缝出现时这些破坏开始发生，伴之以沿剪跨方向黏结力的丧失，可在跨端测得滑移。如果这导致了混凝土板的破坏，那么这种剪力连接件称为脆性连接件。这种破坏发生突然，设计中欧洲规范 4 规定设计抗力折减 20%。

当最终破坏荷载超过因末端滑移导致的荷载的 10%时，此种破坏称为延性破坏，最近发展的压型钢板比早期的形状有好的力学连接性能，早期的形状更多地依赖于摩擦连接，更易发生脆性破坏。在加载至破坏前，使用高达 1.5 倍于正常使用荷载的重复荷载，以使在标准试验中黏结的影响减到最小。

当发展一种新型载面时，原则上必须确定相应于每个板材厚度、每个使用的板的总高度以及混凝土的强度范围的 m、k 值，规范允许一些简化，但试验一直是时间长、耗资大的过程。这种 m—k 试验在其他方法中也不满意。下面讲述一个比它小得多的试块试验来及时取代它。

2.8.2 滑移区试验

这种试验自 1989 年在澳大利亚开始发展起来，它使用压型钢板作延性剪力连接件。一块一波长宽约 300 mm 长的压型板用点焊连接于底板上(见图 2-22)。将一块与组合板类似厚度的盖板浇筑其上。通过滚杆施加一竖向荷载 V 和一水平荷载 H，测量纵向滑移 s。

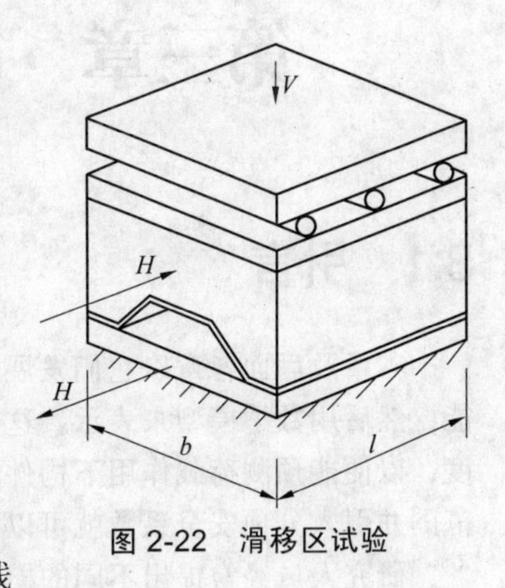

图 2-22 滑移区试验

图 2-23 表明了其试验过程，在起初测试中黏结被破坏，先在 A 点施加一荷载 V，保持 V 不变而增加 H(施加于点 B)直到滑移开始。然后，慢慢减少荷载 V，以便滑移变生、H 稍微下降。这个过程一直持续到(C 点)一端将升起，再将荷载 V 增至 D 点。重复进行一个周期，这次滑移稍有增大，再重复周期，如图 2-23(b)。滑移线 GH 所示每条滑移线的斜率给出了摩擦系数 μ 的值，在图 2-23(a)中 H 轴上的截距给出了 $\tau_u bl$ 的值，其中 τ_u 为单位水平面积上的平均剪应力，因为

$$H = \tau_u bl + \mu V$$

将这样确定的 τ_u、μ 的相对于 C、F、H 等滑移的值绘于图 2-23(c)中，这清晰地表明了连接件的延性如何。设计中，能使用 τ_u 与 μ 的单值。在滑移区试验中，滑移值在 2~3 mm 时，能够精确预测组合板的工作性能。

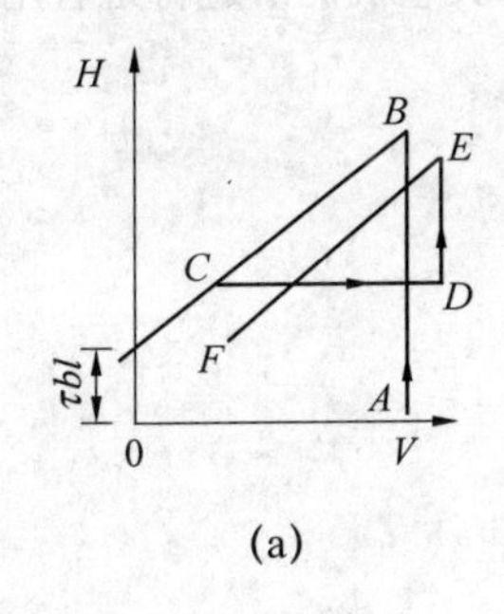

(a)

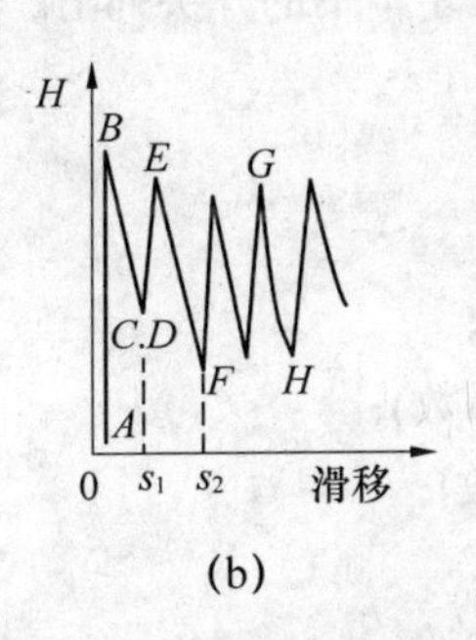

(b)

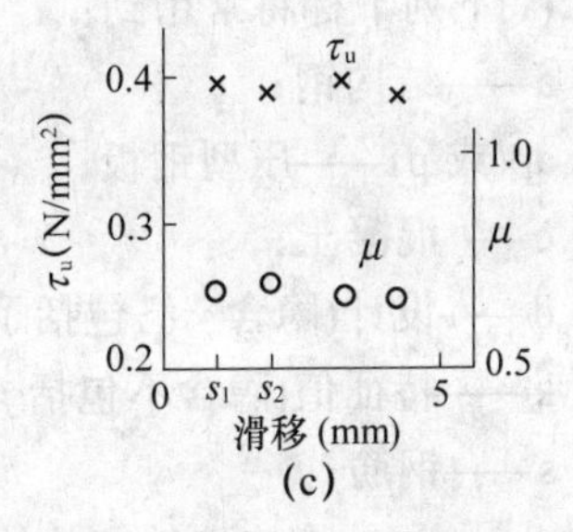

(c)

图 2-23 滑移区试验结果

使用本方法的组合板设计过程将在 § 3.4.3 中介绍。

第三章　简支组合板、组合梁

3.1　引言

本章及后面各章以它们发展的顺序编排，通过实践或研究来揭示有关的结构工作性能，然后用数学模型来表示。这些数学模型使用了材料的标准化特性，例如钢的屈服强度，以便能预测荷载作用下构件的工作性能。通过尽可能地简化模型，定义它们的使用范围并引入分项安全系数就可以把模型引入设计规则。

研究人员经常提出不同的模型，而由于语言碍障使得在一个国家认可的模型而在另一国家却很少有人知道。规范的制定者总是选择已有的最合理且最广为人知的模型，但是也考虑已有的设计规程和简化的必要性。本书采用的设计规定取自欧洲规范，与相应的英国规范略有不同，但是基本模型通常是相同的，显著的不同之处将予以解释。

将要讲述的设计方法通过于一幢建筑物框架结构部分的设计计算予以解释。为避免重复，每个阶段所获得的结果将运用于后继的工作中，大多数的梁材料也可用于桥梁结构中。

本书用到的概念注释与欧洲规范的相同，它们比目前使用的英国规范更系统化、更明确，但是有时也更为复杂。它们已于本书的开头列出。以下有关它们的讲述将是有用的。

(1)下列下标将常用到：

a——结构钢；

ap(或 p)——压型钢板；

c——混凝土；

d——设计(隐含γ已包括了γ系数)；

k——特征值(隐含不包括γ系数)；

s——钢筋；

v——与剪力连接件有关的。

(2)由于f_y含义已为人们熟知，因此f_y来表示结构钢的屈服强度，但是用f_{ak}来表示则更系统化。

(3)承载能力极限状态的验算公式为，不论作用的弯矩如何改变，也不能超过结构的抵抗弯矩，表达式为

$$M_{Sd} \leqslant M_{Rd} \tag{3-1}$$

其中S表示作用，R表示抗力，有必要明确作用效应与结构抗力的区别。

3.2　设计实例

某建筑翼缘的框架结构，两排柱相距 9 m，每排框柱距为 4 m，要求设计一标准楼

板，它由连续楼板与钢梁组成，楼板铺设在钢梁上，并与钢梁组合，跨越各柱，如图 3-1 所示。在承载能力极限状态下，材料的标准强度与分项安全系数假定如下：

结构钢：屈服强度 f_y=355 N / mm $\gamma_a=1.10$

钢筋：屈服强度 $f_{sk}=460$ N / mm^2 $\gamma_s=1.15$

混凝土：立方体强度 $f_{cu}=30$ N / mm^2 $\gamma_c=1.5$

焊接构造：屈服强度 $f_{sk}=500$ N / mm^2 γ_s=1.25

剪力边连件：19 mm 钉头，100 mm 高，极限强度 f_u=450 N / mm^2 $\gamma_v=1.25$

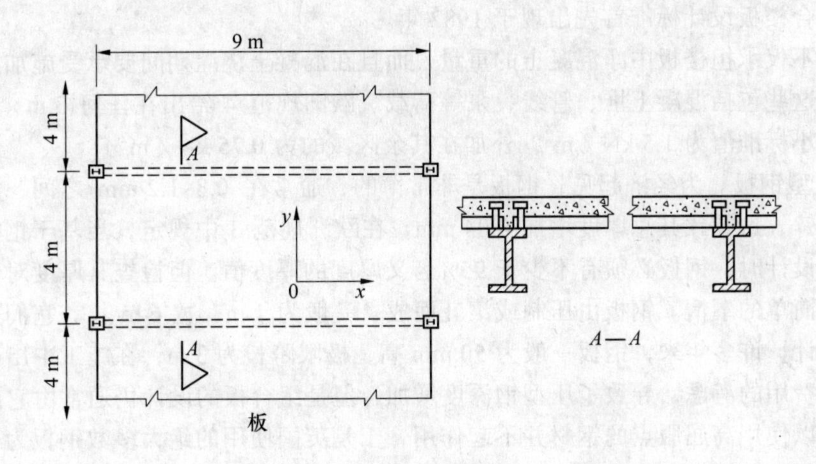

图 3-1 典型楼板结构设计实例

(1)混凝土的其他特性。对轻骨料混凝土，其单位质量ρ=1 900 kg / m^3，欧洲规范给出了这种混凝土的其他特性值如下：

棱柱体强度特征值： f_{ck}=25 N / mm^2

正弦弹性模量： $E_{cm}=19.1$ kN / mm^2

短期荷载模量比： n=210 / 19.1=11.0

标准抗拉强度的均值： $f_{ctm}=2.6$ N / mm^2

5%分格点值： $f_{ctk\,0.05}=1.8$ N / mm^2

考虑混凝土徐变的等效模量 $E'_{cm}=E_{cm}$ / 3

(2)剪力连接件的抗力。由式(2-15)给出其抗剪力设计值是：

$$P_{Rd}=\frac{0.29\times19^2\times(25\times19\,100)^{0.5}}{1.25\times1\,000}=57.9\quad(\text{kN})\tag{3-2}$$

(3)永久作用力。考虑钢筋重量，混凝土的容重能由 19 kN / m^3 增至 20 kN / m^3，结构钢的容重取为 77 kN / m^3。

楼板自重及天花板装饰重量的标准值取为 1.3 kN / m^3，另加考虑非承重隔墙的比重为 1.2 kN / m^3

(4)可变作用力。假设拟设计的楼板为欧洲规范 1 中第 2 部分的 C 类：人群拥挤地区，包括通道地区。第一章中给出可变荷载的标准值为：

$$q_k=5.0\ \text{kN / m}^2$$

或

$Q_k = 7.0$ kN 在 50 mm^2 区域里。

3.3 组合楼板

在北美钢框架建筑中，组合板已经作为悬挂板结构建造的最常用方法使用了几十年。在最近 20 年内，设计过程中有了许多改进。在欧洲可以买到大量的各种型号的压型板。英国的组合楼板设计标准首先出现于 1982 年。

钢板不仅承担楼板中净混凝土的重量，而且在混凝土浇灌期间要承受施加其上的其他荷载，这些包括混凝土堆、管线、泵等荷载。欧洲规范 4 给出在任何 3 m × 3 m 的压域内其最小标准值为 1.5 kN / m^2，外加在其余区域的为 0.75 kN / m^2。

(1)压型钢板。为经济起见，钢板是非常薄的，通常在 0.8~1.2 mm 之间，为抗腐钢板必须镀锌，这导致其总厚度增加 0.04 mm。在欧洲规范 3 中规定，当基于钢板的名义厚度进行设计时，钢板必须有不少于 95%名义厚度的厚度值。但检查其厚度对使用者来讲可不是简单的事情。钢板由压制或滚轧而成，一般为 1 m、宽 6 m 长，它们是用于纵向跨度设计，许多年来，钢板一般为 50 mm 高，极限跨长为 3 m，在施工中出于用支柱支撑钢板费用的考虑，导致了压型钢深度增加，但是组合板的设计仍通常由它的挠度来控制，所以使用高屈服点的钢材并不起作用，于是英国使用的绝大多数钢板为软钢。

压型钢板中平板的局部屈曲应力，理论上应该超过它的屈服强度，但这要求宽厚比至少为 35。现在压型板有局部加劲肋，但要达到长细比小于 50 是相当困难的。因此，对于弯曲这种截面属于第 4 类(即屈曲应力小于屈服应力)，于是抗弯计算变得复杂，将涉及试验与误差。

规定的或名义的屈服强度应等于制成压型板中平板的屈服强度，在成品中，由于工作硬化，在弯拐角处屈服强度提高。

为了使钢板完成在混凝土板中如同钢筋在混凝土板中同样的作用，板的表面打压上各种凹痕，充当剪力连接件。这些凹痕区在抵抗纵向应力时可能并不完全有效，所以凹痕和局部屈曲降低了板的惯性矩 I，实际值低于按钢部分毛截面计算的计算值。

为此，生产者要用钢板模型(原型)做试验，为设计者提供以试验为基础的抗力值和刚度，或是从这些值中计算出的安全荷载表。

(2)组合板设计。施工阶段所需的钢板横截面积比作为组合板的底部钢筋要更多一些，于是通常板按简支设计。当然混凝土在支撑梁上是连续的。交替搭接的钢板也可能如此(比如：6 m 长的钢板用于跨距为 3 m 的连续跨度)。

这些简支板要求在支座处有顶部纵向钢筋，以控制裂缝宽度。欧洲规范 4 中规定，对于无支撑建造法，纵筋量要求为钢肋上面混凝土横截面积的 0.2%，对于有支撑建造法为 0.4%。

大跨板有时也按在支座处连续来设计，它的分析如在 § 4.7 中所示。现在让我们来讨论在组合板设计中必须考虑的几个作用效应，其方法通过实例将在 § 3.4 中阐述。

3.3.1 组合板对下垂弯矩的抗力

计算考虑的板宽度 b 通常取为 1 m，只是为简明起见，在图 3-2 中只画出一个波长宽度。欧洲规范 4 中要求板的整体厚度 h_t 不小于 80 mm。钢板的肋顶部主平面上的混凝土的厚度不小于 40 mm。一般该厚度是 60 mm 或更多，以便能满足隔音、防火要求及抵抗集中荷载。

除非钢板特别厚，在完全剪力连接条件下，弯曲中和轴通常位于混凝土中。但在部分剪力连接区域边，中和轴总要位于钢截面中，那么就必须考虑受压钢板的局部屈曲。这就须用钢板的平整区域的有效宽度。由于混凝土减小了屈曲波长，从而防止了钢板向上屈曲，因此在欧洲规范 4 中，梁中这些宽度值允许达到 I 类钢腹腔板宽的极限值的两倍。

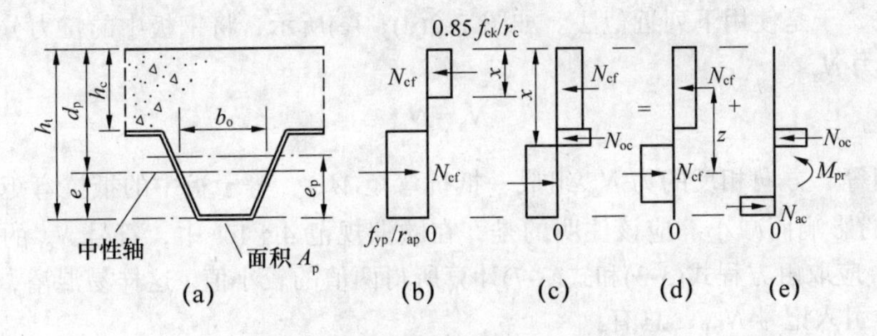

图 3-2 组合板对下垂弯矩的抗力

对于受拉钢板，在计算有效面积时应忽略压纹的宽度，除非试验证明更大的面积是有效的。

为此，每米宽度的有效面积 A_p 和板底以上面积中心处的高度 e 通常基于试验得到，试验通常表明钢板的塑性中和轴高度 e_p 不同于 e。

由于这种方法考虑了局部屈曲，就能由简单塑性理论计算抵抗弯矩。有三种情况，分别如下。

3.3.1.1 中性轴在钢板之上

假定纵向弯曲应力分布如图 3-2(b)所示，由于这必须为完全剪力连接，因此混凝土中压力等于钢板的屈服力：

$$N_{cf} = N_{pa} = \frac{A_P f_{yp}}{\gamma_{ap}} \tag{3-3}$$

其中 γ_{ap} 为钢板名义屈曲强度 f_{yp} 的分项安全系数。

混凝土高度由下式给出：

$$\chi = \frac{N_{cf}}{b(0.85 f_{ck} / \gamma_c)} \tag{3-4}$$

为简单起见，以及与组合梁的方法相一致，中和轴高度假设为 x，虽然这与欧洲规范 2 不一致。因此，这种方法的有效范围为：

$$x \leqslant h_c \tag{3-5}$$

给出：

$$M_{p.Rd} = N_{cf}\left(d_p - 0.5x\right) \tag{3-6}$$

其中 $M_{p.Rd}$ 为抵抗下垂弯曲的设计抗力。

3.3.1.2 中和轴在钢板中且完全剪力连接

应力分布如图 3-2(c)所示，力 N_{cf} 现在小于 N_{pa}，由下式给出：

$$N_{cf} = bh_c \frac{0.85 f_{ck}}{\gamma_c} \tag{3-7}$$

这里为简单起见，忽略了板肋中的压力，由于压型板复杂的特性，因此没有计算 x 的简单方法，于是使用下列近似法。如图 3-2(d)、(e)所示，将钢板中的拉力分解为底部压力 N_{ac} 和力 N_a。

其中

$$N_a = N_{cf} \tag{3-8}$$

大小相等、方向相反的力 N_{ac} 组成一抵抗弯矩 M_{pr}，等于板中的抵抗弯矩 M_{pa}，由于轴力 N_a 的影响而减小。应该注明的是，在欧洲规范 4 § 1.1 中，符号 N_{cf} 的值依赖于 x / h_c 之比，应取由方程式(3-3)和式(3-7)计算所得两值的较小值。这样易混淆，为明白起见，进一步引入记号 N_{pa}，总有：

$$N_{pa} = \frac{A_p f_{yp}}{\gamma_{ap}} \tag{3-9}$$

N_{cf} 中下标 f 表示完全剪力连接，当为部分剪力连接时，混凝土板中的压力 N_c 不能超过 N_{cf}，M_{pr} / M_{pa} 与 N_{cf} / N_{pa} 的关系依赖于外形轮廓(截面形状)，但一般如图 3-3(a)中虚线 ABC 所示，在欧洲规范 4 中用下列方程来近似求解：

$$M_{pr} = 1.25 M_{pa}\left[1 - \frac{N_{cf}}{N_{pa}}\right] \leqslant M_{pa} \tag{3-10}$$

这正如图 3-3 中 ADC 所示，于是抵抗弯矩由下式给出：

$$M_{p.Rd} = N_{cfz} + M_{pr} \tag{3-11}$$

如图 3-2(d)、(e)所示，力臂 z 通过近似法得到，z 在图 3-3(b)中用线 EF 表示。当 $N_{cf} = N_{pa}$ 时，N_{ac} 就为 0，那么 M_{pr} 也为 0，这显然正确。方程式(3-6)中，当 $x = h_c$ 时，给出 $M_{p.Rd}$ 力臂为：

$$z = d_p - 0.5h_c = h_t - e - 0.5h_c \tag{3-12}$$

如点 F 所示。

为检查点 E，我们假设 N_{cf} 近似为 0（例如：假设混凝土非常弱），所以 $N_a \approx 0$ 和 $M_{pr} \approx M_{pa}$，于是仅对 M_{pa} 中性轴在板底上部高为 e_p、N_{cf} 的力臂为：

$$z = h_t - e_p - 0.5h_c \tag{3-13}$$

由点 E 给出，这种方法经试验验证是有效的。

线 EF 由下式给出：

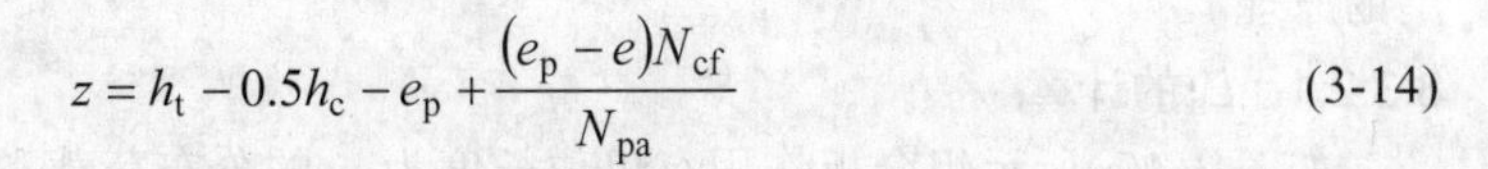

$$z = h_{\mathrm{t}} - 0.5h_{\mathrm{c}} - e_{\mathrm{p}} + \frac{(e_{\mathrm{p}} - e)N_{\mathrm{cf}}}{N_{\mathrm{pa}}} \tag{3-14}$$

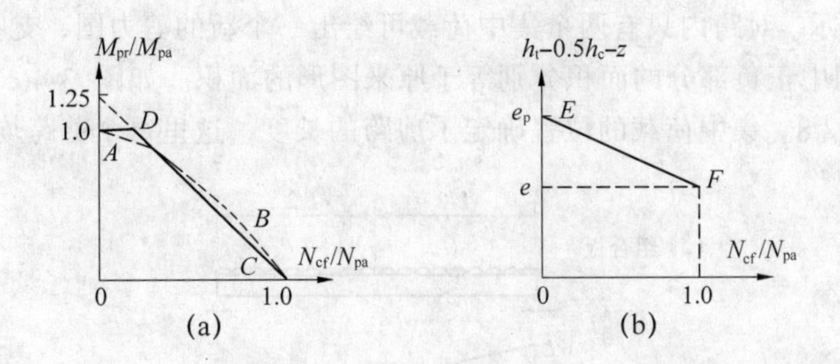

图 3-3　方程式(3-10)和式(3-14)

3.3.1.3　部分剪力连接

板中的压力 N_{c} 现在小于 N_{cf}，且由剪力连接件的强度决定，应力区高度由下式给出：

$$x = \frac{N_{\mathrm{c}}}{b\left(0.85 f_{\mathrm{ck}} / \gamma_{\mathrm{c}}\right)} \leqslant h_{\mathrm{c}} \tag{3-15}$$

在钢板中有第二个中性轴，对于混凝土板(力为 N_{c}，而不是 N_{cf})应力图如图 3-2(b)所示，对钢板的应力区如图 3-2(c)所示，$M_{\mathrm{p.Rd}}$ 的计算除了用 N_{c} 代替 N_{cf}、N_{cf} 取代 N_{pa}、x 取代 h_{c} 外，方法同 § 3.3.1.2，于是：

$$z = h_t - 0.5x - e_{\mathrm{p}} + \frac{(e_{\mathrm{p}} - e)N_{\mathrm{c}}}{N_{\mathrm{cf}}} \tag{3-16}$$

$$M_{\mathrm{pr}} = 1.25 M_{\mathrm{pa}} \left[1 - \frac{N_{\mathrm{c}}}{N_{\mathrm{cf}}}\right] \ngtr M_{\mathrm{pa}} \tag{3-17}$$

$$M_{\mathrm{p.Rd}} = N_{\mathrm{c}} z + M_{\mathrm{pr}} \tag{3-18}$$

3.3.2　组合板对纵向剪力的抗力

对于依靠摩阻来传递纵向剪力的压型钢板，还没有满意的理论模型，这导致了剪切—黏结试验的发展，于 § 2.8.1 中讲述以及设计中的“m—k”法的发展，其中剪切抗力基于方程式(2-23)，在欧洲规范 4 中基于式(2-32)给出。由于要加上安全系数，欧洲规范方程为

$$V_{1.\mathrm{Rd}} = \frac{bd_{\mathrm{p}}\left[\dfrac{mA_{\mathrm{p}}}{bL_{\mathrm{s}}} + k\right]}{\gamma_{\mathrm{vs}}} \tag{3-19}$$

其中 m 与 k 为含应力量纲的常数，由剪切—黏结试验确定，$V_{1.\mathrm{Rd}}$ 是板宽为 b 的板的设计垂直抗剪力，它是基于在剪跨长 L_{s} 内发生纵向剪切破坏的一个支承端处的竖向剪

力，在图 2-19 中如线 2-2 所示。

对跨度 L 内均布荷载，长度 L_s 为 $L/4$，现通过一个例子说明对其他类型荷载计算 L_s 的原理。

3.3.2.1 L_s 的计算

如图 3-4(a)所示组合板作用有单位长度为 w 的分布荷载和集中荷载 wL。于是，剪力图如图 3-4(b)所示。对跨内只有两个集中荷载可绘出一个新的剪力图，支座处反力相同。所示图中剪力图中正负部分的面积分别等于原来图形的面积。如图 3-4(c)所示，每块阴影面积为 $3wL^2/8$。集中荷载的位置确定了剪跨的长度，这里每个剪跨均为 $3L/8$。

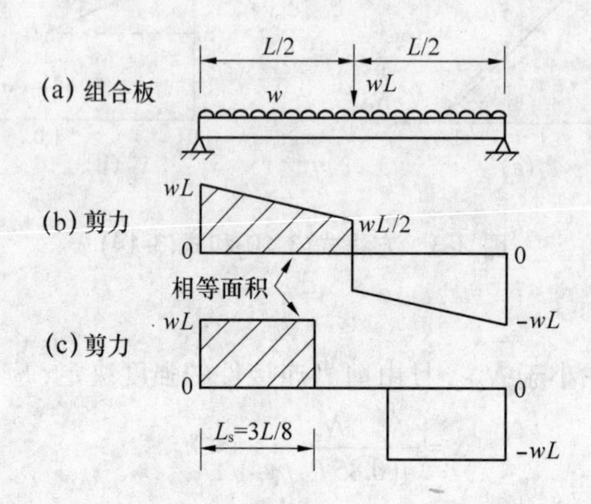

图 3-4　组合板中 L_s 的计算

3.3.2.2 *m*—*k* 方法的缺陷

该方法已经证明对于有短跨、相当脆的压型钢板是一个充分有效的设计方法，在北美已广泛使用，但是为了充分利用压型钢板的延性，利用其良好的机械连接性能和较长的跨度，有必要使用部分相互作用法，下面予以介绍。

对于“*m*—*k*”法的不足及压型板的脆性行为，德国的 Bode 和 Sauerborn 及澳洲的 Patrick 和 Bridge 在论文中提到并提出了新的方法，如下所述：

(1)“*m*—*k*”方法不是基于一个力学模型，在设计中，当尺寸、材料、荷载与试验中使用的不同时，假定必须做得很保守。上面的 L_s 的计算便是其中一例。

(2)在应用的范围扩展前必须做许多附加试验，如要包括末端支座锚固或者纵向钢筋的试验。

(3)不论破坏是脆性破坏或延性破坏，其试验数据的评估方法是相同的，欧洲规范 4 中对脆性行为使用了 0.8 的折减系数，并不能充分体现使用具有良好摩阻钢板有利因素，因为它随跨度而增加。

3.3.2.3 部分剪力连接设计

首先介绍基于剪切—黏结试验的方法，稍后介绍基于滑移区试验的方法，后者特别考虑了支座附近摩擦的作用，从而对短跨更为经济。

对于给定横截面和材料的组合板，利用具有延性特性的压型板的剪切—黏结试验结果可算出部分剪力连接件的连接程度，它给出了在剪跨 L_s 中从钢板传到混凝土板中的压

力 N_c，假设达到最大荷载前在交界面处纵向剪切应力会发生完全重分布，于是可算出平均极限剪切应力 τ_u，在一定的剪跨范围内，找到最低的 τ_u 作为设计值 $\tau_{u\cdot Rd}$ 的基础(在短跨中摩擦的影响被忽略)。

在端部支座组合板的抗弯矩只等于钢板的抗弯矩(除非它如后面讲到的，用了端锚来提高)，对距支座 x 处的任何截面，板中的力能由 $\tau_{u\cdot Rd}$ 算得。可用 § 3.3.1.3 中的计算方法算出该截面的抵抗弯矩 $M_{p.Rd}$，通常在跨中区能达到完全剪力连接，$M_{p.Rd}$ 独立于 x。

为安全设计，$M_{p.Rd}$ 作为 x 的函数曲线(抗力图)，必须所有点均高于作用荷载的弯矩图的所有点，如果荷载增至两曲线相接触点的位置，便为弯曲破坏的横截面的位置，如果因为部分剪力连接，给出的则是剪跨长。

利用端部锚固或板中钢筋，很容易修改抗力图，而荷载图则能够是任何形状。

基于滑移区试验数据的方法是类似的，除了考虑摩擦的影响和靠近支座端抗力增加外，§ 3.4.3 给出一个使用剪力黏结试验数据的实例。

英国或欧洲规范中设计规则给出的惟一端部锚固类型为大头栓钉穿过钢板，焊到钢梁翼缘上。锚固抗力是建立在钢板局部破坏的基础上(如在欧洲规范 4 § 1.1 和 BS5950 § 3.1 中的注释)。

3.3.3 组合板对垂直剪力的抗力

试验表明，对竖向剪力的抗力主要由混凝土肋板提供，对开口型压型钢板，它的有效宽度 b_0 应该取平均宽度，尽管在中心轴处的宽度(如图 3-2(a))已足够精确，对凹角压型钢板，应该取其最小宽度。

设计方法是基于钢筋混凝土 T 形梁中抗剪力计算法，在欧洲规范 4 中，对板肋有效宽度为 b_0、肋距为 b 的组合板的抗力由下式给出：

$$V_{V.Rd}=\frac{b_0}{b}d_p\tau_{Rd}k_v(1.2+40\rho)\quad (\text{每个单元宽度}) \tag{3-20}$$

式中：d_p——到形心轴的高度；

τ_{Rd}——混凝土的基本剪切强度；

k_v——考虑浅构件有更高的抗剪强度，$k_v=(1.6-d_p)\geqslant 1$，其中 d_p 单位为 m；

ρ——考虑压型钢板的较小作用，由下式给出：

$$\rho=\frac{A_p}{b_0 d_p}<0.02 \tag{3-21}$$

其中 A_p 是(在 b_0 内)受拉钢板的有效面积，通常取 b_0 内的全部面积。

在实际中，钢槽侧板上的剪力在施工中可能相当高，当校核组合板时可不予考虑，V_{sd} 应该取全部竖向剪力，包括钢板的初始抗力。

当跨高比较低时，竖向抗剪力极可能在设计中是最关键的，梁便是这种情况。

3.3.4 冲切剪力

当必须设计一块薄的组合板来抵抗集中荷载(例如：受荷无轨电车的一个钢轮)，抗冲切剪力可能是极具重要的，假设破坏发生在一个长度为 C_p 的“临界周长”上，“临界周长”是相对于远离自由边的 $a_p \times b_p$ 受荷区，以 45°角传播 h_f 厚，如图 3-5(a)所示：

$$C_p = 2\pi h_c + 2\left(2d_p + a_p - 2h_c\right) + 2b_p + 8h_f \tag{3-22}$$

与方程式(3-20)相似，设计抗力为：

$$V_{p.Rd} = C_p h_c \tau_{Rd} k_v (1.2 + 40\rho) \tag{3-23}$$

其中 h_c 是钢板上面的厚度。当确定 h_c 时，图 3-5(b)中的小肋可忽略不计。

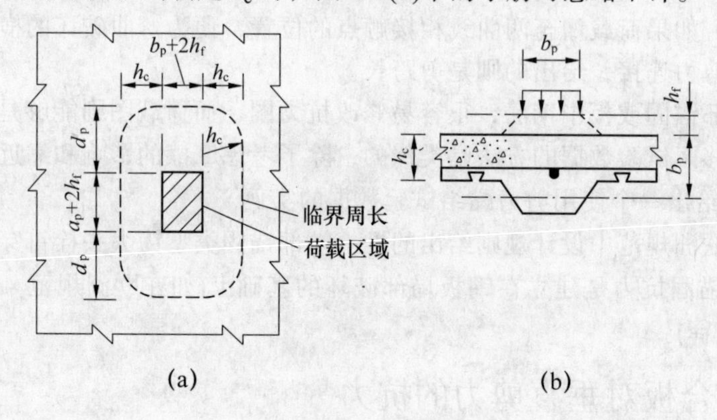

图 3-5　冲切剪力临界周长

3.3.5　集中荷载与线荷载

由于组合板只在一个跨向，它承受砌体隔墙或其他重力局部荷载的能力是有限的，欧洲规范 4 中及美国规范给出的规则规定了组合板抗弯及竖向剪力的有效宽度，对集中荷载与线荷载的荷载作用区域及形函数，这些是基于简化分析试验数据及经验的综合考虑。

这里有一 $a_p \times b_p$ 的矩形受荷区，板跨为 L，从较近支座到中心的距离 L_p，如图 3-6(a)所示，假设荷载在宽度 b_m 上分布与边线成 45° 角，其中

$$b_m = b_p + 2(h_f + h_c) \tag{3-24}$$

其中 h_f 是分布面的厚度(如果有饰面的话)，规范没有指要顺跨向分布，但使用同样的规则是合理的。取荷载作用长度为

$$a_m = a_p + 2(h_f + h_c) \tag{3-25}$$

认为板的宽度对整体分析是有效的(仅对连续板)，抗力由下式给出：

$$b_e = b_m + kL\left(1 - \frac{L_p}{L}\right) \leqslant \text{板宽} \tag{3-26}$$

这里对弯曲及纵向剪切 k 取为 2(除了对连续板的内跨，k=1.33)，对垂直剪力，k=1。对简支板及集中荷载 Q_d，沿 AD 线单位板宽下垂弯曲弯矩(图 3-6(a))为

$$m_{sd} = Q_d L_p \frac{1 - \dfrac{L_p}{L}}{b_e} \tag{3-27}$$

上式当 $L_p=L/2$ 时，取最大值。

b_e 随 L_p 的变化如图 3-6(a)所示。假设荷载沿 BC 线均匀分布，但抗力沿线 AD 分布，于是在荷载作用下有下垂的横向弯曲。最大的下垂弯矩在 E 点，由下式给出：

$$M_{sd} = Q_d \frac{b_e - b_m}{8} \tag{3-28}$$

由于压型钢板波纹是开口的，所以在该方向板没有抗拉强度，所以必须使用低筋。建议底部钢筋在方程式(3-25)给出的长度及 a_m 上布置。

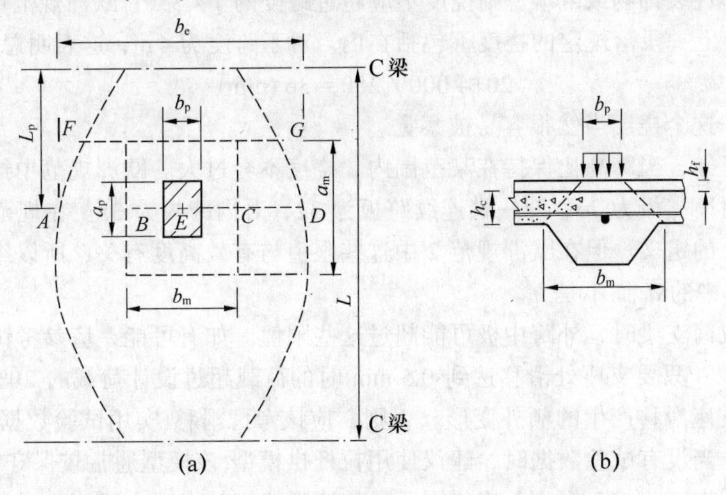

图 3-6　集中荷载作用下组合板有效宽度

欧洲规范 4 中指出：当集中荷载标准值不超过 7.5 kN 时，只要横向钢筋面积占钢板肋上面混凝土横截面积的 0.2%以上，则无需计算。§3.4 节计算表明，对于那里所考虑的板，钢筋横截面面积比超过 0.2%是极其必要的。因此，在那个例子中上述规则比规定更为保守。

当 L_p(如 FG)是在钢翼缘的边界上面时，需验算沿线(如 FG)上的垂直剪力，它很少控制设计。

3.3.6　组合板的正常使用极限状态

3.3.6.1　混凝土的开裂

混凝土板的下表面受钢板保护，当板在支撑梁上边缘布置时，裂逢发生在上表面，如果板的每跨作为简支，而不是作为连续设计或在施工中采用了支撑时，裂缝将更宽。

为此，内部支座上应有纵向钢筋。欧洲规范中给出纵向钢筋的最小量为钢板上混凝土面积的 0.2%(对无支撑施工)，对有支撑施工时为 0.4%。这些用量超过了英国规范的规定，但是即使如此，也不能保证裂缝宽度不超过 0.3 mm，如果环境是腐蚀性的，板应设计为边缘板，按欧洲规范 2 或等价的国家规范进行裂缝控制。

3.3.6.2　挠度

当板为简支设计且没有吊顶时，设计可能由挠度来控制。最大可接受的挠度对设计者尤为重要。但如果预期挠度较大时，设计者必须考虑浇筑在楼板上表面层的混凝土，以及提供非结构部件上的净空高度。

欧洲规范 4 给出下列指南：由钢板自重及混凝土板的净重引起钢板的挠度不应超 $L/180$ 或 20 mm，其中 L 为有效跨度。可以在施工中采用支撑使跨度减少到任何要求的水平，但这将增加费用。

对于在役建筑物的情况，常用罕见荷载组合。支撑水平面下的最大挠度不应该超过跨度的 1 / 250。在施工后(由于徐变及可变荷载)挠度的增加不应超过跨度的 1 / 300。如果楼层上有脆性装饰物或隔墙，则挠度不应超过跨度的 1 / 350。欧洲规范声明，当校核混凝土板时，上一段落规定的挠度不包括在内。对于跨度为 4 m，这表明总挠度可能是：

$$20+4\,000/250=36\ (\text{mm})$$

实际中，这个挠度当然很容易被察觉。

由经验可知，当跨高比保持在某范围内，挠度不会过大。欧洲规范中给出的允许跨高比上限：对简支板为 25，对一端连续跨板为 32，对内跨板为 35。在规范 4 中，没有给出“高度”的定义。但在欧洲规范 2 中这些限值与有效高度有关，所以组合板高度应该取为图 3-2 中的 d_{p} 而不是 h_{t}。

当设计成简支梁时，外跨中极可能超过这些限值。如有可能，应参考试验结果。欧洲规范 4 建议：只要支座处滑移达到 0.5 mm 时的荷载超过设计荷载的 20%，就没有必要考虑由于支座滑移产生的额外变形。否则，应该考虑滑移(实用试验数据)，设置末端连接固接件。当没有试验数据时，建议使用拉杆拱模型(该模型通常较保守)。

甚至对于末跨，如上规定，应使用适量的抗裂缝钢筋来减少挠度，对于内跨，欧洲规范建议板截面惯性矩(面积二阶矩)应该取为开裂截面与未开裂截面的平均值。这几点将在 § 3.4 中给出的实例中说明。

3.3.7 耐火抗力

所有建筑物均会因着火而受损，火灾通常为设计中要考虑的首要的抗灾设计状况。本书中只考虑防火。

建筑物被分隔构件分为一个个防火分区。假设一次火灾只发生在一个防火分区中，防火分区必须设计成给定湿度—时间环境或建筑暴露于火中，防火分区能在特定的破坏时间控制火势蔓延(耐火时间)，标准露火试验于欧洲规范 1 § 2.2 中给出。也可能依赖于火灾作用密度，完全燃烧所有可燃物的单位面积卡路里热量在所考虑的防火单元内的其他曲线。这些温度—时间曲线在用火试验的炉子中产生，是实际火灾的作用的简化模型。

包围一个单元的墙体、楼板、天花板必须有独立的功能，这用两个标准定义：

- 绝热标准，表示为 I，关于结构传热极限。
- 整体性标准，表示为 E，关于防止火焰及热气进入邻近房间。

一个单元结构必须有承受荷载功能，表示为 R(抗力)，确保在不少于规定的破坏时间内，建筑物能抵御规定的火灾作用，包括热膨胀。构件或区域的抗火等级表示为 R60，这表示破坏时间不低于 60 分钟。

标准 I 主要通过规定非燃的绝热材料的最小厚度来满足。这也对满足标准 E 有贡献，它有隐含的意义，例如，底部受加热的梁过大，因热下垂，能够在它的自身与下部隔墙之间产生一空隙。

规范给出了相关于标准 I 的非暴露表面升温极限及相对于标准 I 和 E 的详细规则。本书只进一步讲关于标准 R 的设计计算。

可以看到，对于实际设计有必要对作用效应与抗力的预测予以简化，使之比“冷设计”有更大的适用范围，“冷设计”指对永久作用情况与极限承载状态的正常设计。

3.3.7.1 火灾的分项安全系数

在欧洲规范 1 § 1 部分中建议对偶然作用全部系数 γ_F 应为 1.0。也就是这些作用应该如此定义以使 $\gamma_{F.f}=1.0$ 为恰当的系数，下标 f 表示“火灾”。

对材料而言，设计主要是基于标准特性或名义特性。因此，对绝大多数材料和剪力连接件 $\gamma_{m.f}=1.0$。但是永久设计状态对混凝土 γ_m 的折减 $(1.5\rightarrow 1.0)$ 比钢材 $(1.0$或$1.5\rightarrow 1.0)$还大。在大变形情况下，钢的屈服强度也是钢中应力的保守量度，由于应变而硬化，因此钢的 $\gamma_{m.f}$ 的限值在欧洲规范 3 与 4 中可取 0.9。这一值在实例中用到。

3.3.7.2 火灾的设计作用效应

对具有一类永久荷载而没有预应力的结构构件，对偶然设计状态的组合式于欧洲规范 1 第一部分给出，简化为

$$G_k + A_d + \psi_{11} Q_{k.1} + \sum_{i>1} \psi_{2,i} Q_{k,i} \tag{3-29}$$

其中 A_d 为偶然作用设计值，其他符号含义同 § 1.3.2。

建筑物中楼板通常按下列设计：分布荷载 g_k 与 q_k；对于火灾，A_d 可取为 0；对于梁、板，简支的弯矩与剪力正比于单位面积上的全部荷载。为避免对火额外的整体分析，作用效应 $E_{f,d}$ 通常假定为

$$E_{f,d} = \eta_f E_d = 0.6 E_d \tag{3-30}$$

其中 E_d 是极限承载能力下“冷设计”的效应。

值 $\eta_f = 0.6$ 是基于欧洲规范 1 § 1 中 γ_F 的限值，如下：从式(3-29)，式(3-30)和式(1-6)取 $Q_{K\cdot 2}=0$ 和 $\varphi_1=0.7$，则有

$$\eta_f = \frac{\gamma_{GA} g_k + \psi_1 q_k}{\gamma_G g_k + \gamma_Q q_k} = \frac{1.0 + 0.7\dfrac{q_k}{g_k}}{1.35 + 1.5\dfrac{q_k}{g_k}} \tag{3-31}$$

随着 q_k / g_k 从 0.5 上升到 2.0，相应的 η_f 的值从 0.64 降至 0.55，所以 $\eta_f = 0.6$ 为常用值，精确度在 10%以内。

在“冷设计”中，时常遇到抗力 R_d 超过了相应的作用效应 E_d，在火灾设计时考虑如下：抗力比 η^* 由下式计算：

$$\eta^* = \eta_f \frac{E_d}{R_d} \tag{3-32}$$

于是修正条件($R_{f,d} \geqslant E_{f,d}$)为

$$R_{f,d} \geqslant \eta^* R_d \tag{3-33}$$

这使得可用术语 η^* 将设计数据列制成表，其中取值范围在 0.3~0.7 之间。

3.3.7.3 材料的热特性

欧洲规范 4 § 1.2 中给出了钢与混凝土的应力应变曲线作为温度 θ 的函数，必要时将在实例中运用。

3.3.7.4 设计的承载函数

规范 4 中 § 1.2 部分给出的三种方法分列如下，其中第一种方法应用最广，但也最复杂，它主要是一种研究工具，用来使更简单的方法生效。

(1)高等计算模型。这些方法主要依赖于有限元计算，有限元计算分为三阶段，由给定的结构、材料与火灾情况开始。

- 热传导理论被用来获得结构从开始火灾湿度作为时间的函数传遍结构的分布。
- 计算出对于不同时间 t 整个结构上热应变分布及材料刚度与强度的分布。
- 设计上一阶段数据，计算不同的时间 t 结构的设计抗力，这些抗力值随时间 t 的增加而减少，最终它们中的一个降至设计的作用效应以下。当破坏发生时，超出了规定的破坏时间，结构满足标准 R。

(2)简单计算模型。这些方法使得上述三个步骤均以简化形式应用，用于验算横截面上的抗力，这些通常根据在规定的破坏时刻时结构的温度分布进行，假设梁与板为简支，并且柱与每层楼板铰支。组合板的模型于 § 3.3.7.5 中叙述。

(3)列表数据。对于实际中经常使用的梁柱截面，规范 4 中列出了由方法(1)与方法(2)的计算结果。§ 1.2 中列出了对每一抗火等级的截面最小尺寸及钢筋面积等。

3.3.7.5 无防护组合板的简化计算模型

假定已知板的尺寸与板材特性，且正常设计按简支跨上分布荷载，当弯矩 R_d 与 E_d 已知，那么可知 η^*。

假定耐火极限为 60 分钟，压型钢板无绝热层保护，用下列标准火自下加热压型钢板。

板提供的绝热效果假设为仅依靠于其有效厚度，对于等级 I 60，轻质混凝土的最小有效厚度由欧洲规范 4 § 1.2 中给出。

$$h_e \geqslant 0.9(90 - h_3) \quad (\text{mm}) \tag{3-34}$$

其中 h_3 为板上找平层的厚度，厚度 h_e 依赖于压型钢板的几何尺寸：

$$\left.\begin{aligned} &\frac{h_e}{h_1} = 1 + \frac{b_0}{b_w}\frac{h_{2ef}}{h_1} \quad \text{和} \quad h_1 > 50\ \text{mm} \\ &h_{2ef} = h_2 \quad \text{但} \quad \leqslant 1.5\, h_1 \end{aligned}\right\} \tag{3-35}$$

其中符号同图 3-7(a)中定义，某些比值、h_c / h_f，绘于图 3-7(b)中，表示 h_c 如何随着板肋的尺寸增加而增大。

对于板的抵抗弯矩，忽略压型钢板的强度与混凝土的抗拉强度，于是钢筋必放于板肋内，钢筋的屈服强度依赖于距热表层的有效距离，用 u 表示，定义为

$$\frac{1}{u} = \frac{1}{\sqrt{u_1}} + \frac{1}{\sqrt{u_2}} + \frac{1}{\sqrt{u_3}} \tag{3-36}$$

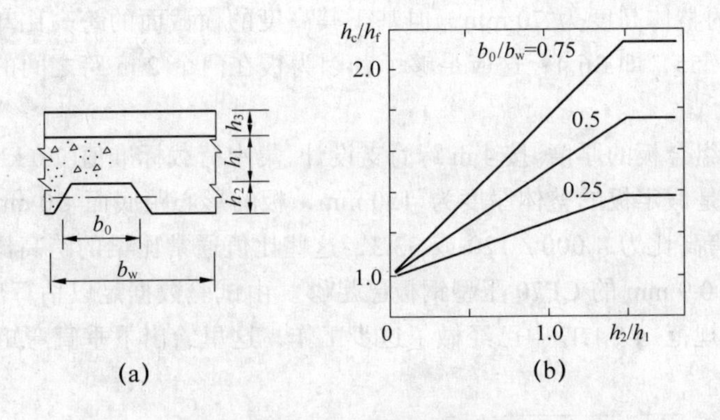

图 3-7 组合板有效厚度

其中 u_1、u_2、u_3 为图 3-8(a)中所示的距离。

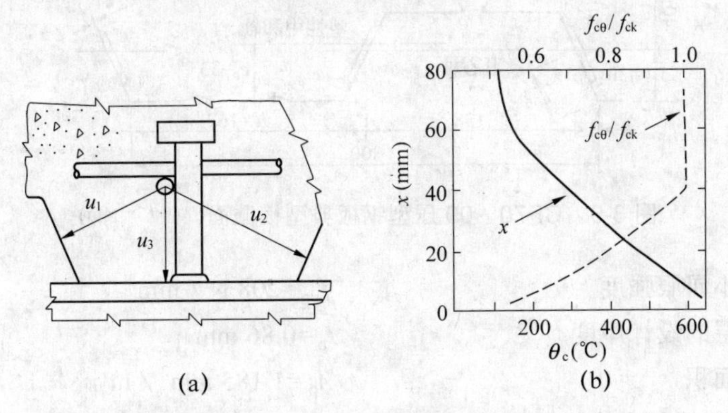

图 3-8 组合板中温度设计数据

当 $t_f=60$ 分钟时，钢筋的设计温度由规范 4 中 § 1.2 部分给出，用摄氏度表示为

$$\theta_s=1175-350u\leqslant 810\ ℃\quad (u\leqslant 3.3) \tag{3-37}$$

靠近板顶部的混凝土受到较好的防火保护，因此认为它的抗压强度不下降。

通过这些假设可算出混凝土的向下抵抗弯矩，如果不超过 $\eta^* R_d$，可用每跨端部的下弯抵抗弯矩来表示其差别，起初用来抵抗裂缝的上部钢筋，假定其遇火灾时强度不会减弱，由上述定义，混凝土被模型化为一厚度 h_e 的均匀板。轻质混凝土的温度与等级 R_{60}，在规范 4 § 1.2 中给出，绘于图 3-8(b)。其中，x 为有效厚度为 h_c 的板的下表面以上的距离。

3.4 实例：组合板

材料的强度与结构的标准作用于 § 3.2 中给出，标准楼板示于图 3-1 中，下列计算说明了 § 3.3 中所描述的方法。在实际中公司能够用此计算来生产压型钢板，给出“安全荷载表”，但这里只能得到原始试验数据。

对无支撑施工结构，4 m 跨的组合板钢板高至少 100 mm，几乎没有这样的产品，于是假设在施工时板于跨中有支撑，选择英国的 cheltenham 公司，精细金属模板生产的

CF70 产品，它的整体高度为 70 mm，但基于其高度的横截面的跨高比却有失误，更实际的值为 2 000 / 55，即 36.4，这应足够了，因为板在两个 2 m 跨之间的支撑上是连续的。

下一步选择组合板的厚度。按 4 m 跨简支设计，集中荷载标准值(7.0 kN)，方程式(1-17)是相当高的。于是假定板的整体厚度为 150 mm，板的形心距底面 30 mm，于是有效厚度为 120 mm，跨高比为 4 000 / 120 或 33.3，这些比值通常比梁的跨高比更大。初步计算表明，厚度为 0.9 mm 的 CF70 压型钢板已足够。由试验数据足以估算出 CF70 / 09 板的所需特性值。规范 4 § 1.1 中已经做了这步工作，这里给出下垂直弯矩结果(如图 3-9 所示)：

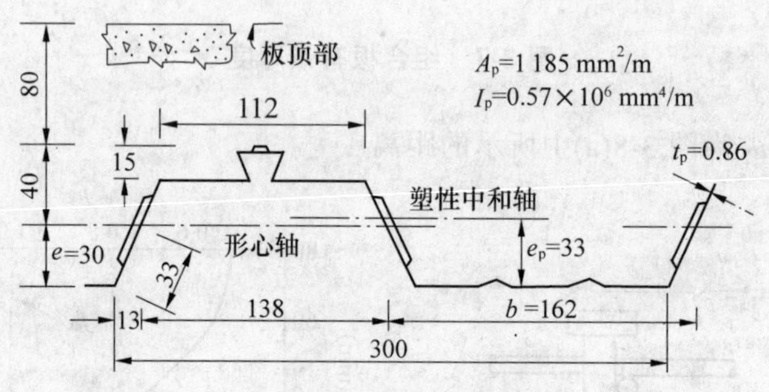

图 3-9 CF70 / 09 压型钢板典型横截面(单位：mm)

保证的最小屈服强度	f_{yp}=208 N / mm^2
考虑镀锌层的设计厚度	t_p =0.86 mm
有效横截面积	A_p =1 185 mm^2 / m
截面惯性矩(面积 I 阶矩)	$I_p = 0.57\times10^6$ mm^4 / m
塑性抵抗弯矩标准值	M_{pa} = 4.92 kNm / m
形心距离板底的距离	e=30 mm
板底距塑性中和轴的距离	e_p =33 mm
抗垂直剪力标准值	v_{pa} = 49.2 kN / m
抗纵向剪力	m= 184 N / mm^2
	k=0.053 0 N / mm^2
部分剪力连接设计	$\tau_{u.Rd}$ = 0.23 N / mm^2
组合板自重(ρ=1 900 kg / m^3)	g_k = 2.41 kN / m^2

这些数据只作说明用，不应用于实际工程中。

3.4.1 作模板的压型钢板

在任何 3 m^2 的面积上，施工有效荷载为 1.5 kN / m^2，于是设计荷载为：

永久荷载：g_d = 2.41×1.35=3.25(kN / m^2)

可变荷载：q_d =1.5 × 1.5 = 2.25 (kN / m^2)

起支持作用的钢梁的上部翼缘认为至少为 0.15 m 宽，忽略支撑的宽度，于是两跨中任一跨有效长度为

$$L_e = \frac{4\,000 - 150 + 70}{2} = 1\,960\,(\text{mm})$$

其中 70 为板的厚度(mm)，这个规则取自于 BS5950 § 4。

(1)弯曲与竖向剪切。向下弯曲的最不利荷载如图 3-10 所示，其中只忽略板跨 BC 的自重，最大的设计弯矩为：

下弯： $M_{Sd} = 0.095\,9 \times 5.5 \times 1.96^2 = 2.03\,(\text{kNm / m})$

上拱： $M_{Sd} = 0.062\,5 \times 5.5 \times 1.96^2 = 1.32\,(\text{kNm / m})$

代入 $\gamma = 1.1$，设计抗力为 $M_{Rd} = 4.47\,\text{kN / m}$

竖向剪切很少控制压型钢板的设计，这里的最大值为发生在图 3-10 中点 B 左侧，为

$$V_{Sd} = 0.56 \times 5.5 \times 1.96 = 6.0\,(\text{kN / m})$$

远远低于设计抗力 49.2 / 1.1=44.7(kN / m)。

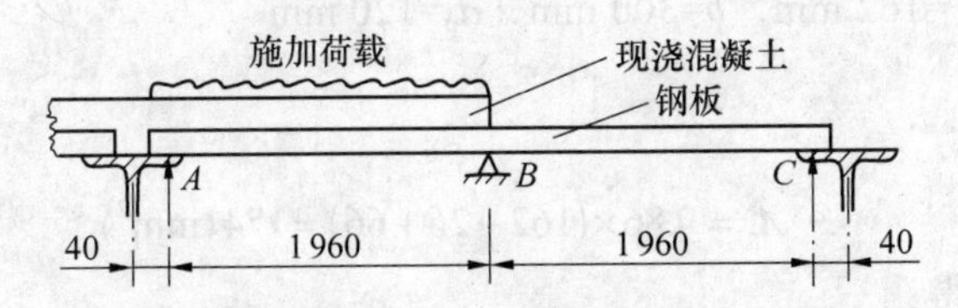

图 3-10　施工中的压型钢板(单位：mm)

(2)挠度。正常使用设计荷载为 2.41+1.5=3.91(kN / m^2)，假定支撑不变形，跨 AB 的最大挠度(如果 BC 无荷载)为

$$\delta_{max} = \frac{wL_e^4}{185E_aI_p} = \frac{3.91 \times 1.96^4}{185 \times 0.21 \times 0.57} = 2.6\,(\text{mm}) \tag{3-38}$$

这里挠度只有跨长的 1 / 754，是相当低的。

3.4.2　组合板——弯曲与竖向剪切

这个连续板按一系列简支跨板设计，有效跨度取两支撑中线间距(4.0 m)与浮跨(假设为 3.85 m)加上有效板厚度(0.12 m)中的最小者，于是 L_e=3.97 m。

对于竖向剪切，跨度取为 4.0 m，于是梁的设计荷载包括板的全部面积。

设计极限荷载是：

永久荷载：g_d =6.63 kN / m^2

可变荷载：g_d =5 × 1.5=7.5(kN / m^2)

跨中弯矩为：$M_{Sd} = 14.13 \times \frac{3.97^2}{8} = 27.8\,(\text{kNm / m})$

由式(3-3)得弯曲抗力为：

$$N_{cf} = 1\,185 \times \frac{0.28}{1.1} = 302\,(\text{kN / m}) \tag{3-39}$$

混凝土的设计抗压强度为 $0.85\times25/1.5=14.2(\mathrm{N}/\mathrm{mm}^2)$，于是由方程式(3-4)得应力区高度为

$$x=\frac{302}{14.2}=21.3\,(\mathrm{mm}) \tag{3-40}$$

这小于 h_c(这块压型钢板可取 95 mm，图 3-9)。

于是由方程式(3-6)有：

$$M_{\mathrm{p.Rd}}=302\times(0.12-0.011)=32.9\,(\mathrm{kNm}/\mathrm{m}) \tag{3-41}$$

抵抗弯矩足够。

4 m 跨的设计竖向剪力为

$$v_{\mathrm{Sd}}=2\times(6.63+7.5)=28.3\,(\mathrm{kN}/\mathrm{m})$$

抗力由方程式(3-20)给出。

由图 3-9 知：b_0=162 mm，b=300 mm，d_p=120 mm

面积 A_p 为

$$A_{\mathrm{p}}=0.86\times\left(162-26+66\right)=174\,(\mathrm{mm}^2)$$

由方程式(3-21)得：

$$\rho=\frac{174}{162\times120}=0.009$$

和

$$k_{\mathrm{v}}=1.6-0.12=1.48\,(\mathrm{m})$$

基本抗剪强度为 $\tau_{\mathrm{Rd}}=0.3\ \mathrm{N/mm}^2$，由方程式(3-20)知：

$$V_{\mathrm{V.Rd}}=\frac{162}{300}\times120\times0.3\times1.48\times\left(1.2+0.36\right)=45\,(\mathrm{kN}/\mathrm{m}) \tag{3-42}$$

抗力强度足够。

3.4.3 组合板——纵向剪力

可用“m—k”法与部分剪力连接法来校核纵向剪力，这两种方法已在§3.3.2 中介绍。

(1)m—k 法。由式(3-19)，m—k 法给出的纵向抗剪力为：

$$V_{\mathrm{l.Rd}}=bd_{\mathrm{p}}\frac{\left[\dfrac{mA_{\mathrm{p}}}{bL_{\mathrm{s}}}+k\right]}{\gamma_{\mathrm{vs}}}=26.2\,(\mathrm{kN}/\mathrm{m}) \tag{3-43}$$

这时使用的值为：

b=1.0 m　　m=184

d_p=120 mm　　k=0.053 0 N / mm^2

A_p=1 185 mm^2 / m　　$\gamma_{\mathrm{vs}}=1.25$

$L_{\mathrm{s}}=L/4=993$ mm

其中 γ_{vs} 取作等于表 1-2 中的 γ_{v}，其他的值由上给出。设计竖向剪力为 28.3 kN / m，因

此用此法板强度不够。

(2)部分剪力连接法。对此板平均设计纵向抗剪力为 0.23 N / mm²，当此值由试验数据确定时，已考虑了压型板的形状。因此，单位板宽上抗剪力为 0.23 kN / mm，由式(3-39)对完全剪力连接件，板中的压力 N_{cf} =302 kN / m。剪跨要求的跨长，当两端均没有端锚时为

$$L_{st}=\frac{N_{cf}}{b\tau_{u.Rd}}=\frac{302}{0.23}=1\ 313(\text{mm}) \tag{3-44}$$

混凝土的压应力区高度用 x_f 表示，由方程(3-40)得 x_f =21.3 mm。当在距末端 L_x 处，剪力连接程度由下式给出：

$$v=\frac{L_x}{L_{sf}}=\frac{N_c}{N_{cf}}=\frac{x}{x_f} \tag{3-45}$$

其中 N_c 为板上作用力，x 为应力区高度。

式(3-16)至式(3-18)分别变为：

$$\left.\begin{aligned}&z=150-0.5vx_f-33+3v=117-7.6v\\&M_{pr}=1.25\times4.47\times(1-v)=5.59\times(1-v)\not>4.47\\&M_{p.Rd}=vN_f z+M_{pr}\end{aligned}\right\} \tag{3-46}$$

这些使得对任何一个在 0~L_s 之间的取值均能算出 M_{PRd}，于是所得曲线如图 3-11 所示。荷载的弯矩图为抛物线形，最大值在跨中，为 27.8 kN · m / m。

显然在所有横截面上抗力足够，在本例中部分剪力连接法没有 *m*—*k* 法那么保守。这是因为它更多地利用了通过试验建立的这些板的荷载滑移延性特性的优点。

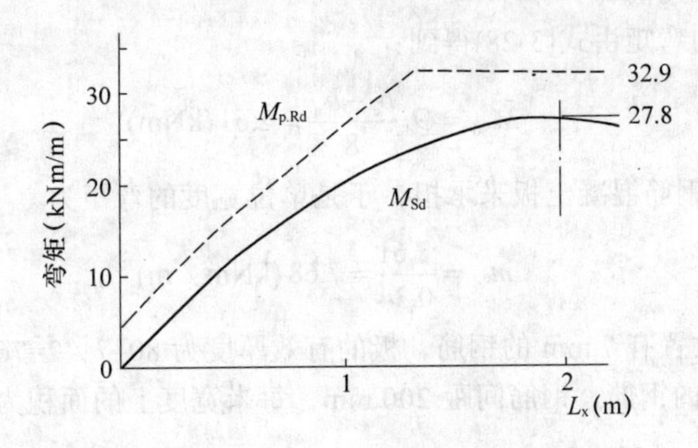

图 3-11 纵向剪力部分相互作用方法

3.4.4 集中荷载的局部效应

由 § 3.2 中的方程式(1-17)在任何 50 mm² 上的集中荷载设计值为 $Q_{Sd}=7.0\times1.5=10.5$ (kN)。必须验算板的冲切剪力与局部弯矩。假设板上装饰面层的厚度至少为 50 mm，于是数据为：

$b_p = a_p = 50\ \text{mm}$，$h_f = 50\ \text{mm}$，$h_c = 95\ \text{mm}$，$d_p = 120\,\text{mm}$

忽略板顶部的小肋，于是钢板上板厚取为 95 mm，其他数据与竖向剪力计算中使用的数据相同：

$\tau_{Rd} = 0.3\,\text{N/mm}$，$k_v = 1.48\ \text{m}$，$\rho = 0.009$

(1)冲切剪力。由 § 3.4.4 的方程式(3-22)知：

$$C_p = 2\pi h_c + 2\times(2d_p + d_p - 2h_c) + 2b_p + 8h_f = 1\,297\,(\text{mm})$$

由方程式(3-23)知：

$$V_{p.Rd} = C_p h_c \tau_{Rd} k_v (1.2 + 40\rho) = 85\,(\text{kN})$$

于是抗力为“作用”的 8 倍，但局部弯矩并不如此简单。

(2)局部弯矩。由 § 3.3.5 中式(3-24)、式(3-25)知：

$$a_m = b_m = a_p + 2\times(h_f + h_c) = 340\,(\text{mm})$$

局部下垂弯曲最不利情况是当前荷载作用于跨中，于是 L_p 为 1.99 m，由方程式(3-26)，板的有效宽度为

$$b_e = b_m + 2L_p\left[1 - \frac{L_p}{L}\right] = 2.33\ (\text{m})$$

由式(3-27)，单位宽度的下垂弯矩为：

$$M_{Sd} = Q_d L_p \frac{1 - \frac{L_p}{L}}{b_e} = 4.48\,(\text{kNm/m})$$

远远低于板的抗力 32.9 kNm / m。

荷载作用下横向弯矩由式(3-28)得到：

$$M_{Sd} = Q_d \frac{b_e - b_m}{8} = 2.61\,(\text{kNm})$$

这由宽为 a_m 的钢筋混凝土板来承担，于是单位宽度的弯矩为

$$m_{Sd} = \frac{2.61}{0.34} = 7.68\,(\text{kNm/m})$$

假设在板肋上放置有 7 mm 的钢筋，板的有效厚度为 80–7 / 2=76.5(mm)。如果钢筋为 f_{sk} =500 N / mm^2 的钢筋，钢筋间距 200 mm，每米宽度上的面积为 193 mm^2，屈服力为：

$$193\times 0.5 / 1.5 = 83.9(\text{kN/m})$$

混凝土应力区的高度为：

$$x = 83.9 / (0.85\times 25 / 1.5) = 5.92\,(\text{mm})$$

力臂为：76–2.96≈73(mm)，

于是 $$m_{Rd} = 83.9\times 0.073 = 6.12\,(\text{kNm})$$

使用这种方式，为了抵抗超过 7.68 kN / m 的荷载，7 mm 钢筋的间距必须减至 150 mm。

这些计算是近似的，与实际相比较为保守，以后将发现对这种板，其他的极限状态

更多地控制着板中钢筋，但对这种极限状态控制区域需 193 mm^2 / m 的钢筋网，它满足规范 4 § 1.1 中第 7.4.22 条款的经验规定。

3.4.5 组合板—— 正常使用状态

(1)支承梁上混凝土的开裂。为保证钢梁的连续性，应使用钢筋面积为混凝土面积的 0.4%。于是，

$$A_s = 0.004 \times 1\,000 \times 80 = 320\,(mm^2\,/\,m) \tag{3-47}$$

细节将在考虑梁的纵向剪切以及防火以后阐述。

(2)变形挠度。实际计算中不仅要考虑施工中支撑的使用，而且要考虑上面已计算出的钢筋面积 A_s，两者都有效地减少了挠度。最不利的情况可能发生在建筑物一端，即最后一个 4 m 跨只有一端连续处。如果跨高比小于 32，则那里的变形不应过大。实际值为 3 970 / 120=33.1，于是现在给出一些计算，为简化起见，将使用短期与长期模量比的均值。由 § 3.2 知，它为

$$n = \frac{11+33}{2} = 22$$

无筋组合板的惯性矩，用换算截面法，用钢单位计算，其值为：

- 如果无裂缝　　$I_1 = 12.1 \times 10^6\ mm^4\,/\,m$
- 有裂缝，向下垂弯曲　　$I_2 = 8.1 \times 10^6\ mm^4\,/\,m$

这里使用的均值为：

$$I_m = 10.1 \times 10^6\ mm^4\,/\,m \tag{3-48}$$

板的自重为 2.41 kN / m^2，于是支撑上的荷载，作为两跨梁的中间支座处理为：

$$F = 2 \times 0.625 \times 2.41 \times 1.96 = 5.9\,(kN\,/\,m)$$

当去掉支撑时，假设组合板上作用有线荷载，考虑装饰面及隔墙有附加荷载 2.5 kN / m^2，外加荷载 q=5.0 kN / m^2。则跨中挠度为(对简支板)：

$$\delta = \frac{L^3}{48EI}\left[F + \frac{5(g+q)L}{8}\right] = 3.6 + 11.4 = 15.0\,(mm) \tag{3-49}$$

其中 $L = 3.97$ m、$E = 210$ kN / mm^2

于是

$$\frac{\delta}{L} = \frac{15}{3\,970} = \frac{1}{265}$$

这小于规范 3 与 4 中规定推荐的 $\frac{1}{250}$ 极限值，可由一个支撑上面的抗裂缝钢筋的作用，减小 $\frac{\delta}{L}$ 值。然而，施工中任何支撑的沉降均会使挠度增加。

3.4.6 组合板—— 防火设计

用 § 3.3.7 中讲述的方法，设计一组合板能抵抗 60 分钟的标准火灾。

标准荷载值为：

$$g_k = 4.9\ \text{kN/m}^2$$

$$q_k = 5.0\ \text{kN/m}^2$$

由式(3-31)知：

$$\eta_f = 0.595$$

对无火设计，跨中弯矩为：

$$E_d = 27.8\ \text{kNm/m}$$

$$R_d = 32.9\ \text{kNm/m}$$

于是由式(3-32)得：

$$\eta^* = 0.50$$

由式(3-33)：

$$M_{Rd.f} = R_{f.d} \geqslant 16.45\ \text{kNm/m} \tag{3-50}$$

对于计算有效厚度，尺寸由图 3-7(a)表示为：

$h_1 = 95$ mm，$h_2 = 55$ mm，$h_3 = 20$ mm

$b_0 = 136$ mm，$b_w = 300$ mm

由式(3-35)：

$$h_{2ef}=55\ \text{m}$$

$$h_e = 95 \times \left[1 + \frac{13\ 655}{30\ 095}\right] = 138\ (\text{mm}) \tag{3-51}$$

由式(3-34)要求的厚度为：

$$h_e \geqslant 0.9 \times (90 - 20) = 63\ (\text{mm})$$

于是容易满足 I 60 标准。

对于 8 m 跨的抵抗弯矩，假设 8 mm 钢筋位于图 3-8 与图 3-12(a)的每个肋的上面(按比例画制)使得它们固定在横筋上或固定在顶部小肋上的钢筋网上，如图 3-9 所示。热钢筋表面的尺寸为：

$u_1 = 72$ mm，$u_2 = 102$ mm，$u_3 = 60$ mm

由式(3-36)　$u = 2.9$

由式(3-37)　$\theta_s = 160$ ℃

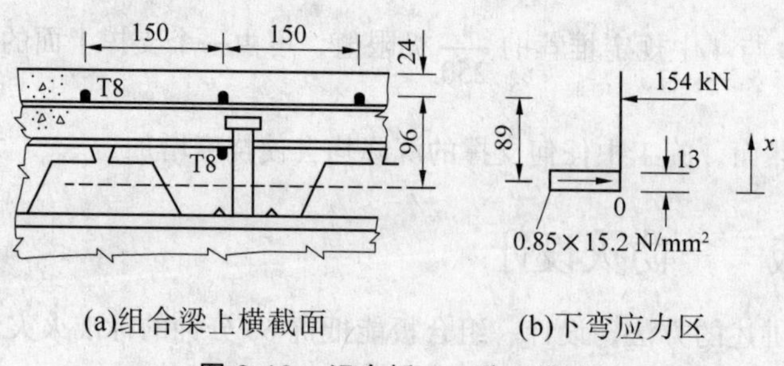

(a)组合梁上横截面　　(b)下弯应力区

图 3-12　组合板——防火设计

在这个温度下，规范 4 § 1.2 规定冷加工钢筋的比例极限值为 0.945 f_{sk}。当应变远低于 2%时，应力已达到了 1.0 f_{sk}。则这个应力可用做设计值。

每米宽内钢筋面积为 168 mm^2，且 f_{sk}=460 N / mm^2。于是拉力为 77.3 kN / m。混凝土应力区的高度为：

$$x=\frac{77.3}{0.85\times 25}=3.6\,(\text{mm})$$

力臂为：

$$z=150-60-1.8=88.2\,(\text{mm})$$

于是

$$M_{\text{Rd.f}}=77.3\times 0.088=6.8\,(\text{kNm / m}) \tag{3-52}$$

这小于要求值的一半，于是现在考虑支座处裂缝控制钢筋的贡献。使用规范 4 § 1.2 中的数据。

由 § 3.4.5 节中，$A_s\geqslant 320$ mm^2 / m。于是使用 8 mm 钢筋，间距 150 mm，保护层厚为 20 mm，如图 3-12(a)所示。单位宽度的力是前面所给值的两倍，为 154 kN / m。板厚为 120 mm。设计温度 θ_c 随距理论下表层距离 x 的变化如图 3-8(b)所示。从这条曲线，能确定混凝土的抗压强度及随 x 的变化值，取作 $f_{c\theta}$ / f_{ck}，表示于图 3-8(b)中。作用于距板底 13 mm 之上的有效板厚上的平均抗压强度为 0.61 × 25=15.2(N / mm^2)。可算出压力为：

$$F_c=77.3\times 0.088=6.8\,(\text{kNm / m}) \tag{3-53}$$

它超过了顶部钢筋的力。力臂为 89 mm，于是下垂抵抗弯矩为：

$$M_{\text{Rd.f}}=154\times 0.089=13.7\,(\text{kNm / m}) \tag{3-54}$$

可用刚塑性整体塑性铰分析来验算火灾中连续板的抗力，这里向下及向上抗力的总和，可由式(3-52)及式(3-54)得出，为 20.5 kNm / m。它超过了方程式(3-50)给出的弯矩 $wL^2/8$ 值。对于末跨，要单独计算。

这里使用的顶层钢筋，既充当了组合梁中混凝土翼缘的横向钢筋，也用做裂缝控制钢筋。这种设计总体上可能比在板下面作绝热处理的造价要低。

3.5 组合梁——向下弯曲及竖向剪切

建筑中的组合梁通常连接在钢或组合柱上。最便宜的连接几乎没有抗弯强度，于是把梁作为简支梁设计是方便的。这样的梁较支座处设计为连续的梁有下列优点：

- 钢腹板几乎不受压，钢上翼缘受板约束，所以梁的抗力不受钢屈曲的限制。
- 腹板很少出现高应力，所以更容易在其上开洞，以便服务管道穿越。
- 弯矩与竖向剪力静定，不受混凝土裂缝、徐变或收缩的影响。
- 相邻跨之间的力学行为无相互作用。
- 如果框架有侧向支撑，柱中弯矩较低。
- 除了支座上部外，板顶部没有混凝土受拉。

• 整体分析比较简单，设计快捷。

连续梁跨中区的工作性能及设计与简支梁的设计类似，本章中已予阐述。连续梁的其他方面处理将在第 4 章中介绍。

3.5.1 等效横截面

当板作为组合梁的上部翼缘部分考虑时，板中的压型钢通常不予考虑，板中的纵向剪力引起的剪应变在其平面内，结果当荷载作用时组合 T 形梁的横截面不再保持为平面。在横截面，沿板厚的平均纵向弯曲应力变化如图 3-13 所示。

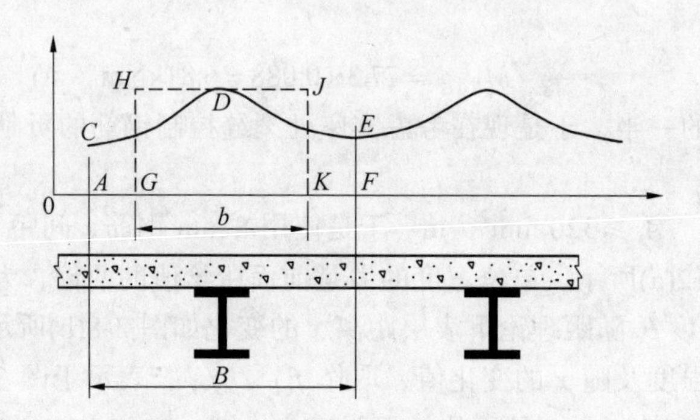

图 3-13 剪力滞后允许有效宽度的利用

如果真实的翼缘宽 B 由等效宽度 b 代替，这样 $GHJK$ 的面积等于 $ACDEF$ 的面积，那么简单弯曲理论仍能给出最大应力值，在 D 点基于弹性理论的研究显示 b / B 之比依赖于 B / L 之比。依赖方式很复杂，如荷载类型、支座处边界条件和其他变量。

对建筑物中的梁，假设钢筋板每侧的有效宽为 $L_0 / 8$ 就已足够精确，其中 L_0 为两弯矩点之间的距离。对简支梁，L_0 等于其跨度 L。

于是

$$b_{\mathrm{eff}} = L / 4 \tag{3-55}$$

只要求腹板两边每侧均有 $L / 8$ 的板宽。

当压型钢板的跨度与梁的跨度正交时，如这里的工作实例只有肋上面的混凝土才能抵抗纵向受压(如：图 3-9 中板的有效厚度为 80 mm)。当肋平行于梁跨时，肋内的混凝土可被包括在内，尽管必要性不大。

在向下弯曲区通常忽略板中的纵向钢筋。

3.5.2 受压钢构件的分类

由于局部屈曲，钢翼缘或腹板的抗压能力依赖于其长细比，用宽厚比表示，按规范 4 设计与按规范 3 设计相同。每个受压翼缘或腹板均为同等其中的一类，最高的等级为Ⅰ等，塑性等组合梁的横截面等级比它的腹板及受压翼缘低，这个等级决定了可用的设计规程。欧洲规范允许几种塑性整体分析方法，其中刚—塑性分析(塑性铰分析)是最为简单的。这在 § 4.3.3 将要进一步考虑。

等级以长细比的界限来划分，长细比在于$(f_y)^{0.5}$，其中 f_y 是钢的名义屈服强度。这考虑了在屈曲过程中屈服对抗力损失的影响。工字形截面均匀受压，整体宽度为 $2C$。

腹板包括于混凝土中，如图 3-31 所示，起初是用于防火。它也防止翼缘朝腹板扭转，即局部屈曲翼缘朝腹板扭转的现象发生在使用 3 / 3 与 3 / 4 等级界限时提高 c/t 比。在塑性铰分析中，压应变更高时，由于混凝土的压碎而使包裹作用减小，于是对 1 / 2 等级，c/t 之比值不变。

钢腹板的等级受其受压净高所占比例的影响极大，如图 3-14 所示。对 1 / 2 和 2 / 3 等级，使用塑性应力区，规范 3、4 中极限 d/t 比为 α 的函数，如图 3-14 中定义。如图 3-14 中曲线显示，当 α 从 0.7 增到 0.8 时，对于 $d/t=40$ 的腹板从等级 1 移到等级 3，在连续梁的设计中，这种高变化率很重要(§ 4.2.1)。

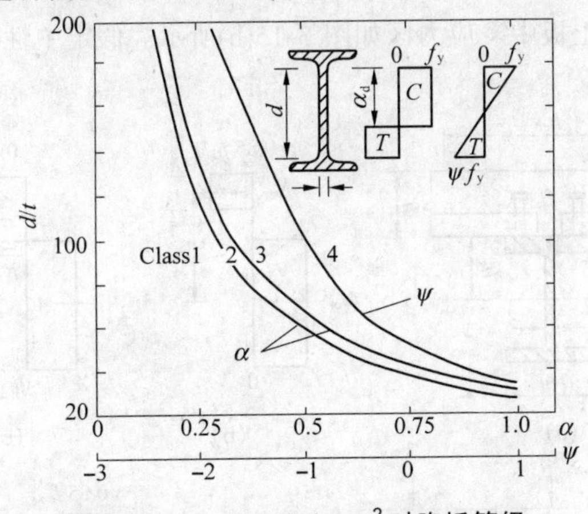

图 3-14　f_y=355 N / mm^2 时腹板等级

对 3 / 4 等级，使用了弹性应力分布，用比值 ψ 来定义。纯弯曲(无净轴力)相应于 $\alpha=0.5$，$\psi=-1$。一般地，组合 T 形梁，弹性中和轴高于塑性中性轴，对有支撑与无支撑施工法中和轴的位置是不同的，于是 3 / 4 等级曲线不能与图 3-14 中其他曲线相比。

对简支组合梁，由于受压钢翼缘与混凝土板的连接作用，受压钢翼缘避免了局部屈曲，因此属等级 1。塑性中和轴(对完全剪力连接)通常在板或钢的上翼缘内，所以当发生弯曲破坏时腹板不受压。除非使用的是部分剪力连接，尽管如此，对 1 等或 2 等的腹板，α 是充分小的(对于厚板或桥梁中的箱梁，并非如此)。

在组合梁的施工期间，单独的钢梁一般比组合梁长细比更低，易于侧向屈曲。这种情况的设计由钢结构规范控制。

3.5.3　向下弯曲抗力

3.5.3.1　第 1 或第 2 类横截面

对 1 类或 2 类截面的计算方法原理与组合板的相同，已于 § 3.3.1 中介绍，可作参考。主要假定如下：

- 不计混凝土的抗拉强度。
- 组合截面中的钢与钢筋混凝土部分符合平截面假定，只对截面的塑性分析：受拉或受压时。

• 钢构件的有效面积受拉或受压时，受制于它的拉或压屈服强度 f_y/γ_a。

• 受压区混凝土的有效面积受拉或受压时，受制于它的拉或压屈服强度 $0.85f_y/\gamma_c$。

在塑性中性轴和混凝土最大受压纤维之间保持常数。

推导下列公式时，假设钢构件为滚轧工字型截面，横截面积为 A_a，板为组合板，压型钢板跨过两相邻钢构件。组合截面属于 1 或 2 等类，于是全部设计荷载认为由组合构件抵抗，无论是有支撑施工或无支撑施工。这是因为弯曲在破坏前，非弹性性能允许发生应力内部重分布。

有效截面如图 3-15(a)所示，至于组合板，有下列三种常见情况，前两种只在有完全剪力连接时发生。

(1)中性轴在混凝土板中。应力区如图 3-15(b)所示。假定中性轴位置为 x，x 能通过纵向受力平衡解出。

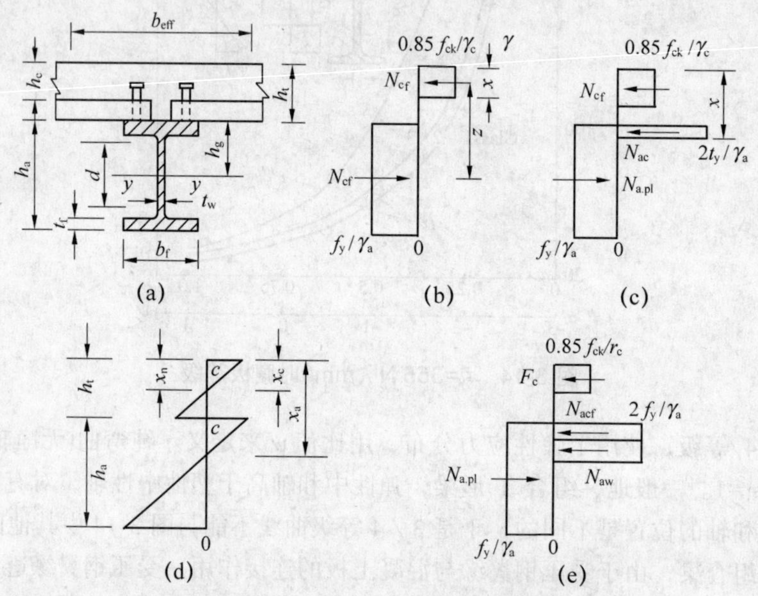

图 3-15　1、2 等级组合截面向下弯曲抗力

$$N_{cf}=\frac{A_a f_y}{\gamma_a}=b_{eff}x\frac{0.85f_{ck}}{\gamma_c} \tag{3-56}$$

本方法适用于：$x\leqslant h_c$

取绕板中合力作用线的弯矩：

$$M_{pt.Rd}=\frac{A_a f_y}{\gamma_a}\left(h_g+h_t-\frac{x}{2}\right) \tag{3-57}$$

其中 h_g 定义为钢截面面积中心的位置，它并不需要关于轴 y—y 对称。

(2)中性轴在压钢上翼缘内。力 N_{cf}，用下式给出：

$$N_{cf}=b_{eff}h_c\frac{0.85f_{ck}}{\gamma_c} \tag{3-58}$$

它小于钢截面上的屈服 $N_{a.pl}$，记为：

$$N_{\mathrm{a.pl}} = \frac{A_{\mathrm{a}} f_{\mathrm{y}}}{\gamma_{\mathrm{a}}} \tag{3-59}$$

于是中性轴的高度 $x > h_{\mathrm{t}}$，假定左钢上翼缘内[图 3-15(c)]，条件为：

$$N_{\mathrm{a.pl}} - N_{\mathrm{cf}} \leqslant 2 b_{\mathrm{f}} t_{\mathrm{f}} \frac{f_{\mathrm{y}}}{\gamma_{\mathrm{a}}} \tag{3-60}$$

假定受压区钢的抗压强度为 $2 f_{\mathrm{y}} / \gamma_{\mathrm{a}}$，算出 x，于是力 $N_{\mathrm{a.pl}}$及其作用线不改变，通过解纵向平衡方程求出 x。

$$N_{\mathrm{a.pl}} = N_{\mathrm{cf}} + N_{\mathrm{ac}} = N_{\mathrm{cf}} + 2 b_{\mathrm{f}} (x - h_{\mathrm{t}}) \frac{f_{\mathrm{y}}}{\gamma_{\mathrm{a}}} \tag{3-61}$$

对板中力的作用线取矩：

$$M_{\mathrm{pl.Rd}} = N_{\mathrm{a.pl}} \left(h_{\mathrm{g}} + h_{\mathrm{t}} - \frac{h_{\mathrm{c}}}{2} \right) - N_{\mathrm{ac}} \frac{x - h_{\mathrm{c}} + h_{\mathrm{t}}}{2} \tag{3-62}$$

如果发现 x 超过 $h_{\mathrm{t}} + t_{\mathrm{f}}$，塑性中性轴位于钢腹板内。$M_{\mathrm{pl.Rd}}$ 能用类似的方法计算出来。

(3)局部剪力连接。在上面(1)、(2)段中使用的符号 N_{cf} 在与欧洲规范 4 中对组合板的处理以及 § 3.3.1 的符号相一致。设计中，它总是取方程式(3-56)及式(3-58)计算出两个结果中较小值。它是在最大下垂弯矩与梁上自由端之间剪力连接件必须承受的力，如果使用剪力连接件的话，在起草规范 4 § 1.1 部分时，关于梁上局部剪力连接件的条款使用的符号为 F_{cf}，在此代替 N_{cf}。假设剪力连接件设计抗力 F_{c} 要比 F_{cf} 小。如果每个连接件抗剪力值相同，在每个剪跨上剪力连接件的数目为 N，那么剪力连接件程度由下式给出：

$$剪力连接程度 = \frac{N}{N_{\mathrm{f}}} = \frac{F_{\mathrm{c}}}{F_{\mathrm{ct}}} \tag{3-63}$$

其中 N_{f} 为完全剪力连接要求的连接件数目。

使用局部剪力连接件的组合板的塑性抵抗弯矩由 § 3.3.1.3 的经验方法导出。因为压型钢板的弯曲特性非常复杂，对组合梁，可使用简单塑性理论。

板中受压区混凝土的高度 x_{c} 由下式给出：

$$x_{\mathrm{c}} = \frac{F_{\mathrm{c}}}{0.85 b_{\mathrm{eff}} \dfrac{f_{\mathrm{ck}}}{\gamma_{\mathrm{c}}}} \tag{3-64}$$

它总是小于 h_{c}，横截面上纵向应变的分布介于图 2-2(c)与图 3-15(d)两个分布的中间，其中 C 表示压应变，板中中性轴高度 x_{n} 大于 x_{c}。

在钢筋混凝土梁与板的设计中，通常认为 $x_{\mathrm{c}} / x_{\mathrm{n}}$ 在 0.8 ~ 0.9 之间。精度较低的假定认为 $x_{\mathrm{c}} = x_{\mathrm{n}}$ (在组合板为避免太复杂)，否则对有非组合板的梁或 $x_{\mathrm{c}} \approx h_{\mathrm{t}}$ 时，设计太复杂了。这在 M_{pt} 中引入了一个误差，导致不安全，但此误差在组合梁中忽略不计，对组合柱则不能忽略。

对于工字型截面有第二中性轴，如果它位于钢梁上翼缘内，除了力 N_{cf} 的区域被力 F_{c} 取代，应力区如图 3-15(c)所示。用方程式(3-62)进行类似分析，抗弯矩为：

$$M_{\mathrm{Rd}} = N_{\mathrm{a.pt}} \left(h_{\mathrm{g}} + h_{\mathrm{t}} + \frac{x_{\mathrm{c}}}{2} \right) - F_{\mathrm{c}} \frac{x_{\mathrm{a}} - x_{\mathrm{c}} + h_{\mathrm{t}}}{2} \tag{3-65}$$

如第二中性轴位于腹板内，应力区如图 3-15(e)所示，对板上表面取矩，抵抗弯矩为：

$$M_{\mathrm{Rd}}=N_{\mathrm{a.pt}}\left(h_{\mathrm{g}}+h_{t}\right)-\frac{F_{\mathrm{c}}x_{\mathrm{c}}}{2}-N_{\mathrm{acf}}\left(h_{\mathrm{t}}+\frac{t_{\mathrm{f}}}{2}\right)-N_{\mathrm{aw}}\frac{x_{\mathrm{a}}+h_{\mathrm{t}}+t_{\mathrm{f}}}{2} \tag{3-66}$$

其中：

$$N_{\mathrm{acf}}=2b_{\mathrm{f}}t_{\mathrm{f}}\frac{f_{\mathrm{y}}}{\gamma_{\mathrm{a}}}$$

和

$$N_{\mathrm{aw}}=N_{\mathrm{a.pt}}-F_{\mathrm{c}}-N_{\mathrm{acf}}$$

设计中局部剪力连接的应用如下：

图 3-16 中曲线 ABC 表示了在 $M_{\mathrm{Rd}}/M_{\mathrm{pl.Rd}}$ 与连接程度及 $F_{\mathrm{c}}/F_{\mathrm{cf}}$ 之间的典型关系。该曲线由前面一系列方程 $F_{\mathrm{c}}/F_{\mathrm{cf}}$ 的值而绘得，当 F_{c} 取 0 时，有：

$$M_{\mathrm{Rd}}=M_{\mathrm{apl.Rd}}$$

其中 $M_{\mathrm{apl.Rd}}$ 为钢截面单独的抗力。

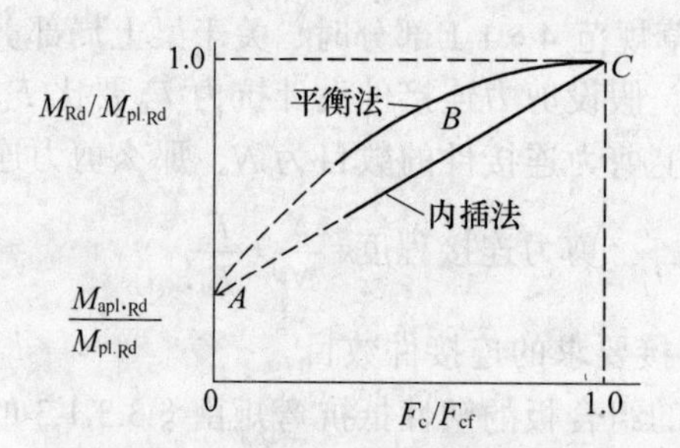

图 3-16 局部剪力连接设计方法

对剪力连接程度很低的情况，该曲线无效，原因将在§3.6.2 中阐述。显然，当要求的抵抗弯矩 M_{Sd} 略低于 $M_{\mathrm{pl.Rd}}$ 时，相应地能节约剪力连接件的费用(如，用 $N/N_{\mathrm{f}}=F_{c}/F_{\mathrm{cf}}=0.7$)。

当使用压型钢时，有时在一个剪跨中有 N_f 个剪力连接件使得间距太密，那么有必要设计成局部剪力连接。可惜，图 3-16 曲线 ABC 不能用简单的代数式表示，实际中，有时用直线 AC 代替曲线 ABC，给出：

$$F_{\mathrm{c}}=\left(\frac{M_{\mathrm{Sd}}-M_{\mathrm{apl.Rd}}}{M_{\mathrm{pl.Rd}}-M_{\mathrm{apl.Rd}}}\right)F_{\mathrm{cf}} \tag{3-67}$$

设计中，M_{Sd} 已知，$M_{\mathrm{pl.Rd}}$、$M_{\mathrm{apl.Rd}}$ 与 F_{cf} 易计算，于是该方程直接给出设计力 F_{c}。因此，每个剪跨中要求的连接件的数目为：

$$N=N_{\mathrm{f}}\frac{F_{\mathrm{c}}}{F_{\mathrm{cf}}}=\frac{F_{\mathrm{c}}}{P_{\mathrm{Rd}}} \tag{3-68}$$

其中 P_{Rd} 为一个剪力连接件的设计抗力。剪力连接件的进一步讲述见§3.6。

沿跨抵抗弯矩的变化如下：

设计中，简支梁的弯矩验算首先在下垂弯矩最大的截面处进行，通常在跨中。对等截面的钢梁，在跨中任何部分，抵抗弯矩显然足够。但对组合梁并非如此，组合梁的抵抗弯矩依赖于在较近支座与所考虑横截面之间的剪力连接件数目，图 3-16 曲线 ABC 表明这点。

例如，已知跨长 L 具有局部剪力连接的梁，在跨中 $N/N_f=0.5$。曲线 ABC 用跨中抵抗弯矩 $M_{Rd\cdot max}$ 表示并绘于图 3-17(a)上，$M_{Rd.max}$ 以 B 表示，如果连接件沿跨长均匀分布，建筑物中通常如此。那么轴 N/N_f 也是轴 x/L。其中 x 是到较近支座的距离，N 是从自由端起到 x 长处在混凝土板中有效地传递剪力的剪力连接件数目。只有这些连接件才能对 x 处横截面的抵抗弯矩有贡献。图 3-17(b)中用 E 表示。换言之，截面 E 的弯矩破坏将由在钢翼缘与混凝土板之间交界面上沿 DE 的纵向剪切破坏引起。

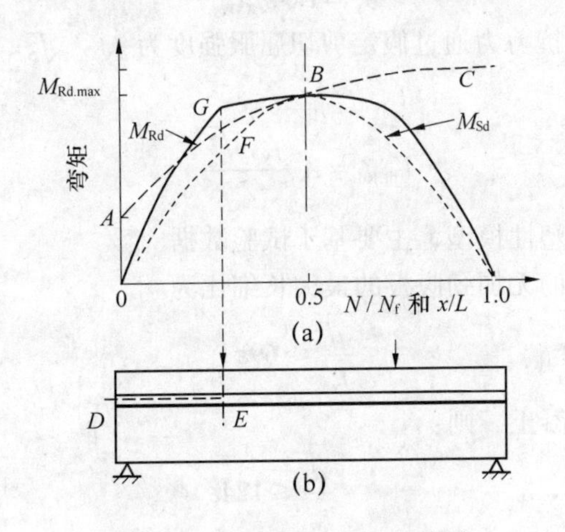

图 3-17 沿跨抵抗弯矩的变化

其实，哪个截面首先破坏依赖于荷载弯矩图的形状。对均布载荷，$M_{Sd.x}$ 曲线为抛物线，曲线 $0FB$ 在图 3-17(a)中表明破坏在或靠近跨中发生。在 1／4 跨处，大的集中荷载(例如来自小柱)使线从 $0FB$ 变为 $0GB$，破坏将在靠近截面 E 处发生。设计中在跨中 M_{Sd} 处 $M_{SD}=M_{Rd.max}$ 将是不安全的。

这就是为什么规范对这种荷载不允许在半跨上均匀布置 $0.5N_f$ 个连接件的原因，首先计算出截面 E 处要求的连接件的数目，再沿 DE 均布，其余的将布置于 E 与跨中之间，间距会比前者大。连接件的分布将在§3.6.1 中进一步介绍。

3.5.3.2 第 3 类、4 类的横截面

半密实或细长梁截面的抗弯能力通常由钢截面上的最大应力控制，由弹性理论计算，必须考虑施工方法有支撑法或无支撑法及混凝土徐变。抗力可能低到 $0.7M_{pl.Rd}$，因此设计中所幸的是我们总是可以肯定下弯截面属 1、2 类截面，这种判断对向上弯曲更为困难，将于§4.2.1 中解释。

3.5.4 竖向抗剪力

对简支钢梁，即使在设计极限的荷载作用下，靠近支座处的弯曲应力仍在弹性范围内，但在组合梁中，最大滑移发生在末端，因此仍采用平截面假定，由简单的弹性理论求出弯曲应力可能是不可靠的。

由弯曲应力σ的改变率$\frac{\mathrm{d}\sigma}{\mathrm{d}x}$来计算竖向剪应力，因此不易求出靠近组合梁末端支座处的竖向剪力。试验表明，某些竖向剪力由混凝土板承担，但对此没有简单的设计模型，因为板的贡献受支撑板是否连续、混凝土开裂的大小及剪力连接件的局部细节影响。

因此，实际工作中认为，竖向剪力仅由钢梁承担，就像并没有参与组合一样，绝大多数滚轧工字型截面的腹板厚度是以避免剪切屈曲为标准，这样设计就较为简单。截面的剪力面积A_v为

$$A_v = 1.04 h_a t_w \tag{3-69}$$

标注于图 3-15(a)，抗剪力通过假定剪切屈服强度为$f_y / \sqrt{3}$，整个面积A_v上的应力可用下式来计算：

$$V_{pl.Rd} = A_v \frac{f_y / \sqrt{3}}{\gamma_a} \tag{3-70}$$

这就是矩形应力区塑性模型，主要基于试验数据

不需考虑剪切屈曲的无加劲腹板的最大长细比为

$$\frac{d}{t_w} \leqslant 69\varepsilon$$

如果腹板不外包混凝土，则：

$$\frac{d}{t_w} \leqslant 124\varepsilon \tag{3-71}$$

如果腹板外包适量的混凝土，尺寸d及t_w如图 3-15(a)表示，且

$$\varepsilon = \left(\frac{235}{f_y}\right)^{\frac{1}{2}} \tag{3-72}$$

f_y单位为N/mm^2，这考虑了屈服对剪切屈曲的影响。

弯曲与剪切之间的相互作用可能影响连续梁的设计，处理方法将于§4.2.2 中介绍。

3.6 组合梁——纵向剪切

3.6.1 临界长度及横截面

§3.7 中将讲到简支组合梁中钢首先发生屈服的弯矩可能在极限弯矩的 70%以下，如果弯矩图为抛物线，那么对极限荷载，钢梁的局部屈服能延伸到半跨以外。

在混凝土与钢的交接面，纵向剪力的分布受屈服、连接件的间距、荷载—滑移特性

以及混凝土的收缩及徐变的影响。为此，设计中不去计算它的分布。只要可能，连接件沿跨长均匀分布。

在§3.5.3 中介绍并不总如此，对具有 1 类或 2 类临界截面的梁，规范 4 允许剪力连接件沿每个临界长度均匀分布，所得临界长度即两相邻临界横截面的距离。它们定义如下：

- 最大弯矩截面
- 支撑
- 施加高值集中荷载的截面
- 梁截面突变处
- 悬臂梁的自由端

以上也适用于变截面构件。

对荷载为均匀分布，无论其为简支或连续，对半跨梁典型的设计程序如下：

(1)确定混凝土板的最大下垂弯矩截面上要求的压力，已于§3.5.3 中解释，设为 F_c。

(2)确定支座处混凝土板上的拉力，假定此力对该截面上的抗弯有贡献，取此力为 F_t(也就是即使有控制裂缝钢筋，简支处为 0，如果梁跨设计为连续，即为纵向钢筋的屈服力)。

(3)如在两截面中存在一临界截面，确定该截面处板上的力，弯矩低于屈服弯矩，截面可使用弹性分析。

(4)选择使用的连接件的类型，确定它的抗剪力设计值 P_{Rd}，§2.5 节中已讲述。

(5)半跨上要求的连接件的数目为：

$$N = \frac{F_c + F_t}{P_{Rd}} \tag{3-73}$$

当纵向力改变为ΔF，在临界长度内要求的连接件的数目为$\Delta F / P_{Rd}$。

取代第 3 步的另一方法是使用所考虑的半跨的剪力图，对于跨 AD 上的 ABC，如图 3-18 所示，在 A 点连续，在 B 点有高值集中荷载，临界截面为 A、B、C，全部连接件的数目正比于剪力图 $0EFH$ 及 GJH 的面积在长 AB、BC 内分布。

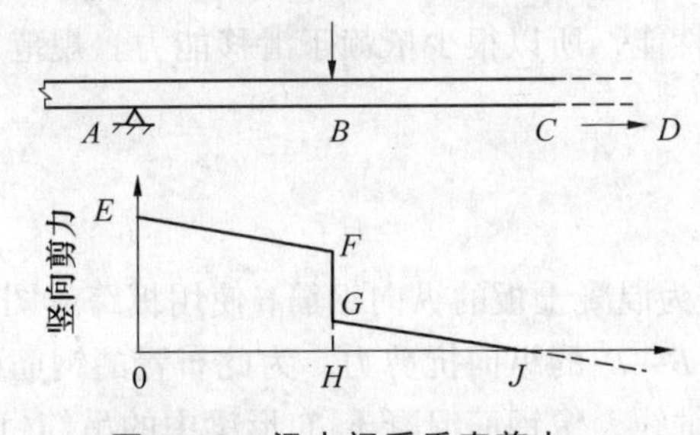

图 3-18　梁中间受垂直剪力

实际中可能有必要沿 BC 设置附加的几个连接件，因为规范规定了连接件的最大间距，以防止板相对于钢梁的向上掀起，并确保钢翼缘不发生局部及侧向屈曲。

3.6.2　延性与非延性连接件

由于所有连接件都有些延性或滑移能力，因此均匀分布连接件是可能的。这一术语

(滑移能力)并没有标准定义，但一般规定为当连接件能抵御它的标准剪力的 90%时的最大滑移量，如用标准推出试验中荷载—滑移曲线的下降段来定义。

大头栓钉连接件的滑移能力随螺杆的直径增加而增加，在实心混凝土板中对 ϕ19 mm 的栓钉，滑移量为 6 mm。试验发现，单个栓钉放置于压型钢板槽内中心滑移值更高。滑移使临界长度内任何栓钉破坏前纵向剪力在连接件之间重分布。为此，滑移在较低剪力连接程度下随临界长度增加(比例效应)。对短跨上为延性的连接件(有足够的滑移能力)，对长跨为非延性的连接件，必须使用更为保守的设计方法。

规范 4 中给出了对焊接于等翼缘钢梁上的大头栓钉延性连接的定义，如图 3-19 所示。基于目前滑移能力研究数据的有限范围，对组合板有更宽松的定义，它只受到几个约束。

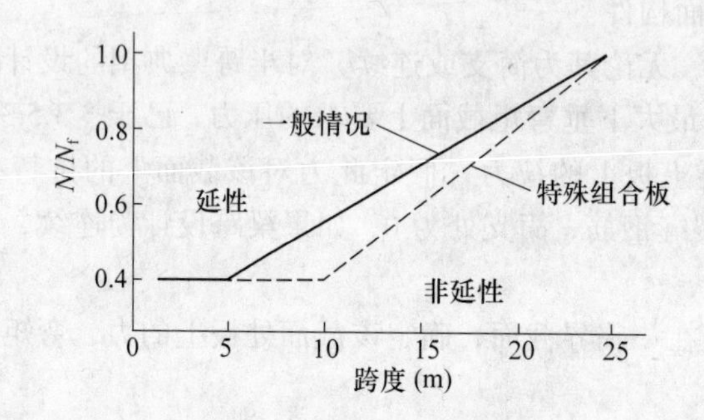

图 3-19　栓钉和其他连接件，钢截面等翼缘的延性定义

绝大多数其他类型的连接件，在规范 4 中作为非延性构件处理，因为到目前为止很少有推出试验延续到超过最大荷载之后的，即通常的滑移量均小于 3 mm，故无法确定滑移能力。从 1965 年后，英国规范规定的推出试验在任何情况下均不适用此目的，因为板中钢筋不足以防止纵向劈裂(§ 2.5)。

当使用非延性连接件时，对完全剪力连接设计同用延性连接件的设计方法。但对 $N/N_f<1$，如图 3-16 所示的两种方法，当已知 $M_{Sd}/M_{pl.Rd}$ 时，要求更高的 N/N_f 方法取代。这些类似于弹性性能，所以很少依赖于滑移能力。规范 4 中规定了使用非延性连接件的均布间距的限制。

3.6.3　横向钢筋

图 3-20 所示的钢筋为混凝土板的纵向钢筋，使用板跨越图中所示梁及另一端，它们也用来提高竖向截面如 B—B 的纵向抗剪力，为此布置的钢筋称为横向钢筋。因为它们的方向垂直于组合梁的轴线，像钢筋混凝土 T 形梁中的吊筋(上弯筋)，它们补充了混凝土的抗剪强度，它们的工作行为能够用桁架模型表示。

对这些钢筋的设计规则范围很广，要考虑剪力连接件多种类型及布置、变截面板、预制板或组合板以及所考虑的截面单位长度上纵向剪力 v_{SD} 与横向弯矩 M_s (图 3-20)。板上的荷载也引起平面如 B—B 的竖向剪应力，但它通常远小于平面上的纵向剪应力 v_{SD}/A_{cv}，所以可忽略不计。

这里讲到的要领出自规范 4 § 1.1，A_{cv} 是所考虑的混凝土剪切面中梁的单位长度的横截面积，这里用“面”是因为图 3-20 中的 $EFGH$，虽然它不是一平面，但它是另一个可能发生剪切破坏的潜在面。实际中，剪力连接件最小高度的规定保证了在均匀厚度的板中(如 $B—B$ 的平面)更为关键，但在后面所谈的变截面板中并非如此。

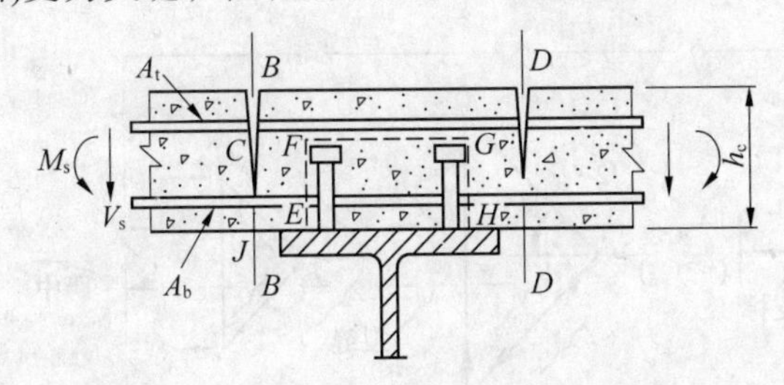

图 3-20　纵向剪力作用下表面潜在破坏

对面 $EFGH$，单位长度纵向设计剪力与剪力连接件相同；对对称的 T 形梁中，其值的一半各由 $B—B$、$D—D$ 平面传递；对 L 形梁或钢梁翼缘较宽时(图 3-21)，更精确的表达应为：

$$v_{BB}=\frac{vb_1}{b} \quad 和 \quad v_{DD}=\frac{vb_2}{b}$$

其中 v 为剪力连接件的设计剪力，b 为混凝土翼缘的有效宽度。

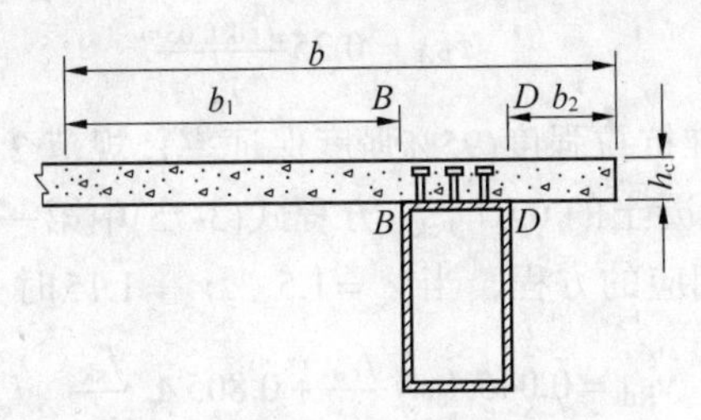

图 3-21　T 形对称混凝土翼缘

对于钢筋有效面积，诸如图 3-20 的平面 $B—B$，单位梁长的横向钢筋的有效面积 A_e 是两端全部锚固于板边界上的钢筋的总和，也就是受拉时达到其抗拉强度，即使上部钢筋因 M_s 为全应力时也如此，因为拉力由横向压缩平衡，它使在没有横向弯曲的情况下，在 CJ 区域内剪切抗力的提高量至少等于钢筋的贡献量。

3.6.3.1　实心板中横向钢筋的设计规则

组合梁的一部分标于图 3-22 的平面图内，横向钢筋的桁架模型由三角形 ACE 表示，其中 CE 代表单位梁的钢筋 A_e，v 为间接长度设计剪力。作用于点 A 的力 V 由混凝土桁架杆 AC 与 AE 传递，AC 与 AE 与梁轴成 45°角。C 点杆力由板的压力及钢筋的拉力来平衡，当钢筋屈服时模型破坏，其中拉力等于截面如 $B—B$ 上由力 γ 引起的剪力，于是模型给出了如下形式的设计方程：

$$\frac{v}{2}=v_{Rd}=A_{cv}f\left(\frac{f_{ck}}{\gamma_c}\right)+\frac{A_e f_{sk}}{\gamma_s} \tag{3-74}$$

其中第一项表示受剪混凝土强度的贡献。

无论板中的理论支杆长度如何(如 FG)，该结论均认为是有效的。它一定程度上依赖于剪跨内均布的剪力流。因为钢筋在点 A 的 V 实际上由截面 A 提供，并非由点 A 与跨中之间某点来提供，当剪切破坏时试验中发现的裂缝类型见图 3-22，与模型相吻合。

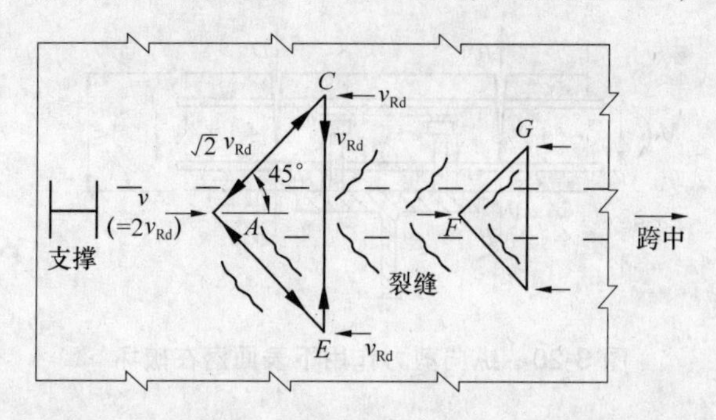

图 3-22　横向钢筋的桁架模型

规范 4 § 1.1 中设计方程为

$$v_{Rd} = 2.5A_{cv}\eta\tau_{Rd} + A_e\frac{f_{sk}}{\gamma_s} \tag{3-75}$$

其中：

$$\tau_{Rd} = 0.25\frac{f_{ctk\,0.05}}{\gamma_c} \tag{3-76}$$

$f_{ctk\,0.05}$ 为混凝土的标准抗拉强度(95%强度保证率)，规范 2 与 4 给出的强度值从高强混凝土的 0.06 f_{ck} 到低强混凝土的 0.07 f_{ck}，方程式(3-75)中第一项大约为 0.04 $A_{cv}\eta f_{ck}/\gamma_c$。

英国规范 BS5950 中相应的方程，当 $\gamma_c = 1.5$ 、$\gamma_s = 1.15$ 时为：

$$v_{Rd} = 0.045A_{cv}\eta\frac{f_{cu}}{\gamma_c} + 0.805A_e\frac{f_{sk}}{\gamma_s} \tag{3-77}$$

立方体强度 f_{cu} 近似为 1.25 f_{ck}，因此英国规范认为，混凝土的贡献比前者(欧洲规范)大，钢筋的贡献比前者(欧洲规范)小，但其他均与欧洲规范 4 相同。这些规则已尽可能地用试验数据验算，但试验数据仅包括许多种可能发生情况中的一部分。

方程式(3-75)与式(3-77)中的符号 η 为轻质骨料混凝土的修正系数，它考虑了由于混凝土密度 ρ 在 24 kN / m^3 以下 E_c/f_{ck} 的折减率。规范 4 中给出：

$$\eta = 0.3 + 0.7\frac{\rho}{24} \tag{3-78}$$

英国规范对 $\rho \geqslant 17.2$ kN / m^3 的轻质骨料混凝土给出 $\eta=0.8$，这与欧洲规范 4 中 $\rho = 17.2$ kN / m^3 的情况极相近。

方程式(3-75)的使用限制：钢筋混凝土梁中的桁架杆，图 3-22 中模型要没有上限，即由随着 A_e 面积的提高，对角支杆的混凝土达到的压溃强度来控制，规范 4 中给出的上限为：

$$v_{Rd} \leqslant 0.2A_{cv}\eta\frac{f_{ck}}{\gamma_c} \tag{3-79}$$

为了协调此表达式，取规范 2 中 § 1.1 部分相应的类似情况，当 f_{ck}=32 N / mm^2、

f_{ck} =460 N / mm^2、η=1 时，相应的 $A_e \leqslant 85\%$。

当达到上述方程极限式(3-79)时，混凝土杆的压应力能估计如下：对单位梁长，支杆为 $\frac{1}{\sqrt{2}}$ 宽和 A_{cv} 高，它所受的力为 $\sqrt{2}\ v_{Rd}$。于是由式(3-79)限制的压应力上到 $0.4\eta f_{ck}/\gamma_c$，这一值显得相当保守。

英国规范中相应的极限由一项组合梁的试验研究数据中推导出，而不是采用钢筋混凝土 T 形梁法，它为：

$$v_{Rd} \leqslant 0.8A_{cv}\eta\left(f_{cu}\right)^{1/2} \tag{3-80}$$

当 f_{ck} =25 N / mm^2，它的值大于欧洲规范规定的极限值的 30%；当 f_{ck} =45 N / mm^2 时，则与欧洲规范的相同。

不考虑纵向剪力，欧洲规范 4 规定横向钢筋的最小面积取混凝土板有效面积的 0.002。经验规则要求当裂逢出现时应有某些保护措施，以防钢筋断裂或局部应变过大。建议板的有效面积应该是方程式(3-75)中计算 A_{cv} 使用的面积，当压型板横布时，它包括板肋中的混凝土。

关于变截面板。对图 2-1(b)中所示变截面类型的板中横向钢筋要求有进一步的设计规定，这些规定在桥梁中比在建筑中更为普遍。

3.6.3.2 组合板中的横向钢筋

当压型板跨度方向横过梁跨时，如图 3-15(a)，就能认为当钢板连接跨过梁时，底部的横向钢筋为有效的。若不如图所示，钢板的有效面积依赖于钢板与钢翼缘的连接方式。

当栓钉穿过钢板焊于翼缘上时，横向受拉抗力由栓钉周围薄板的局部屈曲决定。在板厚为 t、焊孔直径为 d_{d0} 的栓钉，设计承载力由欧洲规范 4 给出：

$$P_{pb.Rd} = k_{\varphi} d_{d0} t \frac{f_{yp}}{\gamma_{ap}} \tag{3-81}$$

其中

$$k_{\varphi} = 1 + \frac{a}{d_{d0}}，\leqslant 4.0$$

f_{yp} 为钢板屈服强度，尺寸 a 如图 3-23 所示，公式认为受拉力屈服沿 BC 向发生，受剪切屈服，应力为 $f_{yp}/2$，沿 AB 与 CD 方向。纵向间距为 S 的栓钉，对 v_{Rd} 的贡献 v_{pd} 为：

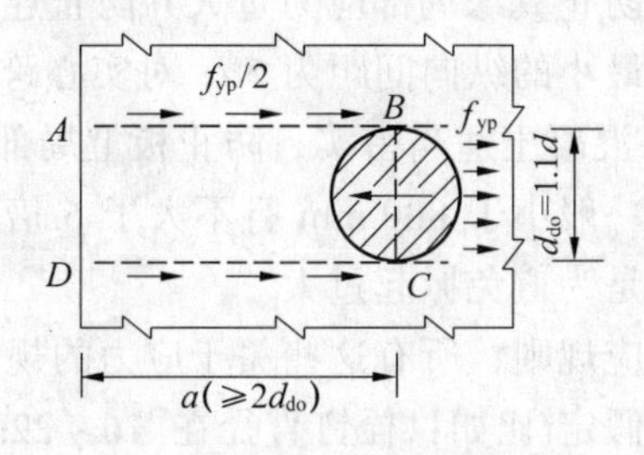

图 3-23 板侧面的抵抗力

$$v_{pd} = \frac{P_{pb.Rd}}{S} \tag{3-82}$$

当使用常规栓钉时，此贡献是极其重要的，但由于 $k_\phi \leqslant 4$ 的限制，对小直径点焊栓钉效果则较小。

当板的跨度平行于梁的跨度时，横向拉伸导致波纹打开，于是 v_{pd} 为 0。

3.6.4 细节规定

当剪力连接件与钢翼缘相连接时，有横向钢筋，也可能有腋板(局部加厚)或压型板。对这些区域的三维状态应力尚未有可靠的模型，即使在弹性范围内。于是主要基本经验设计的详细细节由任意部分规则控制。

规范 4 § 1.1 中给出的几条规则，如图 3-24 所示，左边的一半表示横跨向压型板，右边一半表示一板腋。

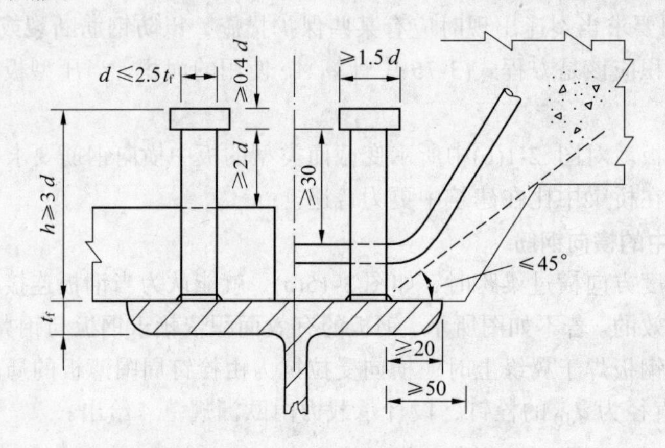

图 3-24　剪力连接的细节规定

栓钉头的最小尺寸规定 $h \geqslant 3d$，距底面钢筋投影距离为 30 mm，以确保有足够向上掀起抗力。

规定 $d \leqslant 2.5t_f$ 是为了避免钢翼缘由于剪力件的荷载引起的局部破坏。对反复疲劳荷载，d/t_f 的极限值更低。

规定连接件距边至少 50 mm 及倾斜角≤45°，是防止连接件底部的混凝土局部压碎爆出。翼缘尖 20mm 是为了防止翼缘局部应力过大并防止连接件受腐蚀。

直径为 d 的栓钉连接件最小的纵向间距为 $5d$，对实心跨过钢翼的距离为 $2.5d$，对组合板为 $4d$。这些规定是确保混凝土适当密实，防止板上局部应力过大。

连接件最大的纵向间距一般小于 800 mm 且不大于 6 倍板厚。设计中假设沿跨长方向剪力的传播为连续的，也是为避免掀起过大。

对除栓钉外其他也有相应规则，所有这些关于应力的规则原则上应给出尺寸。当实际尺寸给定时，就有一隐含假定(比如：栓钉直径在 16 ~ 22 mm)，否则它可能是与腐蚀或裂缝宽度有关。

3.7 正常使用下应力与变形

组合梁通常先按极限状态设计，然后必须验算它的正常使用状态。对简支梁，大多数正常使用极限状态为挠度过大。当使用无支撑施工法时，它能控制设计，承受动力荷载的楼层(如体育馆)结构也易于发生过大振动(详见§3.11.3.2)。

混凝土的开裂只对全包梁是一个重大问题，而全包梁很少使用于连续梁的上弯区。

实际中，某些规范限制正常使用状态的应力，但是过大应力本身并不是极限状态。一种分析方法(比如线弹性理论)无论是否合法，均可用于验算正常使用极限状态。规范4 §1.1部分没有正常使用应力极限，原则上使用应力极限，用弹性分析法，使用部分剪力连接处产生的考虑剪切滞后及徐变。必要时考虑钢的屈服，以及过大滑移来修正结果。

正常使用时，如果钢材发生屈服，对一般组合梁，它都发生在下翼缘上靠近跨中处，这种事件可能性不仅依赖于可变荷载与永久荷载之间的比率$\left(r=\dfrac{q_{\mathrm{k}}}{g_{\mathrm{k}}}\right)$，而且依赖于作用及材料使用的分项安全系数，以及施工方法与组合截面的形状系数，此系数为：

$$Z=\frac{M_{\mathrm{pl}}}{M_{\mathrm{y}}}$$

其中，M_{y}为钢首先发生屈服时的弯矩。对向下弯曲，有支撑施工，它一般为1.25~1.35，但对无支撑施工，它能达到1.45及以上。

变形通常用罕遇作用的组合来验算，由方程式(1-8)给出。故对所设计的梁只有分布载荷g_{k}及q_{k}，设计的弯矩比(极限／正常使用)为：

$$\mu=\frac{1.35g+1.5q}{g+q}=\frac{1.35+1.5r}{1+r} \tag{3-83}$$

该比值范围：从当r=0.8时的1.42到r=1.6的1.44。

作一比较，可假设：

$$M_{\mathrm{pl.Rd}}\approx\frac{M_{\mathrm{pl}}}{\gamma_{\mathrm{a}}}$$

由此表达式，正常使用下如果$Z>\gamma_{\mathrm{a}}\mu$，钢中应力可能达到或超过屈服应力。

上面所示的值表明，对有支撑施工是不可能的，但当对钢材γ_{a}假设为1.05或更小，而不是规范4中推荐的1.10时，对无支撑施工则可能发生。

当组合截面的抵抗弯矩由局部屈曲控制时，如对第3类截面，对承载能力极限状态使用弹性截面分析，那么使用中的应力或变形对设计影响可能较小。

如下所示，组合截面弹性分析比塑性分析更为复杂，因为必须考虑施工方法及徐变的影响，下列三类荷载必须分别考虑：

- 钢梁承受的荷载；
- 组合梁承受的短期荷载；
- 组合梁承受的长期荷载。

3.7.1 向下弯曲中组合截面的弹性分析

首先假定完全剪力连接件，故可忽略滑移的影响。其余的所有假定关于使有换算截面法，对钢筋混凝土截面的弹性分析。因为钢截面的抗弯刚度远远大于钢筋的抗弯刚度，所以代数式是不同的。

一般地，假定钢截面是反对称的(图 3-25)，其横截面积为 A_a，截面惯性矩为 I_a，面积中心到混凝土板上表面的距离为 Z_g，混凝土板为均匀板，总厚度为 h_t，有效宽度为 B_{eff}。

短期荷载作用下的模量比为：

$$n = \frac{E_a}{E_c}$$

其中下标 a 与 c 分别表示钢与混凝土。对长期荷载，近似取 $n/3$ 较好。为简单起见，有时对两类荷载均使用单值 $n/2$。由现在开始，符号 n 用来表示任何合适的模量比，故 n 定义为：

$$n = \frac{E_a}{E_c'} \tag{3-84}$$

其中 E_c' 为混凝土的相对等效模量。

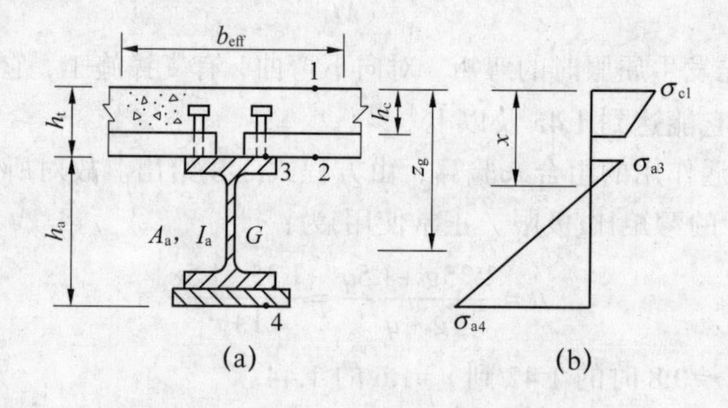

图 3-25 向下弯曲组合梁截面弹性分析

通常忽略受压区钢筋、受拉区混凝土，及压型钢板板肋之间的混凝土，既使板纵向布置，中性轴高 x 小于 h_c 的条件为：

$$A_a\left(z_g - h_c\right) < \frac{1}{2} b_{eff} \frac{h_c^2}{n} \tag{3-85}$$

中性轴高度通常通过一阶面积矩方程给出：

$$A_a\left(z_g - x\right) = \frac{1}{2} b_{eff} \frac{x^2}{n} \tag{3-86}$$

钢单元中面积二阶矩为：

$$I = I_a + A_a\left(z_g - x\right)^2 + b_{eff} \frac{x^3}{3n} \tag{3-87}$$

如条件，即式(3-85)不满足，那么中性轴高度超过 h_c，为：

$$A_{\mathrm{a}}\left(z_{\mathrm{g}}-x\right)=b_{\mathrm{eff}}h_{\mathrm{c}}\frac{x-\frac{h_{\mathrm{c}}}{2}}{n} \tag{3-88}$$

截面惯性矩为：

$$I=I_{\mathrm{a}}+A_{\mathrm{a}}\left(z_{\mathrm{g}}-x\right)^{2}+\frac{b_{\mathrm{eff}}h_{\mathrm{c}}}{n}\left[\frac{{h_{\mathrm{c}}}^{2}}{12}+\left(x-\frac{h_{\mathrm{c}}}{2}\right)^{2}\right] \tag{3-89}$$

在整体分析中，有时使用以无裂缝组合截面的 I 值为基础的值。较为方便 x 与 I 的值由上列方程式(3-88)与式(3-89)给出，无论 x 大于 h_{c} 与否，在向下弯曲中，相对于开裂与不开裂的 I 值差别很小。

由下垂弯矩 M 产生的应力通常只对混凝土用图 3-25 的第一水准计算，如对钢第 3、4 水准计算，取拉应力为正，这些应力为：

$$\sigma_{\mathrm{c}1}=-\frac{Mx}{nI} \tag{3-90}$$

$$\sigma_{\mathrm{a}3}=\frac{M\left(h_{1}-x\right)}{I} \tag{3-91}$$

$$\sigma_{\mathrm{a}4}=\frac{M\left(h_{\mathrm{a}}+h_{1}-x\right)}{I} \tag{3-92}$$

关于挠度：利用结构钢的抗压模量通过弹性理论的著名公式计算变形，例如，跨长为 L 的简支组合梁承受单位长度 q 的分布荷载的挠度为：

$$\delta_{\mathrm{c}}=\frac{5ql^{4}}{384E_{\mathrm{a}}I} \tag{3-93}$$

当使用部分剪力连接时，由纵向滑移引起的挠度增加依赖于施工方法。欧洲规范 4 与英国规范 BS5950 给出的总变形 δ 近似为：

$$\delta=\delta_{\mathrm{c}}\left[1+k\left(1-\frac{N}{N_{\mathrm{f}}}\right)\left(\frac{\delta_{\mathrm{a}}}{\delta_{\mathrm{c}}}-1\right)\right] \tag{3-94}$$

其中：对有支撑施工，k=0.5；对无支撑施工，k=0.3；其中 δ_{a} 为钢梁单独在荷载作用下的挠度，当 $N/N_{\mathrm{f}}=1$，该表达式显然正确，当 $N/N_{\mathrm{f}}=0$，给出的结果数值太低，只有当 $N/N_{\mathrm{f}}\geqslant 0.4$ 时，才允许使用该表达式。

不同于英国规范 BS5950，欧洲规范 4 允许在下列情况下无支撑施工中忽略变形挠度。

- 或者 $N/N_{f}\geqslant 0.5$ 或连接件上的作用力不大于 $0.7P_{\mathrm{rk}}$，其中 P_{rk} 为它的抗力标准值；
- 对有横肋的板，肋高不大于 80 mm。

这些规则的任意性，使得精确的预测挠度带来困难。

3.7.2 极限跨高比的使用

使用上面推导的公式计算过程不仅冗长，而且也不太精确。设计期间关于建筑物中梁的长期变形的预测既是一门艺术，又是一门科学，计算中对影响挠度的一些因素如混凝土徐变与收缩加以考虑是可能的，但也有它不能定量估算的因素。在英国规范 CP110，跨高比极值时的发展过程中，Beeby 确立了使用中钢筋混凝土梁的挠度通常小于设计者计算值的九条原因，考虑这些可使得跨高比增加 36%，它们中最重要的为混凝土的弹性变化收缩、徐变特性、饰面的刚度影响、支座的约束及部分固结作用。

另一困难是当挠度过大时规定的困难性。在实际中，当支撑梁的挠度只有跨度的 1 / 800 时，隔墙的石膏也会发生塑性开裂，隔墙和填充板施工完成后相应的挠度就会发生，对恒载，竣工后徐变挠度会持续增长几年，该挠度可能会超过由饰面及外力荷载引起的挠度。给隔墙适当的连接及浮距是好的方案，当这不能满足时，相关的挠度应大于跨度的 1 / 350。当外观是惟一标准时，建议采用满荷载作用挠度变形。包括徐变与收缩的影响，在支座水平下的悬吊跨度不应大于跨度的 1 / 250，但建造有坡屋面梁时，更大的变形也是可接受的，评估一次计算挠度的精度及重要性的困难很大，以致往往用简化方法来校核。

3.8 混凝土收缩与温度的影响

在干燥的环境中，无约束的混凝土板收缩能达到其长度的 0.03%(3 mm 每 10 m)或更多，对组合梁，通过靠近梁端的剪力连接件，板被钢构件约束，板上就有拉力，它的视收缩量小于自由收缩量。由于混凝土收缩作用于连接件上的力与由于荷载引起的剪力连接件的力方向相反，故设计时混凝土收缩引起的该力可忽略不计。

由收缩引起的应力发展较慢，故它因混凝土的徐变而减小，但它们导致的组合梁挠度的增加却可能很大。估计简支梁这种挠度近似而保守的经验方法，是取它等于由于混凝土板的重力作用于组合构件上引起的长期变形。

在 § 3.11 研究的梁中，这一规则产生了 9 mm 附加挠度，而计算由于 0.03%的收缩率而得到的长期挠度为 10 mm(新用模量比 n=22)。

在建筑物的梁中，通常认为列表的跨高比对考虑收缩挠度已足够保守，但设计者应该警惕问题可能非常严重的情况。比如：原板放在小钢梁上，电加热楼板等。

规范 4 建议当梁的跨高比大于 20 及自由收缩应变大于 0.04%时，收缩的影响应予考虑，对于干燥的环境常用的应变对一般混凝土为 0.032 5%，对轻质混凝土为 0.05%。

当板比钢构件温度低时，组合梁也会发生变形，在建筑物中如此均匀的温度很少发生，但对桥梁却是重要的。

3.9 组合楼板结构的振动

英国标准 BS6472 中“建筑物中人在振动中的反应评价(1 ~ 80 Hz)”，对任何使用者的干扰及相互之间的作用，结构能满足要求。这不能简单规定结构的动力特性，就使结构适用于这一方面。因为局部振动的原因与所研究的工作空间工作类型、使用者的心理因素都是相关的。

下面介绍的振动设计局限于本工程实例——典型办公楼结构，如图 3-1 所示。

(1)振动激励的来源。振动来自外部振源，如高速公路或铁路交通，很少严重到足以影响设计，如果如此，应使建筑物在基础平面隔绝。

建筑物中的机械振动，如吊电梯及行吊车，应予以分离。在楼板结构的设计中，只应考虑楼板上或靠近楼板的振源。靠近体育场及舞厅的楼层，人有节奏的运动影响可能带来麻烦，但对大多数建筑物只考虑下列两种情况：

- 人群中在楼板上步行的步频在 1.4 ~ 2.5 Hz；
- 冲击，如重物下落的影响。

对人群走动楼板的典型反应可通过傅里叶级数理论来分析。基频简谐振动有大约 240 N 的振幅，第 2、第 3 阶简谐振动较小，但与设计相关。楼板结构的基本固有频率位于第 3 谐振的频率范围内(4.2~7.5 Hz)，对人走过一楼层跨长谐振的周期数，以及振动达到它的稳态值时振幅力是非常重要的，以后这种情况会更详细讨论。

行人运动引起楼板振动微小振动 f_0 大约大于 7 Hz，但应该检查脉冲荷载的影响，对人影响最大的是楼板垂直振动的峰值，其值正比于脉冲及振动衰减的时间，并随楼层结构阻尼比的减力而增加。

(2)人们对振动的反应。人们对持续振动反应模型于 BS6472 中给出。对于人们坐或站于其上的楼板的振动(不考虑人躺于板上)，模型由加速度的均方根与楼板基本固有频率的关系基本曲线与更多的相似形状曲线组成，用双对数绘于图 3-26 中。每一曲线近似代表人们反应的平均水平。基本曲线，用 R=1 标准，其中 R 为反应系数，相应来自住户不满意评论的最小水准，如医院操作，影院与精密实验室。

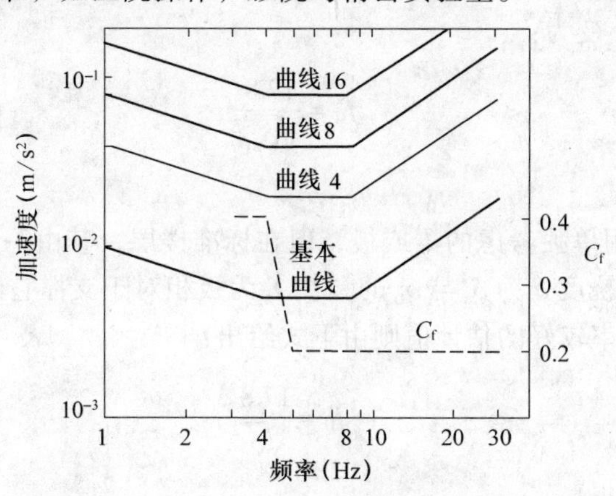

图 3-26　常人对振动反应的曲线和傅里叶系数

R 为其他值的曲线通过乘以 R 的基本曲线的序数获得 R=4，8，16 示于图上。设计中使用的 R 的合适取值依赖于环境，英国规范给出：

对办公楼 R=4；

对工厂　R=8。

使用双倍的值可能产生相反的后果，如振动的振幅加大 4 倍，这可能增加重要性。

如果振动不是连续发生，某些规定放宽是可能的。Wyatt 建议楼板承受行人 1 分钟 1 次的共振频率，在合理范围能允许双倍于连续振动能接受的双倍的值。

3.9.1 基本固有频率的预测

有必要验算组合楼层的振动，阻尼对固有频率影响较小，可以忽略不计。对梁或规则截面的单向板的自由弹性振动，基本固有频率为

$$f_0 = K\left(\frac{EI}{mL^4}\right)^{1/2} \tag{3-95}$$

其中：对简支，$K = \pi / Z$；

对两边固定，K=3.56。

对其他端部条件及多跨构件已由 Wyatt 给出，相关的抗弯刚度为 EI(对于板，指每单位宽度)，L 为跨度单位长度，m 为单位长度梁或板的振动质量。混凝土在板中一般认为不开裂，在板与梁中，对混凝土均应该使用弹性动力模量 E_{cd}，对普通密度混凝土，动力模量 E_{cd}一般比静模量高出 8 kN / mm^2，对不小于 1 800 kg / m^3 的轻质骨料混凝土，则高出 3~6 kN / mm^2，对竖向弯曲组合梁，这种效应的近似容许量可以这样获得，即对于可变荷载，将 I 的值增加 10%。

除非能更精确地计算，质量 m 通常取为特征永久荷载加上特征可变荷载的 10%。

计算 f_0 的方便方法是首先计算跨中绝对挠度 δ_m，由质量 m 引起。对简支构件，其值为：

$$\delta_m = \frac{5mgL^4}{384EI}$$

代取式(3-95)中的 m，变为：

$$f_0 = \frac{17.8}{\sqrt{\delta_m}} \tag{3-96}$$

其中 δ_m 的单位为 mm。

方程式(3-96)适用单独考虑的梁或板，但在标准楼层，其由一系列平行的组合梁上设置组合连续板。总挠度 δ 为 δ_s 与 δ_b 的和，f_s 为板相对于支撑它的梁的挠度，δ_b 为梁的挠度，基本固有频率较好的估计值则由下式给出：

$$f_0 = \frac{17.8}{\sqrt{\delta}} \tag{3-97}$$

由式(3-96)和式(3-97)得：

$$\frac{1}{{f_0}^2} = \frac{1}{{f_{0s}}^2} + \frac{1}{{f_{0b}}^2} \tag{3-98}$$

其中 f_{0s} 与 f_{0b} 分别为板及梁的频率(分别单独考虑)，方程式(3-97)、式(3-98)也能应用于非简支的构件。

如图 3-1 所示形式的单跨布置，每根梁好像简支梁一样振动，所示振动区域的长度 L_{eff} 能取作跨长 L。振动区域的宽度 S'是梁的间距 S 的几倍，此振动区的横截面可能如图 3-27 所示，多数跨的组合板就像两端为固定端一样，振动由方程式(3-95)可得到：

- 对梁：

$$f_{0\mathrm{b}}=\frac{\pi}{2}\left(\frac{EI_{\mathrm{b}}}{mSL^{4}}\right)^{1/2} \tag{3-99}$$

• 对板：

$$f_{0\mathrm{s}}=3.56\left(\frac{EI_{\mathrm{s}}}{mS^{4}}\right)^{1/2} \tag{3-100}$$

其中 m 为单位面积的振动质量，S 为梁的间距，下标 b 与 s 分别表示梁与板。

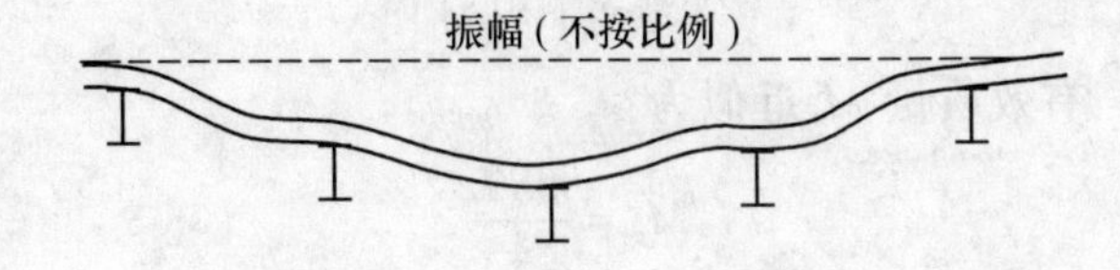

图 3-27　标准基本模式的振动楼板结构截面

3.9.2　组合楼层对行人与车辆的响应

假定楼层在由人步行且频率在 1.4~2.0 Hz 时的简谐激励下达到有阻尼振动的稳定状态，且为避免与幅值 240 N 的第一简谐波发生共振，认为楼为 f_0 >3 Hz。有效力振幅值为：

$$\overline{F}=240C_{\mathrm{f}} \tag{3-101}$$

其中 C_{f} 为傅里叶分项系数，它考虑了在人步行频率与楼层固有频率差异，并于图 3-26 中作为 f_0 的数已给出。

楼层的静力挠度为 $\overline{F}\ /\ k_{\mathrm{e}}$，共振时放大系数为 $\frac{1}{2\zeta}$，其中 ζ 为临界阻尼比，对使用组合楼层的开敞布置的办公楼，ζ 一般应取为 0.03。Wyatt 对其报告中对无装饰楼层取低估为 0.015，频率为 f_0 的稳态振动的竖向位移 y 近似为：

$$y=\frac{\overline{F}}{2k_{\mathrm{e}}\zeta}\sin 2\pi f_0 t$$

加速度的均方值为上式微分两次再除以 $\sqrt{2}$ 得到：

$$a_{\mathrm{rms}}=4\pi^{2}f_0^{\,2}\frac{\overline{F}}{2\sqrt{2}k_{\mathrm{e}}\zeta} \tag{3-102}$$

由等效刚度 k_{e} 决定于楼层的振动面积 LS'，宽度 S'能通过梯层单位宽度的相关抗弯刚度计算出来，即 $I_{\mathrm{s}}=I_{\mathrm{b}}\ /\ S$，Wyatt 给出为：

$$S=4.5\left(\frac{EI_{\mathrm{s}}}{mf_0^{\,2}}\right)^{1/4} \tag{3-103}$$

这能解释如下，对一般楼板，f_{0b}为f_{0s}的数倍，由方程式(3-98)，f_{0b}是f_0的很好的估计值，由式(3-99)代$m f_0^2$入式(3-103)变为：

$$\frac{S'}{L}=3.6\left(\frac{I_s S}{I_b}\right)^{1/4}$$

因此，与所料相同，板与梁刚度的比值越高，板的等效宽度与梁的跨度之比越大。

与简单的弹簧—质量系统类似，基本频率可定义为：

$$f_0=\frac{1}{2\pi}\left(\frac{k_e}{M_e}\right)^{1/2} \tag{3-104}$$

其中k_e为有效刚度，有效质量M_e近似为：

$$M_e=\frac{mS'L}{4}$$

由式(3-104)

$$k_e=\pi^2 f_0^2 mS'L$$

由式(3-101)中F，式(3-102)化为：

$$a_{rms}=340\frac{C_f}{mS'L\zeta} \tag{3-105}$$

其中，S'由式(3-103)给出。

由响应系数R的定义

$$a_{rms}=5\times10^{-3}Rm/S'^2$$

由式(3-105)

$$R=68\ 000\frac{C_f}{mS'L\zeta} \tag{3-106}$$

m单位为kg。

对于如图3-1所示楼层布置的和那些满足以上假设的楼层，对由行人与车辆导致的振动敏感性检查包括从式(3-98)求出f_0，及a_{rms}与R，并且与图3-26给出的目标响应曲线结果相比较。

有关的计算在§3.11、§3.2给出。

上述的总结只是想介绍一种灵活的设计方法，且应用于一种单一形式的结构，工程实际应用中，应更多考虑依据方法的复杂性及它的背景。

3.10 组合梁防火

基于1993年起草的欧洲规范4§1.2部分“结构防火设计”，防火设计已于§3.3.7中有过介绍，且完全能应用于组合梁、组合板(除了§3.3.7.5)。

梁很少有绝缘或有机整体功能，所以设计用来承受荷载R，板及梁的翼缘的防火等级是同样的，只有型钢截面需要作进一步防火处理。它可以做成混凝土全包式或采用轻质防火材料，最近的方法是只把钢腹板包围于混凝土中，这一工作在梁安装之前就可以完成，如图 3-31 所示的截面类型。

在火灾中，暴露在外的下翼缘会失去强度，受保护的腹板及翼缘不会。对较高的荷载水平 η^* 及较长的耐火周期，保护层中纵向钢筋的最小面积 A_s' 以及底部钢翼缘的面积 A_f 而作出限定，对于每个 I 字型钢截面的最小高度 h_a、宽度 b_f 也有所限定防火期限标准。

如图 3-28 所示规范 4 § 1.2 部分要求耐火时间为 60 分钟(R60 级)，最小尺寸 h_a 及 b_f 随 η^* 增加，如图 3-28(a)的三条线所示，对其他 η^* 值，可使用插值法求得。

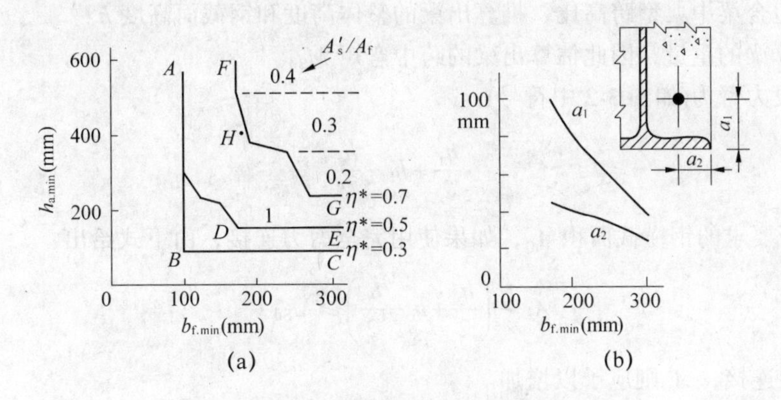

图 3-28　R60 外包梁腹板图表数据

对于 η^*=0.3(*ABC*)及 η^*=0.5(*ADE*)，最小比 A_s'/A_f 为 0；对 η^*=0.7 时，比值在它们作用的区域内。为了在火灾期间确保其他钢筋保持其自身强度，按照 $b_{f.min}$ 及火灾等级规定，最小数点距离 a_1 及 a_2，R60 等级如图 3-28(b)所示。

这种类型的表中数据的有效性是无条件限制的，规范给出使用它的主要条件如下(符号见图 3-15)：

(1)组合梁必须为简支，且：

$t_w \leqslant b_f/18$，$t_f \leqslant 2t_w$，$h_t \geqslant 120$ mm，$f_y \leqslant 355$ N/mm^2，$b_{eff} \leqslant 5$ m；

(2)如板为组合板，钢梁上部梯形剖面的孔隙必须用防火材料填充；

(3)腹板必须包藏普通密度的混凝土中，所通过的箍筋、钢丝、栓钉固定在位，或者焊于钢腹上。

图 3-28 中数据将在 § 3.11.4 中的设计实例中使用，规范也同时给出了简单和更进步的计算模型，与表中数据相比不太保守，有较宽的适用性，但这些已超出本书范围。

3.11　实例：简支组合梁

本例中，要为图 3-1 中楼层结构设计一典型的 T 形组合梁，且使用 § 3.2 中规定的材料和 § 3.4 中给出的楼层设计方法，首先考虑极限状态，减少误差的设计程序如下：

(1)选择要用到的材料的类型及强度。

(2)确保有完整的设计说明，本例中作出下列假定：

- 使用时不要求特殊的孔洞；
- 主要振源为楼层的行人车辆，居住者对振动的灵敏度是同一般办公楼房规定；

• 规定的防火等级为 R60。

(3)作出方案规定。在本例设计中：

• 钢构件轧制成通用梁式截面(UB)；

• 要避免有支撑施工，尽管这要包括预弯钢梁方法；

• 有保护层的腹板用来防火，但底部翼缘不能。通过将腹板包于混凝土中进行防火处理。

(4)对组合梁中典型跨高比，推算出梁的整体高度和钢截面高度 h。

(5)推算梁的重量，因此估算出梁的跨中弯矩 M_{Sd}。

(6)假设力臂为(如图 3-2 中符号)：

$$\frac{h_{\mathrm{a}}}{2}+h_{\mathrm{t}}-\frac{h_{\mathrm{c}}}{2}$$

算出所要求的钢横截面积 A_{a}，如果使用完全剪力连接，由下式给出：

$$A_{\mathrm{a}}\frac{f_{\mathrm{y}}}{\gamma_{\mathrm{a}}}\left(\frac{h_{\mathrm{a}}}{2}+h_{\mathrm{t}}-\frac{h_{\mathrm{c}}}{2}\right)\geqslant M_{\mathrm{Sd}} \tag{3-107}$$

对局部剪力连接，A_{a} 则应予以增加。

(7)如果使用完全剪力连接，应验算钢的屈服力 $A_{\mathrm{a}}(f_{\mathrm{y}}/\gamma_{\mathrm{a}})$要小于混凝土板的抗压力 $b_{\mathrm{eff}}h_{\mathrm{c}}(0.85f_{\mathrm{ck}}/\gamma_{\mathrm{c}})$，否则，塑性中性轴一般在钢截面里，这在建筑物中是不正常的，如上所述的 A_{a} 将会太小。

(8)已知 h_{a} 与 A_{a}，选择一轧制钢截面，验算在梁的端部腹板能否抵御竖向设计剪力。

(9)设计剪力连接件满足跨中抗弯要求。

(10)验算正常使用期间的挠度及振动。

(11)防火设计。

3.11.1 组合梁——弯曲及竖向剪切

由 § 3.4，4 m 宽楼层的均匀标准荷载为：

恒载：

$g_{\mathrm{k1}}=2.4\times4=9.6(\mathrm{kN/m})$ 单独在钢梁上

$g_{\mathrm{k2}}=2.5\times4=10(\mathrm{kN/m})$ 在组合梁上

活载：

$q_{\mathrm{k}}=5\times4=20(\mathrm{kN/m})$ 在组合梁上

梁的自重及它的防火估计值为 2.2(kN / m)，于是设计的极限荷载是：

$$g_{\mathrm{d}}=1.35(19.6+2.2)=29.4(\mathrm{kN/m})$$

$$q_{\mathrm{d}}=1.5\times20=30(\mathrm{kN/m})$$

对 L=9.0 m 的跨中弯矩为：

$$M_{\mathrm{sd}}=59.4\times\frac{9^2}{8}=601(\mathrm{kNm}) \tag{3-108}$$

竖向设计力为：

$$v_{Sd}=59.4\times4.5=267(\text{kN}) \tag{3-109}$$

已经假定该组合截面为一类截面，于是在极限状态下无支撑施工的影响可予以忽略。

由于使用 f_y=355 N / mm^2 梁的钢材，轻质骨料混凝土及无支撑施工，梁的挠度可能影响它的设计。因此，选择相对较低的为 16 的跨高比，整体高度为 9 000 / 16=562(mm)，板为 150 mm 厚(见图 3-9)，所以 h_a =412 mm 钢梁的由方程式(3-107)给出，要求的钢截面面积为：

$$A_a \approx \frac{601\times10^6}{(355/1.1)(206+150-40)}=5\ 890\,(\text{mm}^2)$$

最合适的轧制工字型钢截面为 406 × 178 UB54(A_a =6 840 mm^2)。但是使用压型板时，必须使用局部剪力连接，于是要选择下一个较大的截面：408 × 178UB60，图 3-29 给出了其有关特性。

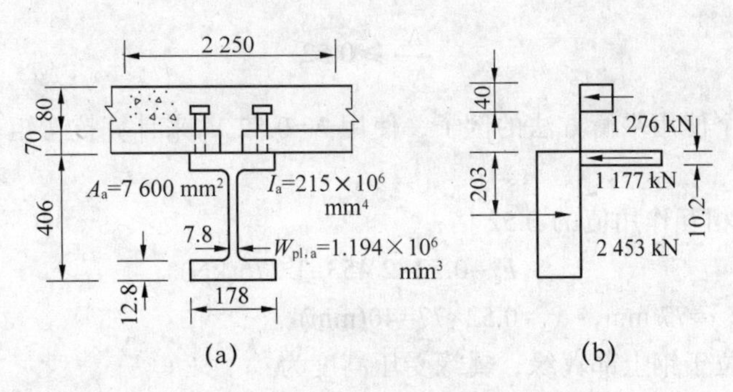

图 3-29 向下弯曲组合梁横截面和应力区

我们认为对于完全剪力连接件，塑性中性轴的高度 x 小于 h_c (80 mm)，所以由式(3-55)中得出 b_{eff} =2.25 mm 可再由式(3-56)得到 x：

$$N_{cf}=7\ 600\times\frac{0.355}{1.1}=2.25x\ \ (0.85\times\frac{25}{7.5})$$

因此

$$x=77\ \text{mm},\ N_{cf}=245.3\ \text{kN}$$

由式(3-57)，完全相互作用的抵抗弯矩为：

$$M_{pl.Rd}=24.53(0.203+0.15-\frac{0.077}{2})=711(\text{kNm}) \tag{3-110}$$

正如所期望的一样，这一值比上面的 M_{Sd} 好。

由式(3-69)，轧制型钢截面的剪切面积：

$$A_v=1.04\times406\times7.8=3\ 293\,(\text{mm}^2)$$

由式(3-70)，抗竖向剪力值为：

$$V_{pl.Rd}=3\ 293\times\frac{0.355/\sqrt{3}}{1.1}=614\,(\text{kN}) \tag{3-111}$$

其值远大于 V_{sd}，这在使用轧制工字型钢截面的组合梁中通常是这样。

3.11.2 组合梁——剪力连接件与横向钢筋

假定连接件为延性件，剪力连接件的要求程度及首先由插值法得到，钢截面的塑性抵抗矩为：

$$M_{\mathrm{apl.Rd}}=\frac{W_{\mathrm{apl}}f_{\mathrm{y}}}{\gamma_{\mathrm{a}}}=\frac{1.194\times 355}{1.1}=386\,(\mathrm{kNm}) \tag{3-112}$$

其中 W 是欧洲规范中截面模量的符号。

N/N_{f}的比值由式(3-67)及式(3-68)给出：

$$\frac{N}{N_{\mathrm{f}}}=\frac{F_{\mathrm{c}}}{F_{\mathrm{cf}}}=\frac{601-386}{771-386}=0.56$$

当跨度为 9 m 时，销钉连接件被当做延性的连接件的条件由图 3-19 给出：

$$\frac{N}{N_{\mathrm{f}}}\geqslant 0.52$$

为了给出一个使用平衡方法的例子，使用 $N=0.52\,N_{\mathrm{f}}$ 来计算抗弯矩。图 3-15(d)的符号得在此使用。

力 F_{c} 是完全相互作用值的 0.52 倍：

$$F_{\mathrm{c}}=0.52\times 2\,453=1\,276(\mathrm{kN}) \tag{3-113}$$

且由 N_{cf} 知，$x=77$ mm，$x_{\mathrm{c}}=0.52\times 77=40(\mathrm{mm})$。

假定中性轴位于钢上部翼缘，翼缘受压高度为：

$$\frac{2\,453-1\,276}{0.178\times 2\times 355/1.1}=102\,(\mathrm{mm})$$

这小于 t_{f}，所以假定是正确的，应力区如图 3-29(b)所示。求板上表面的弯矩为：

$$M_{\mathrm{pl.Rd}}=2\,453\times 0.353-1\,276\times 0.020-1\,177\times 0.155=658\,(\mathrm{kNm}) \tag{3-114}$$

其超过 M_{Sd} (601 kNm)。

由 $N/N_{\mathrm{f}}=0.56$，用上述插值法给出 $M_{\mathrm{pl.Rd}}=601$ kNm，所以平衡法更为不保守。当欧洲规范 4 § 1.1 广泛采用后，一些国家就可能在使用平衡法时采用高于一般使用值 5%来规定 γ_{a} 的值。

本例中，使用 $N/N_{\mathrm{f}}=0.52$。

(1)剪力连接件的数目与间距。假定使用 19 mm / 100 mm 长的栓钉连接件，焊接后长度大约减少 5 mm，于是栓钉的高度取为 95 mm，由式(3-2)得出 P_{Rd}，即每个栓钉受力 57.9 kN。

对于这里使用的压型板，宽度 b_0 (图 2-14)为 162 mm 由图 3-9 所示。且其他影响肋中连接件抗力的折减系数 k_{t} 的尺寸为：

$$h_{\mathrm{p}}=70-15=55\,(\mathrm{mm}),\quad h=95\ \mathrm{mm}。$$

于是由式(2-17)

$$k_t = \frac{0.7}{\sqrt{N_r}} \frac{162}{55}\left[\frac{95}{55}-1\right] = \begin{cases} 1.50 & (N_r = 1) \\ 1.06 & (N_r = 2) \end{cases}$$

但是 k_t 可能不大于 1.0，这些值表明没有折减的必要，于是每个栓钉 P_{Rd}=57.9 kN。

由式(3-113)得，每半跨内要求的连接件数目为：

$$N = \frac{F_c}{P_{Rd}} = \frac{1\,276}{57.9} = 22.04\text{，取 }23$$

每 300 mm 有一个槽，或者说半跨内有 15 个，最靠近支座的 8 个槽每一个有 2 个螺钉。其余的 7 个槽中各一个，总计 23 个。

(2)横向钢筋。欧洲规范 4 中使用压型板作为横向钢筋的规则在 § 3.6.3.2 中有所说明，从按一定比例画出图 3-30 的横截面中可看出，要做到符合规则的难点在于压型钢板应该外伸于栓钉中心之外至少 2 d_{d0}，其中 d_{d0} 为焊接直径估计值，取 1.1d 或 20.9 mm、30 mm 尺寸刚好满足图 3-24 所示的有关规则。在两板端之间 34 mm 的浮间距可以由于容许公差而减少，且易于满足混凝土浇筑空间的最小值(约 25 mm)。

图 3-30 中 D—D 面上的纵向剪力在每槽有两个栓钉处为最大的，全部纵向剪力为：

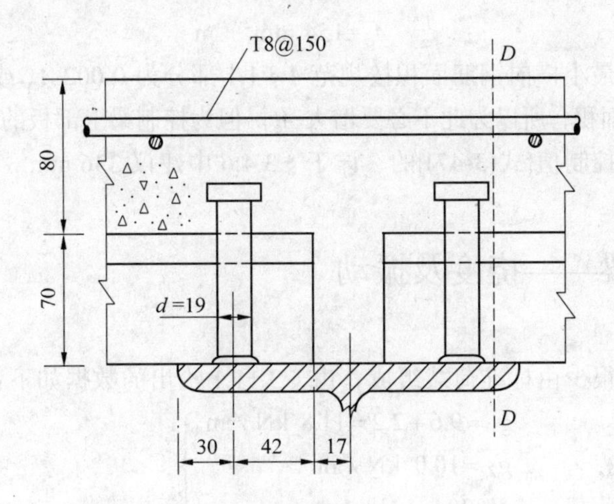

图 3-30　剪力连接件的细节(单位：mm)

$$v = 2 \times \frac{57.9}{0.3} = 386\,(\text{kN / m})$$

于是 D—D 面上的设计剪力正好在上式值的一半以下，为：

$$v_{Sd} \approx 193 \text{ kN / m}$$

由钢板分担的剪力如下面所计算，在式(3-81)中：

$$k_\varphi = 1 + \frac{42}{21.9} = 2.9\text{，}\quad t = 0.9\,\text{mm}\text{，}\quad f_{yp} = 280\,\text{N / mm}^2\text{，}\quad \gamma_{ap} = 1.1$$

于是 $P_{pb.Rd}$=13.9 kN，由式(3-82)得：

$$v_{pd} = \frac{13.9}{0.3} = 46.3\,(\text{kN / m}) \tag{3-115}$$

由方程式(3-75)得到所求的横向钢筋的面积，令 $v_{Rd}=v_{Sd}$ 则

$$193 = 2.5A_{cv}\eta\tau_{Rd} + A_e\frac{f_{sk}}{\gamma_s} + 46.3 \tag{3-116}$$

从图 3-9 中看出，受剪切的混凝土的有效面积大约为：

$$A_{cv} = 162\times\frac{55}{0.3} + 95\times1\ 000 = 125\times10^3\,(\mathrm{mm}^2\ /\ \mathrm{m})$$

由式(3-78)得：

$$\eta = 0.3 + 0.7\left(\frac{19}{24}\right) = 0.85$$

由式(3-76)得：

$$\tau_{Rd} = 0.25\times\frac{1.8}{1.5} = 0.3\,(\mathrm{N}\ /\ \mathrm{mm}^2)$$

假设使用焊接钢筋网，且 f_{sk}=500 N / mm²，由式(3-116)得到：

$$193 = 79.7 + 0.435A_e + 46.3$$

因此：

$$A_e = 154\ \mathrm{mm}^2\ /\ \mathrm{m} \tag{3-117}$$

受纵向剪切的最小横向钢筋面积按规范 4 § 1.1 部分为 0.002 A_{cv} 或 250 mm² / m，这已包括钢板的有效面积，所以为此不必要增大 A_e。但为控制梁上部板的裂缝，320 mm² / m 面积是需要且作为控制值[式(3-47)]的，详于 § 3.4.6 中建议 336 mm² / m，这是满足要求的。

3.11.3 组合梁——挠度及振动

3.11.3.1 挠度

梁上荷载组合很少由标准荷载组成，由 § 3.11.1 给出的数据如下：

$$\left.\begin{aligned}
&\text{钢梁：恒载} && g_1 = 9.6 + 2.2 = 11.8\ \mathrm{kN}\ /\ \mathrm{m}\\
&\text{组合梁：恒载} && g_2 = 10.0\ \mathrm{kN}\ /\ \mathrm{m}\\
&\text{组合梁：可变荷载} && q = 20.0\ \mathrm{kN}\ /\ \mathrm{m}
\end{aligned}\right\} \tag{3-118}$$

对于一简支梁，跨度为 9 m，上有分布荷载 w，惯性矩 I。跨中挠度为：

$$\delta = \frac{5wL^4}{384EI} = \frac{5\times9^4\times10^9 w}{384\times210I} = 407\times10^6\frac{w}{I}\,(\mathrm{mm}) \tag{3-119}$$

对钢梁，I=215×10⁶ mm⁴，施工期间它的挠度为：

$$\delta_a = 407\times\frac{11.8}{215} = 22.3\,(\mathrm{mm})$$

由 § 3.2，混凝土的短期弹性模量为 19.1 kN / mm²，于是对可变荷载，模量比为：

$$n_q = \frac{210}{19.1} = 11.0$$

对永久恒载：

$$n_g = 3n_q = 33$$

组合截面的惯性矩可使用式(3-85)～式(3-89)计算，由图 3-29，相关值为：

$$A_a = 7\,600\text{ mm}^2,\quad z_g = 353\text{ mm},\quad b_{eff} = 2\,250\text{ mm},\quad I_a = 215\times10^6\text{ mm}^4$$

板的最小厚度为 80 mm，但它的面积 90%以上至少是 95 mm，对挠度与振动，I 的平均值是适当的，所以这里 h_c 取 95 mm。

对可变荷载，由式(3-85)给出：

$$1.96\times10^6 < 0.923\times10^6$$

这是不正确的，中和轴高度超过 h_c，且式(3-88)给出：

$$x = 133\text{ mm} \tag{3-120}$$

由式(3-89)得：

$$10^{-6}I = 215 + 7\,600(0.353-0.133)^2 + \frac{2\,250\times95}{11}\left(\frac{0.095^2}{12}+0.085^2\right) \tag{3-121}$$

$$=215+368+155=738(\text{mm}^4)$$

(在计算中用 $10^{-6}I$ 较使用 I 易得到更方便的数值)

同样类似地使用 N=33 得出：

$$x = 212\text{ mm},\quad 10^{-6}I = 547\text{ mm}^4 \tag{3-122}$$

由于恒载作用而导致的组合梁的挠度为：

$$\delta_g = 407\times\frac{10}{547} = 7.4\ (\text{mm})$$

承受可变荷载而产生的挠度为：

$$\delta_q = 407\times\frac{20}{738} = 11.0\ (\text{mm})$$

因此总挠度为：

$$22.3+7.4+11.0=40.7\ (\text{mm})$$

这超出了 § 3.7.2 中建议的极限值(跨度的 1 / 250)，于是钢梁应反拱起一定量，即约等于通常恒载作用下短期挠度，这个量为：

$$\delta_{q,i} = 22.3 + 407\times\frac{10}{738} = 28(\text{mm})$$

这就将随后的挠度约减少至 13 mm 或者是跨度的 1 / 692，也就能够满足大多数工况。

这里不计由于滑移而导致的挠度的增加量，是欧州规范 4 允许省略，方程式(3-94)的条件已满足。实际工程上，挠度会由于板底部 55 mm 的混凝土的刚度以及梁柱结点的刚度而有所减少。

这种方法的说明中包含了对起拱法的介绍，实际工程中，设计者可能喜爱使用厚型钢截面(例如 406 × 178 UB 67)。

关于钢截面上的最大弯曲应力，由 § 3.7 可清楚知道在正常使用荷载下钢构件不太可能屈服。最大弯曲应力发生于跨中底部纤维。现计算此应力并说明本方法。

在式(3-118)中，三种荷载必需分开计算，对单位长度分布荷载 w，应力值为：

$$\sigma = \frac{My}{I} = \frac{wL^2y}{8I} = 10.1\frac{wy}{I}$$

其中 y 是中性轴以下到底部纤维距离，用上面给出的数值，应力为：

对 g_1：　$\sigma = 10.1 \times 11.8 \times \dfrac{203}{215} = 113\,(\mathrm{N/mm^2})$

对 g_2：　$\sigma = 10.1 \times 10 \times \dfrac{556-212}{547} = 64\,(\mathrm{N/mm^2})$

对 g_3：　$\sigma = 10.1 \times 20 \times \dfrac{556-133}{738} = 116\,(\mathrm{N/mm^2})$

总部应力值为 293 $\mathrm{N/mm^2}$，小于 355 $\mathrm{N/mm^2}$ 的屈服应力，同样的方法能够计算其他弯曲应力。

3.11.3.2　振动

使用 § 3.9 中给出的方法，认为振源为间歇不断的行人、车辆。如果每分钟有一次振动，响应系数 R 的目标值为 4，而如果车辆连续，则增加到 8。

(1)基本固有频率。由式(3-118)，每根梁的恒载为 21.8 kN / m。这包括了作为强加荷载间壁 4.8 kN / m 的裕量。那么总的强加荷载(可变)为 24.8 kN / m，而这里只包括其中的 1 / 10，因为振动对于有较少间壁及较低的外载可能破坏性更大。在中间 4 m 处梁的设计荷载为 19.2 kN / m，振动质量为：

$$m = \frac{19\ 200}{4 \times 9.81} = 400\,(\mathrm{kg/m^2})$$

对于梁，惯性矩 I 取大于式(3-121)给出值的 10%。即为：

$$10^{-6} I_{\mathrm{b}} = 1.1 \times 7.38 = 812\,(\mathrm{mm^4})$$

对于板，§ 3.4.5 中未开裂值太低，因为动力模量 E_{cd} 取为 22 kN / mm²，于是模量比为 n=210 / 22=9.5，这导致钢单元惯性矩从 $12.1 \times 10^6\ \mathrm{mm^4/m}$ 增加到 $10^{-6} I_{\mathrm{s}} = 25.1\ \mathrm{mm^4/m}$。

由式(3-99)，S=4 m，L=9 m 得：

$$f_{0\mathrm{b}} = \frac{\pi}{2}\left(\frac{210\ 000 \times 812}{490 \times 4 \times 9^4}\right) = 5.72\,(\mathrm{Hz})$$

由式(3-100)

$$f_{0\mathrm{s}} = 3.56\left(\frac{210\ 000 \times 25.1}{490 \times 4^4}\right)^{1/2} = 23.1\,(\mathrm{Hz})$$

由式(3-98)

$$f_0 = 5.6\ \mathrm{Hz}$$

该值低于 7 Hz，所以对脉冲荷载不需验算。

(2)组合楼层的响应。同 § 3.9.2，由图 3-26 知，C_{f}=0.2，由式(3-103)，板的振动宽度为：

$$S = 4.5\left(\frac{210\ 000 \times 25.1}{490 \times 5.6^2}\right)^{1/4} = 19.3(\mathrm{m})$$

当更小时，则取同梁跨度方向正交的楼板的实际尺寸，当 S 值小时，实际固有频率将高于这里计算的 f_0，所以假设这里考虑的建筑物长于 19.3 m，且使用此值。

令 ζ=0.03，由式(3-106)得出下列响应系数：

$$R = \frac{68\ 000 \times 0.2}{490 \times 19.3 \times 9 \times 0.03} = 5.3$$

此值大于 4 且完全小于 8。所以说，对于连续的行人、车辆荷载可能得出不利的结果，但一般开放式办公楼的运动情况不会如此。

3.11.4 组合梁——防火设计

下面使用的方法已在§3.3.7与§3.10中介绍。

由式(3-118)，梁的单位长度的标准荷载为：

$$g_k = 21.8\ \text{kN}/\text{m},\ q_k = 20.0\ \text{kN}/\text{m}$$

由方程式(3-31)：

$$\eta_f = \frac{1+0.7(20/21.8)}{1.35+1.5(20/21.8)} = 0.60$$

此梁要设计成跨中有抵抗弯矩且防火等级为R60，对正常无火设计时，跨中弯矩设计值为601 kN / m，抗力为658 kN / m，由式(3-32)抗力比为：

$$\eta^* = 0.60\times\frac{601}{658} = 0.55$$

腹板的防火措施为用一般密度的混凝土保护腹板，如图3-31所示，且用防火材料填充钢上部翼缘的孔隙，这满足§3.10中条件(2)、(3)和所有的条件(1)。

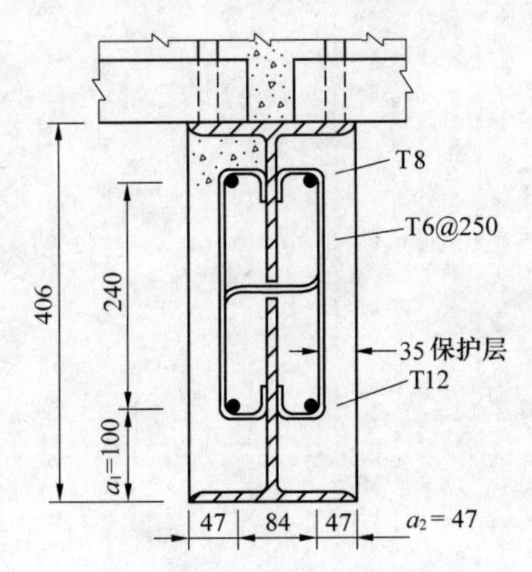

图3-31 混凝土外包腹板防火措施

对钢梁，h_a=406 mm，且b_f=178 mm。作为点H绘于图3-28(a)，用插值法，当η^*=0.55时，这些尺寸是足够的。

对η^*=0.5，不要求附加的钢筋A_s'；

对η^*=0.7，$A_s' \geqslant 0.3A_f$；

于是，对η^*=0.55，$A_s' = 0.25\times0.3A_t = 0.075\times178\times12.8 = 171\ (\text{mm}^2)$，需要用两根 T_{12}钢筋(A_s'=226 mm^2)。

保护层不增加组合截面的抗下垂弯曲，因为所有的混凝土为纵向受拉。应予以控制混凝土裂缝宽度，为此规范4中给出了有关规则。当要求的控制裂缝宽度为0.5 mm时，这要求纵向钢筋的间距不应超过250 mm。对于火灾情况下，由图3-28(b)所示b_f=178 mm的钢筋安放规定为：

$$a_1 \geqslant 95\ \text{mm},\ a_2 \geqslant 44\ \text{mm}$$

按照这些规则，对腹板保护层的具体规定，如图 3-31 所示，6 mm 的钢筋或焊于腹板或者穿孔于其上。

§ 3.11.1 中假设的包壳梁的自重在 2.2 kN / m 以下。

在火灾中，腹板保护层承担梁对竖向剪力的抗力，板的厚度要足以保护上部横向钢筋与剪力连接件。

第四章 连续梁、连续板及框架梁

4.1 引言

规范 4 中 § 1.1 部分给出的连续组合梁的定义为：具有 3 个或更多支座的梁，且其钢截面在其内部支座上连续或者由完全满足强度与刚性连接，且在支座与梁间连接件，使支座不能传递给梁较大的弯矩，在内支座处梁可以设置有效钢筋或者只有构造正常钢筋。

欧洲规范 3 中 § 1.1 部分(11)对梁–柱连接予以分类。

按刚度来分：

- 一般铰接
- 刚接
- 半刚接

按强度来分：

- 一般铰接
- 完全强度
- 部分强度

欧洲规范 4 中 § 1.1 部分(12)“组合结点”中(组合连接件)定义为：在一组合构件与其他任何构件之间的连接件，且其构件中钢筋承担连接件的抗力。

这种分类方式是针对钢连接件的，除非忽略半刚度连接件，因为它们的设计方法发展不够成熟。

“完全强度与刚性”连接必须与所连接的梁有同样的刚度与强度，所以当使用 § 4.3 的方法对其弯矩分析时，则同无内部连接的单一长构件相同。桥的大梁通常为此种类型。这里说明的例子为通过一墙体或支撑梁上连续两跨梁在多跨平面框架中，也是建筑物中通常使用的结构，梁柱结点通常为铰接，梁按简支梁设计。当使用完全强度连接使用框架时，整体分析，且梁也不再是上述定义的单跨连续。这些梁指框架梁，即与使用部分强度结点的梁相同。框架梁与连续梁有同样的优缺点。其整体分析比连续梁更复杂，因为涉及到柱及结点的特点。在整体分析中，只考虑了连续梁。

已知楼板及梁上单位长度的设计荷载，连续梁相对于单跨梁的优点为：

- 对于限定的挠度值，可使用较高跨高比。
- 靠内柱和楼板上面的开裂能够被控制，可以因此使用脆性装饰(如水磨石)。
- 楼层结构有较高的基本固有频率，所以不易由人行动激励而导致振动。
- 结构刚性较强(如抗火灾与抗爆)。

主要的缺点是设计较为复杂，在一跨上的作用能影响其相邻跨。梁的刚度与抗弯矩随长度而变化。

在已知荷载作用下，不可能精确预知连续梁的应力与挠度，除了由于混凝土的收缩与徐变而导致随时间的变化外，也有混凝土的裂缝的影响。在钢筋混凝土梁中，这些情况在所有的截面中都会发生，于是也就对弯矩分布的影响较小。在组合梁中，混凝土的显著受拉只发生在负弯矩区，它要受到板的施工顺序、使用支撑的方法、温度、收缩及纵向滑移的影响。

完全开裂的组合截面的抗弯刚度低到无开裂值时的 1 / 4，所以沿均匀截面的连续梁抗弯刚度会发生很大的变化。这导致了纵向弯矩分布的不确定性，因此也就难以预测开裂的数据，对一特殊类型作用的响应也就依赖于在其前后是否有以导致梁的不同部分混凝土开裂另一种作用。

因此，为经济起见，设计时要尽可能地预测极限强度，而不是基于弹性理论的分析。这可由试验预测，由其力学行为的简化模型而提出方法。某些模型的范围限制是任意的。因为它们对应的是所得到的研究数据的范围，而不是已知的模型限制。

在简支梁与板方面，第三章几乎全部是讲述连续构件的正弯矩区。负弯矩区的特性将于 § 4.2 讲述，在讲述中也包括悬臂梁。下面进行连续梁的整体分析、应力及挠度的计算。

轧制工字型钢及 H 型钢与小平板及箱形梁，无论其有无腹板保护层及组合板，均予以研究，且总是以为混凝土板在钢构件之上，因为混凝土板施于钢梁之下，在建筑物中几乎不使用，只是在桥梁中有所应用。

4.2　连续组合梁的负弯矩区

4.2.1　截面类型及抗弯弯矩

4.2.1.1　总论

§ 3.5.1 中关于有效梁横截面的理论是适用的，混凝土的翼缘有效宽度一般在内部支座处小于跨中。这种宽度限制了纵向钢筋可以用来抵抗负弯矩的板区。受压混凝土不受力，因为中性轴通常在板下。腹板保护层中较低的部分受压，但它的压碎能限制该区域的转动能力，于是该受压区目前予以忽略。

欧洲规范 4 中，钢腹板的各边的有效宽度为 $L_0 / 8$，其中 L_0 为负弯矩区的近似长度，其取为每跨的 1 / 4 长度。于是在跨度 L_1 与 L_2 之间的支座处，有效宽度为：

$$b_{\text{eff}} = 2 \times \frac{0.25(L_1 + L_2)}{8} = \frac{L_1 + L_2}{16} \tag{4-1}$$

其中已知至少在腹板的各边有 $b_{\text{eff}} / 2$。

受压钢单元的分类规则大大地影响负弯矩区的设计。于是，当受弯且大多数腹板为 1 类或 2 类时，选择轧制工字型钢截面，但在组合截面，另外的纵向钢筋很快增大了受压腹板的高度 a_{d}，如图 3-14。从图上看出，如 $d / t \geqslant 60$，α增大 0.05 就能使腹板从 1 类变为 3 类，就能减少截面的抗弯弯矩达 30%。这一异常导致产生一规则，即允许用等效的第 2 类腹板代替 3 类腹板。“板中孔法”以后介绍，它不适用于翼缘。因为翼缘通常设计成 1 类或 2 类，甚至使用板梁。

负弯矩区设计取决于完全剪力的剪力连接的使用（§ 4.2.3）。

4.2.1.2 塑性阻抗弯矩

组合梁负弯区的横截面如图 4-1(a) 所示，这些数值是针对于下列实例中用的截面而言，于例子中用到，图形也是按一定比例绘出，钢底翼缘受压。由 § 3.5.2 容易得出该截面的类型。要对腹板进行分类，首先要知道 G 点上塑性中性轴的距离 x_c 和钢截面的中心。

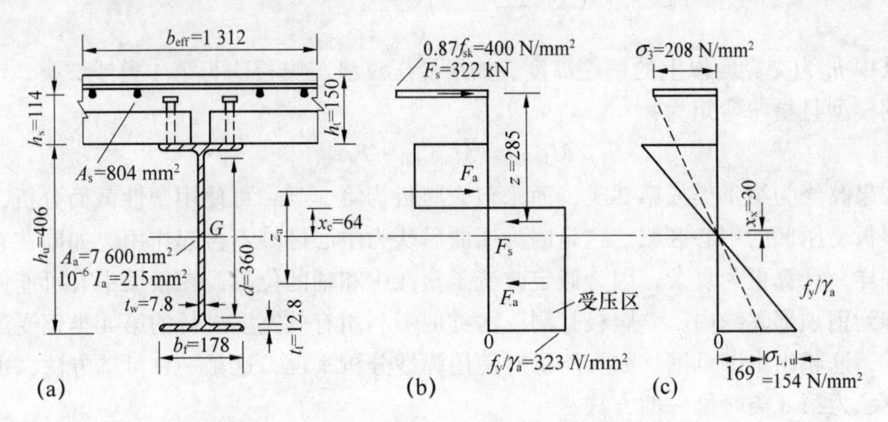

图 4-1 组合梁负弯区横截面及应力分布

令 A_s 表示板的有效宽度 b_{eff} 内纵向钢筋的有效面积。焊接网片一般不能包括在内。因为没有足够的延性，为确保在梁的设计极限荷载未达到之前不开断，钢筋的设计拉力为：

$$f_s = \frac{A_s f_{sk}}{\gamma_s} \tag{4-2}$$

其中：f_{sk} 为钢的标准屈服强度。

如果没有受拉钢筋，抗弯弯矩即为钢截面的抵抗弯矩

$$M_{apl.Rd} = \frac{W_a f_y}{\gamma_a} = F_a z_a \tag{4-3}$$

其中：W_a 为塑性截面模量，f_y 为屈服强度。对轧制型截面没有必要计算 $h_a/2$ 适度应力区中的力 F_a，也没必要计算力臂 z_a，因 W_a 的值已列表；但对板梁，F_a 及 z_a 必须计算。

考虑设置钢筋的最简单的方法是假定腹板 x_c 长度内的应力从拉力变为压力，其中 x_c 由下式给出：

$$x_c t_w \frac{2 f_y}{\gamma_a} = F_s \tag{4-4}$$

假设（如通常一样）

$$x_c \leqslant \frac{h_a}{2} - t_f$$

受压腹板高度为：

$$a_d = \frac{d}{2} + x_c \tag{4-5}$$

如图 3-14，可由已知的α、d/t_w及f_y对f_y=355 N/mm^{2}腹板分类。如发现腹板为第 4 类，应使用弹性中性轴重复计算，因为分辨第 3 类或第 4 类的曲线是基于截面的弹性行为。这就是为什么在图 3-14 中使用ψ而不用α。

受混凝土包围的腹板为第 3 类时按第 2 类处理，因为保护层有助于腹板稳定。

如图 4-1(b)中，两力F_s的力臂z为：

$$z = \frac{h_a}{2} + h_s + \frac{x_c}{2}$$

其中h_s为交界面以上的钢筋高度，如果受压翼缘与腹板均为第 1 类或 2 类，这就是合适的模型且抗弯弯矩为：

$$M_{h.Rd} = M_{apl.Rd} + F_s z \tag{4-6}$$

如果翼缘为第 1 类或第 2 类，而未包壳腹板为第 3 类，可使用塑性截面分析，只是不计腹板受压区的中心区域。这是因为屈曲后认为中心区域不再起作用。如同在它处的解释一样，计算更为复杂，因为假定改变了塑性中和轴的位置，在板梁中有可能使塑性轴上移到钢顶部翼缘内。“腹板打洞”法类似于利用有效宽度进行的第 4 类钢受压单元的设计，这超出本书范围。如下所示对使用弹性分析来说，这是一种可选方法，也是当受压翼缘为第 3 类时惟一的方法。

【实例 4-1】 图 4-1(a)所示一负弯矩区的横截面，其钢截面为 406×178 UB60 且f_y=355 N/mm^2,尺寸如图所示。查表可得它的内部支座处纵向钢筋为T_{16}且f_{sk}=460 N/mm^2，间距为 330 mm，压型板上面板的厚度为 80 mm，于是配筋率为 64π/(330×80)=0.76%。该截面的类型及抗负弯矩的设计弯矩是多少呢？

解： 由式(4-1)得：

$$b_{eff} = \frac{L_1 + L_2}{16} = \frac{21}{16} = 1.312(\text{m})$$

于是 4 根T_{16}槽钢是有效的，且A_s=804 mm^2。初步假定腹板为第 1 类或第 2 类，于是与如图 4-1(b)所示的矩形应力区有关。底部翼缘(受压区)$c/t < 7$，为第 1 类，所以由表 3-1 和式(4-2)，且$\gamma_s = 1.15$，可得：

$$F_s = \frac{A_s f_{sk}}{\gamma_s} = \frac{804 \times 0.46}{1.15} = 322(\text{kN})$$

由式(4-4)且γ_a=1.1 可求得：

$$x_c = \frac{F_s \gamma_a}{2 t_w f_y} = \frac{322 \times 1.1}{15.6 \times 0.355} = 64(\text{mm})$$

由式(4-5)得，α为：

$$\alpha = 0.5 + \frac{x_c}{d} = 0.5 + \frac{64}{360} = 0.678$$

比值d/t为 46.1，第 2 类腹板的最大比为$\dfrac{456\varepsilon}{13\alpha - 1}$，其中$\varepsilon = \left(\dfrac{235}{355}\right)^{1/2} = 0.814$，所以限制条件为

$$\frac{d}{t} \leqslant \frac{456 \times 0.814}{7.81} = 47.5$$

腹板正好在第 2 类之内，这也能从图 3-14 中看出。

据图 4-1(b)，力 F_s 的力臂为：

$$z = \frac{h_a}{2} + h_s - \frac{x_c}{z} = 203 + 114 - 32 = 285(\text{mm})$$

对钢截面

$$M_{\text{apl.Rd}} = W_a \frac{f_y}{\gamma_a} = 1.194 \times \frac{355}{1.1} = 385(\text{kNm})$$

于是，由式(4-6)可得

$$M_{\text{h.Rd}} = 385 + 322 \times 0.285 = 477(\text{kNm})$$

4.2.1.3 弹性抗弯弯矩

在上述计算中，忽略了梁的施工方法的影响，不计徐变、收缩与温度的影响，因为这些因素在达到塑性抗弯矩之前是可以忽略的。

当使用弹性分析时，在选择模量比为 $n(n=E_a / E_c')$时考虑徐变，没有对全部钢横截面的特性构成影响。在建筑物中，收缩温度对抗弯弯矩的影响通常不计，但是必须考虑施工方法的不同。这里我们认为在所考虑的截面中，荷载只在钢构件引起负弯矩 $M_{\text{a.Sd}}$，且在组合构件中引起 $M_{\text{c.Sd}}$。在钢筋与结构用钢材的弹性模量之间的细微差别通常不计(约为 3%)。

组合截面的弹性中性轴超过钢截面的弹性中性轴的高度 x_e，是通过求后者轴的面积矩而得：

$$x_e(A_a + A_s) = A_s\left(\frac{h_a}{2} + h_s\right) \tag{4-7}$$

组合截面的惯性矩为：

$$I = I_a + A_a x_e^{2} + A_s\left(\frac{h_a}{2} + h_s - x_e\right)^2 \tag{4-8}$$

屈服弯矩由钢底部翼缘的总应力控制，如图 3-25(a)，第 4 力臂处。$M_{\text{a.Sd}}$ 导致的压应力为：

$$\sigma_{\text{a}4} = M_{\text{a.Sd}} \frac{h_a / 2}{I_a} \tag{4-9}$$

其余的应力为 $f_y / \gamma_a - \sigma_{\text{a}4}$，于是屈服弯矩为：

$$M_{\text{a.Sd}} + M_{\text{c.Rd}} = M_{\text{a.Sd}} + \frac{(f_y / \gamma_a - \sigma_{\text{a}4})l}{(h_a / 2 + x_e)} \tag{4-10}$$

设计条件为：

$$M_{\text{c.Sd}} \leqslant M_{\text{c.Rd}} \tag{4-11}$$

在板钢筋中弯矩 $M_{\text{a.Sd}}$ 不引起应力，对有支撑施工，在钢筋的拉应力 σ_{s1} 下控制设计为：

$$\sigma_{s1} = M_{\text{c.Rd}} \frac{(h_a / 2 + h_s - x_e)}{I} \tag{4-12}$$

且一定不能超过 f_{sk} / γ_s。

【实例 4-2】 假定如图 4-1(a)中横截面为第 3 类，在承载能力极限状态，只有负弯矩 163 kNm 作用于钢截面上，使用无支撑施工。该截面对负弯矩的设计抗力为多少？

解： 由式(4-7)，忽略受拉混凝土，组合截面的弹性中性轴的位置为：

$$x=\frac{804(0.203+0.114)}{7\,600+804}=0.030(\text{m})$$

由式(4-8)，惯性矩为：

$$10^{-6}I=215+7\,600\times0.03^2+804\,(0.203+0.114-0.03)^2=288\,(\text{mm}^4)$$

由表中可得，钢截面的弹性截面模量为 10.58×10^6 mm^3，于是弯矩 $M_{\text{a.Sd}}$ 在力臂 4 处引起压应力(底部翼缘上)为：

$$\sigma_{\text{a}4}=\frac{163}{1.058}=154\,(\text{N}/\text{mm}^2)$$

设计的屈服强度为 355 / 1.1=323 N / mm^2，对于抵抗作用于组合构件的荷载还余 169 N / mm^2，底部纤维到弹性中性轴之间的距离为 $h_\text{a}/2+x_\text{c}$=0.203+0.03=0.233(m)，于是余下的抗力为：

$$M_{\text{c.Rd}}=\frac{\sigma I}{y}=169\times\frac{288}{233}=208(\text{kNm})$$

由图 4-1(c)的应力分布，明显可知底部纤维首先屈服，设计抗力为：

$$M_{\text{a.Sd}}+M_{\text{c.Rd}}=163+208=371\,(\text{kNm})$$

从上面的实例，形状系数为：

$$S=\frac{M_{\text{h.Rd}}}{M_{\text{el.Rd}}}=\frac{477}{371}=1.29$$

4.2.2 竖向剪切、弯矩—剪切相互作用

正如 § 3.5.4 中所述，竖向剪力由钢截面的腹板来承受[式(3-69)和式(3-70)]。作用力 V_{sd} 不应大于塑性抗剪力 $V_{\text{pl.Rd}}$ 或者更低的值。

规范 4 § 1.1 中的设计规则中，对弯剪组合的抗力，如图 4-2 所示(无论是负弯矩还是正弯矩)。这是基于试验所得出的证据，即抵抗弯矩不会降低，除非 $V_{\text{sd}}>0.5V_{\text{pl.Rd}}$(图中 A 点)以及所作出的假设，即在高剪力处发生的折减是随着 AB 抛物曲线。在点 B，其余的抗弯矩 $M_{\text{f.Rd}}$ 是由组合截面的翼缘引起的，包括板中的钢筋。沿曲线 AB，折减的抗弯弯矩为：

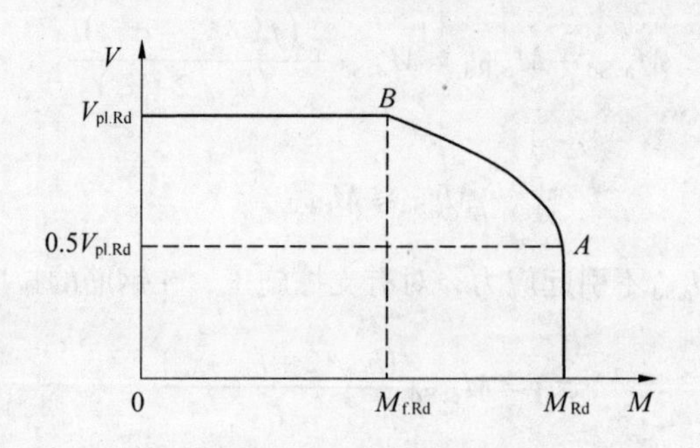

图 4-2 弯剪组合抗力

$$M_{\mathrm{v.Rd}} = M_{\mathrm{f.Rd}} + (M_{\mathrm{Rd}} - M_{\mathrm{f.Rd}})\left[1-\left(\frac{2V_{\mathrm{Sd}}}{V_{\mathrm{pl.Rd}}}-1\right)^2\right] \tag{4-13}$$

其中 M_{Rd} 为 $V_{\mathrm{sd}}=0$ 的抗力。

当计算 $M_{\mathrm{f.Rd}}$ 时，不计板中的钢筋也是足够精确的。当它被包在混凝土内，或钢翼缘的大小不同时，两者中的较薄者将会达到它的设计屈服应力。

4.2.3 纵向剪切

§3.6 关于纵向剪切的理论能应用于连续梁和悬臂梁以及简支梁，有关连续梁的规定现予以给出：

对于一有均匀分布荷载的典型跨度内，只有三个临界截面：支座处、最大弯矩截面。反弯点不作为临界截面，因为对于每种荷载情况，它的位置是不同的，且尽量避免复杂。对于临界长度要求的剪力连接件数为：

$$N = \frac{F_{\mathrm{c}} + F_{\mathrm{t}}}{P_{\mathrm{Rd}}}$$

其中 F_{t} 为用以承担负弯矩的钢筋中的设计拉力，F_{c} 为跨中板要求的压力，其值可能小于完全相互作用的值。

当计算 N 时，设在负弯矩区为完全剪力连接，但是由于在跨中临界截面与支座之间连接件可以均匀分布，所以在负弯矩区所要求的数目可能与力 F_{t} 不相应。欧洲规范 4 中要求剪力连接件的分布要适合受拉钢筋的收缩。但工程上，这些钢筋的长度与剪力连接件的间距有关，后者受到压型板中槽的大小及间距的影响。

欧洲规范 4 中关于在负弯矩区中设置完全连接的几个明显保守的要求是有以下几个范围的：

(1) 为补偿一些可能是不保守的简化：

- 不计混凝土的拉力；
- 不计钢筋的应变硬化；
- 不计那些针对在极限状态下忽略了的用以控制裂缝宽度的钢筋（如焊接钢筋网）的剪力。

(2) 连接件的设计拉力 P_{Rd} 假定不依赖于周围混凝土是否受压或受拉。有证据表明，对负弯矩区是稍微非保守的，但滑移能力可能更大，这是有利的一面。

(3) 为设计简单起见，也有侧向屈曲设计及受拉区作用下的竖向剪切设计。

§4.6 的实例表明，对负弯矩的设计抗力只是针对于钢截面的，所以尽管低强钢筋存在，方程式 (3-73) 中的 $F_{\mathrm{t}}=0$。对钢筋提供剪力连接件必须慎重，否则连接件的均匀间距能导致下弯区没有保护。

至于正弯区，横向钢筋与所提供剪力连接件的抗剪力有关，它们的抗力超过了设计的纵向剪力。

4.2.4 侧向屈曲

当工字型钢截面简支梁在跨中横向约束不足时，一般会发生惯例的非畸变横向屈曲。两翼缘都被认为在支座处有横向约束，此处构件可以自由地围一竖向轴旋转，腹板防止了受压上部翼缘的竖向屈曲，但如果它的宽高比较低，它可能如图 4-3(a)屈曲。横截面绕一纵轴旋转，但保持原形。

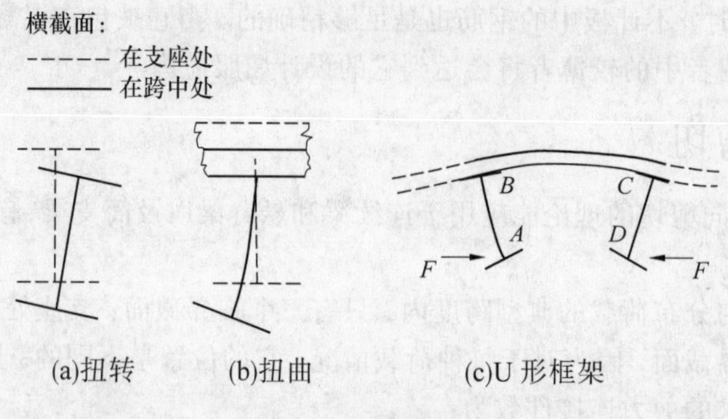

图 4-3　侧向屈曲

对组合梁在混凝土的浇筑期间，必须检查验算不要发生横向扭曲。但一旦混凝土硬化，剪力连接件就会阻止这种形式的屈曲。对于非组合梁的相关设计方法已超出本书范围。

靠近连续梁的内部支座处，受压的钢截面底部翼缘通过一柔性腹板来接受横向支撑，而板才是作为整体阻止钢截面扭曲的，如果腹板弯曲则翼缘只会发生屈曲，如图 4-3(b)所示。这称为畸变横向屈曲，也是这节的主题。

屈曲由内部支座的每边的单半波形状组成，且认为横向约束保持不变，半波延伸覆盖负弯矩区的大部分长度，它不是正弦式波。最大横向位移点在 2～3 倍，如图 4-4 所示，它不像支座边局部范围内翼缘屈曲，运动本质上是竖向而不是横向，其中最大位移的横截面在支座处一翼缘内。测试表明局部屈曲可导致横向屈曲，但在设计中是分开考虑的，且用不同的方式。局部屈曲通过受压钢单元的分类系统而予以考虑（§3.5.2），通过折减内支座处的抗弯弯矩 $M_{\mathrm{n.Rd}}$ 成为一较低值 $M_{\mathrm{b.Rd}}$，可避免侧向屈曲。当翼缘宽高比较高时，发生局部屈曲，当宽高比低时，发生横向屈曲。

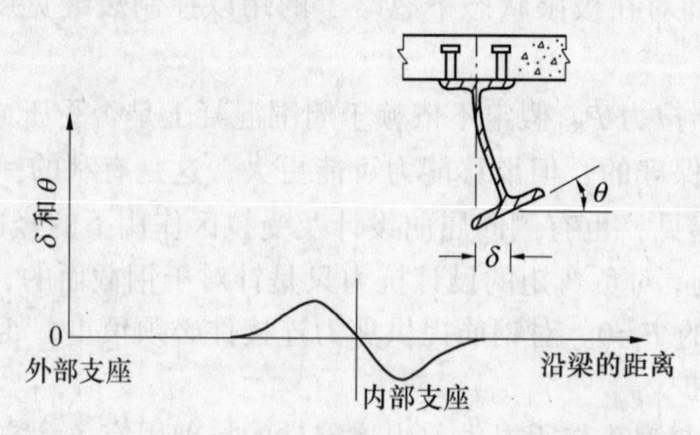

图 4-4　钢底部翼缘在侧向屈曲下的典型变形

同在建筑物中一样，当梁是几种平行构件之一，且全与同样的混凝土板或组合板连接时，通常基于连续的 U 形框架模型进行设计，底部翼缘的横向位移倾向，导致了钢腹板的弯曲及顶部翼缘的扭曲，而这可由板的弯曲而抵制，如图 4-3(c)。

4.2.4.1 弹性临界弯矩

欧洲规范 4 § 1.1 部分设计是基于弹性临界弯矩 M_{cr}(内部支撑处)理论，考虑到了单一 U 形框架对底部翼缘处相等且反向的水平力 F 的响应，它导致了下列相当复杂的 M_{cr} 的表达式：

$$M_{cr}=\frac{K_c C_4}{L}\left[\left(GI_{at}+\frac{k_s L^2}{\pi^2}\right)E_a I_{afz}\right]^{1/2} \tag{4-14}$$

其中：E_a 与 G 分别为钢的弹性模量与剪切模量；I_{at} 是钢截面的圣维南扭转常数；钢底部翼缘 I_{afz} 为 $b_f^3 t_f / 12$；L 为跨度。

由于钢截面对称轴均为轴对称，K_c 为组合截面的特性，由下式给出：

$$K_c=\frac{h_s I_y / I_{ay}}{\left[\frac{h_s^{\ 2}/4+\left(I_{ay}+I_{at}\right)/A_a}{e}\right]+h_s} \tag{4-15}$$

$$e=\frac{AI_{ay}}{A_a z_c (A-A_a)} \tag{4-16}$$

其中：A_a，I_{ay} 及 I_{at} 为结构钢截面的特性。应作说明的是，欧洲规范和这里，注脚 y、t 分别表示钢截面主、次轴，而英国工程中用的是 x 和 y。h_s 和 z_c 的尺寸如图 4-5 所示。

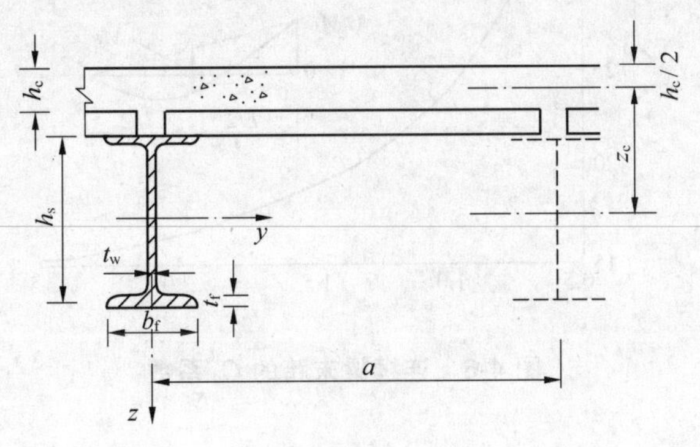

图 4-5 U 形框架

沿跨长单位长度，k_s 为 U 形框架的刚度。

$$k_s=\frac{k_1 k_2}{k_1+k_2} \tag{4-17}$$

板的刚度用 k_1 代表，板实际上在梁上为连续的，它作为简支设计，刚度可取为：

$$k_1=\frac{4E_a I_2}{a} \tag{4-18}$$

其中 a 为梁的间距，I_2 为梁上有裂缝柔性刚度。计算时使用单位梁长顶部钢筋的面积，钢筋应该充分多，以致可为板提供抗负弯矩 M_{Rd} 并满足：

$$M_{Rd} \geqslant \frac{t_w^{\ 2} f_y}{4\gamma_a} \tag{4-19}$$

这是确保板能够抵抗由钢腹板作用其上的横向弯矩，即使板在梁上作为简支设计的，用来控制裂缝和进行板的防火设计的钢筋通常足可满足这种需要。

腹板的刚度由 k_2 表示，对无包壳的腹板 k_2 为：

$$k_2 = \frac{E_a t_w^{\ 3}}{4\left(1 - \nu_a^{\ 2}\right)h_s} \tag{4-20}$$

其中 ν_a 为钢的泊松比，对于由混凝土包壳腹板（只是腹板）工字型截面，如设计实例中使用的一样，为

$$k_2 = \frac{E_a t_w b_f^{\ 2}}{16h_s(1 + 4nt_w / b_f)} \tag{4-21}$$

其中 n 为长期作用效应的模量比。方程式(4-21)由弹性理论导出，把腹板一边的混凝土作为支架约束钢底翼缘的向上位移。

屈曲弯矩 M_{cr} 受所考虑跨内的弯矩分布的形状影响较大。这通过系数 C_4 来考虑，C_4 的值通过有限元分析获得，它的范围为对均布负弯矩时约 6.2，当负弯矩区域小于跨度的 1 / 10 时为 40 以上(图 4-6)。

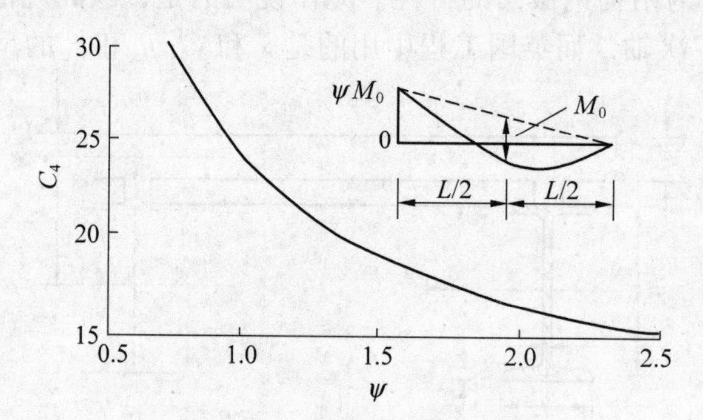

图 4-6　连续梁末跨的 C_4 系数

在式(4-14)中，GI_{at} 承受圣维南截面扭转。它与 $\frac{K_s L^2}{\pi^2}$ 相比很小，且经济损失很小，所以可以把其忽略，表达式变为：

$$M_{cr} \approx \frac{K_c C_4}{\pi}\left(k_s E_a I_{afz}\right)^{1/2} \tag{4-22}$$

其值与跨度 L 无关，这使得 C_4 的值适用于任何跨长。

只有当连接件的最小间距、组合板的抗弯刚度、工字型钢截面的特性满足各项规则时，M_{cr} 的值由式(4-14)得出才有效。此方法的更为详细的解释及其中某些规则最简单的版本，可以在其他资料中获得。

4.2.4.2　屈曲弯矩

M_{cr} 的值只与保持弹性的初始完好构件有关。明显地受到初始缺陷、残余应力、钢的屈曲类型等的限制。但是 P-R 公式及钢柱的完全屈曲的支撑曲线为此提供了一合适的基础。欧洲规范 4 § 1.1 部分如下所示：

对于1类或2类截面的长细比为：

$$\overline{\lambda}_{LT} = \left(\frac{M_{pl}}{M_{cr}}\right)^{1/2} \tag{4-23}$$

其中，M_{pl}是当γ_a与γ_s为1.0时从式(4-6)而得出的值。这是因为在计算M_{cr}时，这些因素不发生。对于第3类截面，M_{pl}由屈服弯矩取代。

屈曲弯矩为：

$$M_{b.Rd} = \chi_{LT} M_{h.Rd} \tag{4-24}$$

其中χ_{LT}为$\overline{\lambda}_{LT}$的系数，实际工程中，它来自规范3§1.1中的支撑曲线。对轧制工字型截面，此类曲线由下式得出：

$$\chi_{LT} = \left[\phi_{LT} + \left(\phi_{LT}{}^2 - \lambda_{LT}{}^2\right)^{1/2}\right]^{-1} \quad 但 \quad \chi_{LT} \geqslant 1 \tag{4-25}$$

这里
$$\phi_{LT} = 0.5\left[1 + 0.21\left(\overline{\lambda}_{LT} - 0.2\right) + \overline{\lambda}^2{}_{LT}\right] \tag{4-26}$$

由这些方程可知，当$\overline{\lambda}_{LT} \leqslant 0.2$时，$\chi_{LT} = 1$。

然而，由试验及经验表明，直到$\overline{\lambda}_{LT}$大于0.4为止，畸变横向屈曲不能减少抗弯弯矩到$M_{h.Rd}$之下。所以规范4规定当$\overline{\lambda}_{LT} \leqslant 0.4$时，$\chi_{LT}$取为1.0。这个突然折减(如当$\overline{\lambda}_{LT} \leqslant 0.4$时，值为0.95)是规范的一小缺点。

(1) $\overline{\lambda}_{LT}$的简化表达式。对1类或2类横截面，式(4-23)能由下式取代：

$$\overline{\lambda}_{LT} = 5.0\left(1 + \frac{t_w h_s}{4 b_f t_f}\right)\left[\left(\frac{f_y}{E_a C_4}\right)^2 \left(\frac{h_s}{t_w}\right)^3 \left(\frac{t_f}{b_f}\right)\right]^{0.25} \tag{4-27}$$

条件是钢截面为轴对称的，这给出了更为简单的计算，它的推导容易得出。

(2)屈曲验算。基于$\overline{\lambda}_{LT}$=0.4的大量计算，使得在规范4给出的条件下，无需对侧向屈曲进行细步验算。主要条件与工字型截面的整体高度有关，对于f_y=355 N / mm^{2}的钢，对于*IPE*截面中为

$$h_a \leqslant 400\ \text{mm}$$

或如果腹板有包壳

$$h_a \leqslant 600\ \text{mm} \tag{4-28}$$

*IPE*截面通常比英国UB截面有更厚的腹板，为符合这种松弛作用，UB截面必须满足

$$\left(\frac{h_s}{t_w}\right)^3 \frac{t_f}{b_f} \leqslant \frac{5.52 \times 10^8}{f_y^2} \tag{4-29}$$

且
$$h_s t_w \leqslant 0.45 A_a \tag{4-30}$$

其中f_y以N / mm^{2}为单位，其他符号见图4-5。它们中的许多并不相符，所以进一

步的化简工作还是必要的。

4.2.4.3 支撑的作用

当必须验算梁的屈曲抗力，且由式(4-24)已得知它小于所要求的抗力时，有下列几种可能：

(1)使用式(4-14)计算 M_{cr} 的方法，一般不是很保守。

(2)使用有较小长细比或有包壳腹板钢截面。

(3)在负弯矩区受压翼缘处，使用横向支撑。

桥梁中广泛使用横向支撑，但在建筑物中却不太方便，其在两相邻梁之间的间距相对于它们的长度通常更宽。一些可能的支撑类型示例为在某书中全部给出，基本覆盖了加腹组合梁的横向屈曲。

4.2.5 混凝土的开裂

组合梁中，当钢筋混凝土单元受由直接荷载或者施加变形的约束作用产生拉力时，混凝土开裂几乎是不可避免的。这一来自欧洲规范 4 § 1.1 部分的条款区分了开裂的两种类型。这在规范 4 中是分别看待的，是与在规范 2 § 1.1 部分中给出的裂缝宽度的控制规则紧密相关的。

在钢筋混凝土的设计中，通常可明显看到是否要求钢筋来抵御直接荷载，或是否裂缝是由所考虑单元上的施加的拉应变而导致的。这些应变的起因可能是外部的(相对于受力单元)。如连续梁的支座的不均匀沉陷；或者也可能是内部的，例如温度变化或者混凝土的收缩影响。

在钢筋混凝土中，裂缝对由直接荷载导致的拉力影响较小，但它能减少施加变形的约束，于是减少导致开裂的拉力。计算荷载导致的裂缝是基于混凝土开裂后的钢筋上的拉力(例如基于开裂截面的分析)，但是约束开裂的计算是基于混凝土开裂前的混凝土的拉力。

这些概念运用于组合构件更为困难，它们有各轴向的局部约束、钢构件的抗弯刚度。例如，通过剪力连接件的作用或黏结力引起的，在腹板有包壳的梁中，钢受拉翼缘受直接荷载作用，结果应变与曲率在腹板混凝土包壳中导致变形。裂缝是由荷载引起还是由约束引起的呢？

组合结构与钢混凝土框架两者的梁柱连接不同，使得在规范 4 中，它不可能通过在规范 2 中钢混凝土简单的参考裂缝情况，导致了单一标准处理两种情况：作为组合梁的受拉翼缘的一部分的板开裂情况；或在钢腹板的混凝土包壳中的开裂情况。

裂缝要求控制于一个水准：不希望其损坏结构的适当功能或导致其外观使人们感到不能接收。这一引语，也出自规范 4 § 1.1 部分，指的是功能与外观。在建筑物内，组合梁的混凝土通常要外露于规范 4 § 1.1 部分中的第一类“干燥环境”，其裂缝宽度不影响钢筋锈蚀及它的耐久性。然而，对于洗衣房或露天多层停车场的潮湿环境，上述情况是不行的。

对于一腹板有包壳的梁从下面能看见时，那么混凝土的外表层显得重要，但板的上表面一般由楼层装饰物或屋面层所覆盖。当装饰为柔性时(如地毯)，没有必要去规定裂缝宽度的极限；但对脆性装饰物和外露楼板，限制裂缝宽度是必要的。

极限的裂缝宽度一般规定一个标准值 W_K，超越概率为 20%，对下列特殊情况的设计规范 4 中给出了规定：

(1) 1 类外露结构无控制裂缝；

(2) W_K=0.5 mm；

(3) W_K=0.3 mm(只对 2～4 类外露结构，不适用于第 5 类结构化学侵蚀环境中)；

(4) W_K＜0.3 mm。

对(1)～(3)情况，给出的简化规则不涉及裂缝宽度的计算。对第(4)种情况，按照规范 2 § 1.1 部分的原则必须计算裂缝宽度。这种情况在建筑物中少见，不再进一步研究。

4.2.5.1 不进行裂缝宽度控制

这种情况与正常使用极限状态有关。也必要使混凝土连接体保持有机整体性来抵抗极限状态的剪力，因此欧洲规范 4 中规定混凝土受拉翼缘的纵向钢筋不要少于以下两种情况：

- 有支撑施工时，为混凝土面积的 0.4%；
- 无支撑施工时，为混凝土面积的 0.2%。

目前，不考虑压型钢板，这在某些情况下可能是保守的。

4.2.5.2 控制由约束引发的裂缝

在间距较大的钢筋之间要通过以下途径避免无法控制的开裂，且要限制裂缝宽度。

- 使用小直径钢筋，其有较好的黏结特性，且比较大的直径钢筋排列密；
- 用高黏结力的钢筋(肋形钢筋或焊接钢筋网)；
- 保证在裂缝首先发生时钢筋仍然保持弹性。

最后一项要求是相对于约束开裂而言的，且如下所述，引出与荷载无关的对最少钢筋的设计规则。

假定均匀受拉的混凝土面积 A_c，且有一等效抗拉强度 f_{cte}，又含有屈服强度 f_s 的钢筋，且面积为 A_s。仅在混凝土开裂前，在混凝土上的力为 $A_c f_{cte}$，且全部力转到钢筋上，钢筋不发生屈服条件为：

$$A_s f_s \geqslant A_c f_{cte} \tag{4-31}$$

在欧洲规范 4 中，这一条件被修改，通过考虑构件内的自平衡应力(在开裂时消失)乘 0.8 系数和考虑开裂前的混凝土非均匀的拉力系数 k_c。

$$k_c = \frac{1}{1+(h_c/2z_0)} \geqslant 0.7 \tag{4-32}$$

在式(4-32)中，h_c 为混凝土翼缘的厚度，不计任何肋板；z_0 为不开裂组合截面的重心在混凝土翼缘重心下的距离(对于短期荷载)。因此，对深梁，其翼缘上的拉力几乎均匀时，$z_0 \geqslant h_c$，且 $k_c \approx 1$。

最后，用 σ_{st} 取代式(4-31)的 f_s，σ_{st} 为开裂后钢筋中即刻的最大允许应力。这便引出设计规定：

$$A_s \geqslant \frac{0.8 k_c f_{ctc} A_c}{\sigma_{st}} \tag{4-33}$$

为使用该规则，必须估计混凝土首先开裂时抗拉强度 f_{cte} 的值。如果由于水化热或混凝土的收缩而引起的内部变形较大，在浇筑后一周内裂缝便会发生，且 f_{cte} 还很低。当还不确定时，使用相应于混凝土的 28 天强度 f_{cte} 的抗拉强度的均值是适当的，大约为 0.8 f_{ck} 或 0.08 f_{cu}，其中 f_{cu} 为规定的立方体强度。

应力 σ_{st} 依赖于设计裂缝宽度 w_k、钢筋直径 ϕ 及 f_{cte} 的值，对于 f_{cte}=2.5 mm^2、σ_{st} 如图 4-7 所示，要用的钢筋不要大于 f_{sk}。

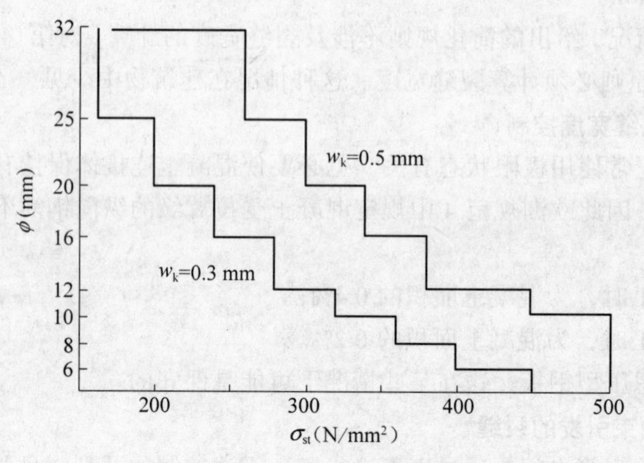

图 4-7　最少高强钢筋承受最大应力

4.2.5.3　荷载作用引起的裂缝控制

要求整体分析以确定所考虑的横截面的弯矩。这通常为内部支座处的横截面，此处的负弯矩为最大。

对外露的第 2 类到第 4 类缝宽为 0.3 mm 的限制，是和规范 2 中 § 1.1 部分中作用的拟永久组合相结合给出的，当为无支撑施工时，要排除单一的钢构件的抗力。因此，假定当较大的可变荷载出现时，如果短期内裂缝较宽，并没有不利的影响。整体分析为弹性的，如果相对刚度是基于板中受拉区域内无开裂的混凝土，负弯矩就会估计过高。于是规范 4 中考虑的极限重分布弯矩：对 1 类或 2 类负弯矩区增大 15%，对第 3 类或 4 类增加 10%。

最靠近相关混凝土表面钢筋中拉应力通过弹性截面分析计算，不计受拉混凝土。应力 σ_{se} 通过对拉力加强的修正，增加到值 σ_s，由下式给出：

$$\sigma_s = \sigma_{se} + 0.4\frac{f_{ctm}A_c}{\alpha A_s} \tag{4-34}$$

其中 $\alpha = AI / A_a I_a$。A 和 I 分别为无开裂组合截面面积与惯性矩。下标 a、c、s 分别代表钢截面、混凝土翼缘及纵向钢筋。对于高强混凝土的轻质钢筋板(A_c / A_s 较高)，修正最大。裂缝控制通过(高抗拉强度为 f_{ctm})限制纵向钢筋的间距达到图 4-8 所示的值来实现，其依赖于 σ_s 与 w_k。其中 σ_s 超过图 4-8 的范围，用图 4-7 的限制直径来代替。

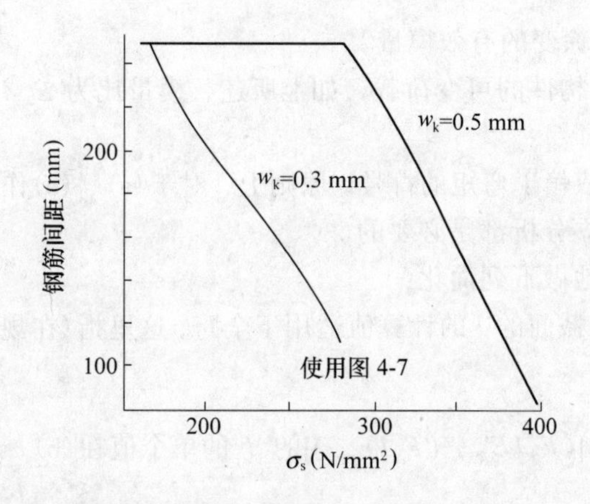

图 4-8　高强钢筋最大间距

4.3　连续梁的整体分析

4.3.1　总论

§4.3 节的目的是确定如§4.1 节定义的连续梁的弯矩及竖向剪力的设计值，由正常使用与承载能力两极限状态下规定的作用引起的。

§4.3.2 将讲述的基于线弹性理论的方法能运用于所有极限状态及全部 4 类截面。刚–塑性分析的使用，也就是广为人知的塑性铰分析，只是运用于承载能力极限状态，且受到§4.3.3 节介绍的限制，结果构件可能较轻或轻薄，分析更简单。这是因为单跨的设计弯矩实际上独立于相邻跨的作用，独立于构件的刚度沿跨长变化，也独立于施工方法及顺序、温度的影响与混凝土的徐变及收缩的影响。精确的弹性分析没有这些优点，于是必须做简化。

关于有效横截面的§3.5.1 节，也适用于连续梁的跨中区。对于横截面分析时，负弯矩区的有效宽度一般比跨中区窄(§4.2.1)，但为简化起见，整体分析的有效宽度在每跨上均为常数，取跨中值。这不能适用于悬臂梁，因其使用的是支座处的值。

在整体分析中，假定不计纵向滑移的影响。这是合理的，因为在负弯矩区不使用局部剪力连接件。它的使用略微减少跨中区的抗弯刚度，但对于目前的最少剪力连接件水准，其不确定性可能小于由于负弯区混凝土开裂产生的结果。

4.3.2　弹性分析

弹性整体分析要求知道构件全长的抗弯刚度值相对值(不是绝对值)，在每个横截面，至少要求三个不同的 EI 值：

(a)当使用无支撑施工时，在构件变为组合构件之前荷载作用其上。对单一钢构件的 E_aI_a 值。

(b)恒载作用下的组合构件的 E_aI，I 为按钢单元使用模量比 E_a/E_c 的转换截面法，

其中 E_c 为考虑混凝土徐变的有效模量。

(c)对作用于组合构件的可变荷载，如上所述，模量比为 E_a / E_{cm}，其中 E_{cm} 为短期荷载的平均正割模量。

(b)与(c)的值也依赖于弯矩的符号。原则上，对于(a)、(b)作用荷载和(c)中可变荷载每种相关布置，独立分析都是必要的。

工程中，尽可能地做下列简化：

(1)对无裂缝组合截面的 I 的计算值适用于全跨，这里指(在规范 4 中指 I_1)为不开裂分析。

(2)基于模量比 $\frac{1}{2}[(E_a/E'_c)+(E_a/E_{cm})]$的 I 的单个值在(b)、(c)两种类型的分析中使用。

(3)当梁的各跨只为 1 类或 2 类截面，只对承载能力极限状态的分析中不计施工方法的影响。只是作用于钢构件的作用已在(b)类分析包括。

对不同的可变荷载布置，有必要时，对(c)类独立分析。轮流分析构件中的每跨中单位分布荷载时常较为方便，然后可对结果按比例换算得到每种荷载布置时的弯矩与剪力。

无裂缝分析的另一种方法是在板已开裂的区域 I 的折减值(在规范 4 中指 I_2)。计算它时不计受拉混凝土，但考虑它的钢筋，这称为“开裂”分析。它的缺点为不够简单或没有可靠的方法确定每跨中的哪部分开裂。对于不同的荷载布置开裂部分是不同的，且由抗拉力加强先前荷载、温度、徐变、收缩和纵向滑移的效果而来修正。一般假定临近内部支座各跨的 15%跨长开裂。

实际上，“不开裂分析”通常适用于承载极限状态，且考虑弯矩重分布导致的开裂。如 § 4.3.2.3 中解释的，开裂分析使用挠度分析。

4.3.2.1 连续梁的弯矩重分布

重分布法是一个修改整体弹性分析结果的近似但简单的方法，它考虑了在达到最大荷载前组合梁中全部材料的非弹性行为，也考虑了正常使用极限状态混凝土裂缝的影响。它也用于钢结构与钢筋混凝土结构中梁与框架的分析中，且相应于材料与构件类型进行限制。

它由修改弯矩分布组成，即得出一个在荷载作用与弯矩之间保持平衡的特殊荷载。当荷载效应与抗力之比值最高时(通常在内部支座处)，在横截面处的弯矩予以折减。这种效果可增加反号弯矩值(通常在跨中区域)。

对连续组合梁，在内支座处作用效应与抗力之比值较高，而在跨中较低比是单一组成的大部分梁。设计中从经济上考虑重分布法的使用十分重要，它受到受压钢单元局部屈曲的限制，如表 4-1 所示。它取自欧洲规范 4 § 1.1。

表 4-1　负弯矩重分布的限制，相对于所折减弯矩的初始值百分比

负弯区的横截面的类型	1	2	3	4
无裂缝的弹性分析	40	30	20	10
有裂缝的弹性分析	25	15	10	0

两组数据之间的差别表明裂缝分析假定负弯矩比有裂缝分析的要高。针对于 1 类到 4 类情况，增大的量分别为 12%、13%、9%、10%。

这里指的负弯矩为内支座处的峰值，它不包括悬臂梁的支座处(此处弯矩由平衡决定且不可变)，当组合截面为第 3 类或 4 类时，不包括单独作用于钢构件的荷载产生的弯矩。表 4-1 的值是基于研究得出的(如 Ref49)。

表 4-1 使用及重分布的必要性于下列例子中说明。欧洲规范也考虑了从跨中到支座处的极限重分布，但工程中很少使用。

4.3.2.2 实例：弯矩重分布

规则截面组合梁在三相等跨 L 上连续、横截面为第 1 类。对承载极限状态，设计恒载单位长度为 g，可变荷载单位长度上为 q，且 $q=2g$。抗力正弯矩 M_{Rd} 2 倍于抗力负弯矩 M'_{Rd}，找出所要求 M_{Rd} 的最小值：

(a)通过无重分布的弹性分析；

(b)按表 4-1 用重分布弹性分析；

(c)通过刚塑性分析。

为简单起见，仅考虑中跨 ABC 且仅考虑可变荷载对称分布，由无裂缝弹性分析给出中跨的弯矩分布如图 4-9，其中荷载为恒载加上下列分布的活载：

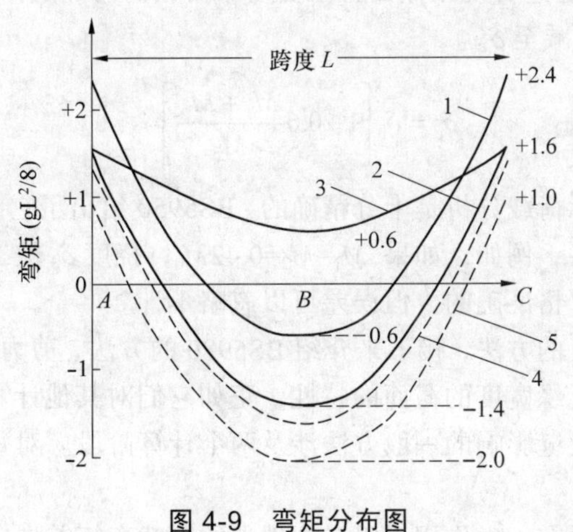

图 4-9　弯矩分布图

(1)在各跨上的 q；

(2)只在中跨上的 q；

(3)只在末跨上的 q。

各数值乘以 $gL^2/8$ 后便得出弯矩值，于是问题(a)～(c)便在这得到解释：

(a)负弯矩的峰值 $2.4\,gL^2/8$ 控制设计，因为 $M_{Rd}=2\,M'_{Rd}$

$$M_{Rd} \geqslant 4.8\frac{gL^2}{8}$$

(b)在每一支座处负弯矩峰值折减 40%变为 $1.44\,gL^2/8$。相对应的正弯矩为 $(0.6+0.96)\,gL^2/8=1.56\,gL^2/8$(曲线 4)，对荷载(2)与(3)，使用 10%的重分布。以便它

们的负弯矩峰值也为 1.44 gL^2 / 8。这个值控制设计，于是

$$M_{\mathrm{Rd}} \geqslant 2.88\frac{gL^2}{8}$$

(c)所使用的方法于 § 4.3.3 中有过解释，对重分布不加限制。于是荷载(1)下支座处的弯矩折减(0.58～1.0) gL^2 / 8。

相应的负弯矩为(0.6+1.4) gL^2 / 8(曲线 5)，对其他荷载要求较小的重分布。当 M_{Rd}=2.0 gL^2 /8 时，支座与跨中处的可得到的抗力得到充分运用。

对 M_{Rd} 的上述三个结果表明，当重分布的程度增加时，要求的抗力大幅度折减。

对组合梁，使用刚–塑分析预示着可能应用大于 58%上述的重分布。

4.3.2.3 挠度分析

在正常使用中的开裂与钢的屈服比在极限承载状态下分析对挠度的影响较小，因为设计荷载较低。在较短的悬臂梁和在某些内部支座处可能有十分少量的开裂，所以用上述的重分布理论进行分析可能会过高估计挠度值。当使用较低程度的剪力连接时，由于板与钢梁之间的纵向滑移可能会使挠度增加。

为此，在欧洲规范 4 § 1.1 部分与 BS5950 均给出预测连续梁内部支座处的弯矩的弹性分析的修正方法。对于给出最大正弯矩 M_0 和最大挠度 δ_0 的荷载，设它的负弯矩为 M_1 和 M_2，假设为简支。通过有规则截面且承受均布荷载的构件的弹性分析表明，弯矩 M_1 和 M_2 使跨中挠度从 δ_0 减至 δ_{c}。

其中

$$\delta_{\mathrm{c}} = \delta_0\left[1-0.6\frac{M_1+M_2}{M_0}\right] \tag{4-35}$$

本方程对其他实际荷载分析是十分精确的。BS5950 给出了它的一般使用规定。它表明了末端弯矩的重要性，例如，如果 $M_1=M_2=0.42M_0$，挠度 δ_0 被二等分。假定最大挠度发生在跨中，是不太严格准确的，但误差可以忽略不计。

现讲述欧洲规范 4 的方法，接下来介绍 BS5980 的方法，剪力滞后对挠度影响较小，但时常使用基于等效翼缘宽度的截面的特性，正如它们对其他计算也是必要的。

在内支座处考虑裂缝影响的一般方法涉及两个计算阶段。对每跨需要计算无开裂的抗弯刚度 $E_{\mathrm{a}}I_2$。

对所研究的荷载分布，由作用于组合构件上的荷载弯矩首先应用刚度 $E_{\mathrm{a}}I_1$ 计算，在每个内支座要计算由于有关弯矩引起的混凝土中最大拉应力。对其他相关的荷载分布计算要重复此步。在某一支座处找到最大的拉应力 σ_{ct}，如果此应力大于 $0.15f_{\mathrm{ck}}$(f_{ck}为标准圆柱体强度)，用 $E_{\mathrm{a}}I_2$ 取代 $E_{\mathrm{a}}I_1$ 计算。则在其支座两边 15%跨长范围内，用修正刚度重复弯矩分析。且不论新值 σ_{ct} 是否大于 $0.15f_{\mathrm{ck}}$，均使用此结果。此方法是基于自 1967 年以来在组合桥梁中广泛使用的一种方法。

欧洲规范 4 中给出了结构重分析的另一种方法，能适用于第 1 类、2 类、3 类临界截面的梁，即在任一支座处当 $\sigma_{\mathrm{ct}} > 0.15f_{\mathrm{ck}}$ 时，弯矩值乘以 f_1。其中

$$f_1 = \left(\frac{E_{\mathrm{a}}I_1}{E_{\mathrm{a}}I_2}\right)^{-0.35} \geqslant 0.6 \tag{4-36}$$

且在相邻跨中正弯矩也相应增加，这种方法只适用于荷载相等、各跨跨度近似相等的情况。

当使用无支撑施工时，且承载极限状态下的整体分析要求重分布大于40%时，有可能在设计中，要考虑使用荷载会导致内支座处钢梁的局部屈服。所以针对于欧洲规范 4，对相关支座的弯矩乘以系数 f_2。

其中：f_2=0.5 在板硬化前钢筋应力达到 f_y；f_2=0.7 在板硬化后由于外加荷载应力达到 f_y。这些方法将于 § 4.6.5 中的实例中使用。

在 BS5950 中，给出的最简单方法是基于整体分析，使用无开裂刚度 E_aI_1，且全跨上均布置活载，得出的经验系数减少。所得到的负弯矩也由于考虑其他活载分布而得出的经验系数减少。

钢梁的局部屈曲，一旦发生会引起附加的永久变形，就是所指的 BS5950 中的“沉下”“下摇”概念，并且通过对支座处负弯矩进一步折减，而加以考虑。

挠度的计算并考虑滑移的影响将于 § 4.4 中介绍。

4.3.3 刚–塑分析

对组合梁，使用刚–塑性分析预示着能运用于更大的对弹性弯矩的重分布，且大于上例中得出的 58%，特别是跨度不等或支座处有集中荷载的情况。

重分布来自于在理论上假设的塑性铰区内发生的一小段梁的非弹性转动，此转动可能受到混凝土压碎或钢材屈曲的限制，于是它依赖于相关截面的比例及材料的应力—应变曲线的形状。

研究已经得到对于连续组合梁，使用刚–塑性整体分析的限制。规范 4 § 1.1 部分给出如下：

(1) 在每个塑性铰处：

- 存在横向约束；
- 有效横截面为第一类；
- 钢构件截面关于腹板平面对称。

(2) 构件中的所有有效横截面均为第 1 类或第 2 类。

(3) 相邻两跨长度不应相差大于短跨跨长的 5%以上。

(4) 末跨的长度不应超过其邻跨的 115%。

(5) 构件不应易于发生横向扭转屈曲。

(6) 对于设计荷载的一半以上集中于跨长的 $L/5$ 内的梁跨，在任何弯铰处，构件受压区高度不应大于 15%的梁高，除非能表明在该跨中该铰最后形成。

因为这种分析方法已广泛应用于钢框架结构中，且广为人知，所以这里只给出一个提纲。主要假定如下：

(1) 塑性铰的转动导致结构破坏，弯矩为常量，不计其余变形。

(2) 在荷载作用下弯矩达到构件的抗弯弯矩处形成塑性铰。

(3) 直到结构破坏跨上的所有荷载均按此例增加，荷载必须用单一参数。

破坏时这个参数的值是通过假定一个破坏机构，且设由于机构的微小运动，荷载势能的损失量与塑性铰消耗的能量相等而计算出来的。

对于规则截面的梁，要求的惟一特性为跨中的抗弯弯矩 M_p，及在内支座处的抗弯弯矩 M'_p。

令
$$\frac{M'_p}{M_p}=\mu \tag{4-37}$$

如图 4-10(a)所示，如果梁在两端均为连续，塑性铰则出现在末端及跨中，且

$$(1+\mu)M_p=\frac{wl^2}{8} \tag{4-38}$$

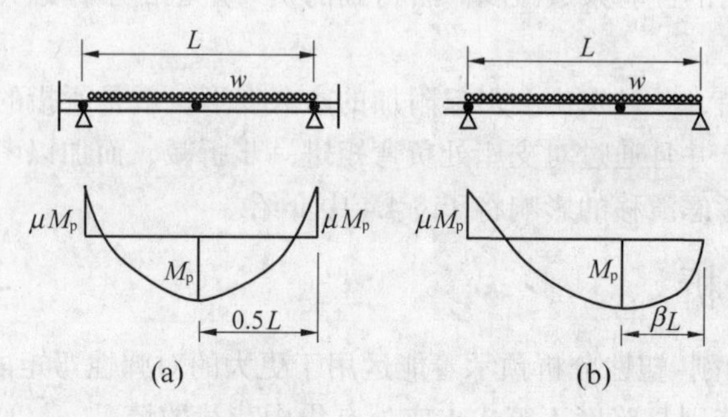

图 4-10　刚–塑性分析

如梁只在一端连续，破坏时的弯矩图如图 4-10(b)，易得出：

$$\beta=\frac{1}{\mu}[(1+\mu)^{1/2}-1] \tag{4-39}$$

且
$$M_p=\frac{1}{2}w\beta^2L^2 \tag{4-40}$$

4.4　连续梁的应力与变形挠度

正常使用极限状态的弯曲应力值在混凝土的开裂控制计算中是必要的(§4.2.5.3)。为预测挠度，对于无支撑施工方案时，应计算内支座处的钢构件上的应力，用以确定对于屈服影响是否需要一个修正。

先由弹性整体分析来确定弯矩，再同于§3.5.3 确定正弯矩的方法或者同§4.2.1 中确定负弯矩一样，来确定应力。

在连续梁中其挠度与简支梁相比更不可能超限。但应该验算基于刚–塑性整体分析的极限承载能力状态设计值。一旦跨末端弯矩已经确定，具有完全剪力连接梁的最大挠度用方程(4-35)给出是充分精确的。

对简支梁，由于使用部分剪力连接件而导致的挠度增加，在某些情况下能予以忽略，否则可由方程式(3-94)给出。对连续梁能使用同样的规则，且有点保守，因为局部剪力连接件只用于正弯区。

在§3.8 中介绍了混凝土的收缩对挠度的影响，对连续梁，这种影响不太重要。计算

方法是相当复杂的，因为收缩既导致弯矩又导致正曲率。

4.5 连续梁的设计技巧

直到获得经验为止，连续梁的设计中可能会有更多的尝试与误差，应如何决策，往往没有理想的顺序，但下列对此问题的分析是有一定帮助的。

假定已知梁的跨度与间距，并且已经设计出楼层和跨间的面板，梁上大多数或全部的荷载为均匀分布的恒载 g 或活载 q。梁的总荷载增加较少，故已知 g 与 q。

如果简支跨梁能满足要求，人们就不会去设计成连续梁。所以一般假设最大可能深度条件下，太弱或者挠度变形或振动太大或为抗震起见有必要设计成连续梁，或为避免在板中裂缝过宽，或为一些其他的特殊原因。

必须早先考虑使用的前提条件，在梁下是否有各种管道及电缆在腹板中穿孔通过或在板上通过呢？这里不考虑繁密超强使用的建筑物需要的特殊处理。当比值 q/g 较低时最容易在连续梁的腹板中穿孔，较低的 q/g 值也正是连续梁远远优于简支梁的一种情况。

3 跨或更多跨的连续梁比在只有 2 跨的连续梁所拥有的优点大得多，边跨最理想的应是比内跨短，两跨相等长的梁优点最少。细心研究本书中的实例，将知道其原因。使用钢截面可能设计出跨度 9 m 的简支梁，但要设计出只有 9.5 m 的两跨连续梁，却十分困难。

决定性的因素为内部支座处的组合截面的类型，现比较两个不同的设计技巧。

(1) 板中只有控制裂缝钢筋，且在极限强度设计中忽略，组合截面可能为第 1 类，且能使用刚–塑性整体分析，除非 $\bar{\lambda}_{LT} \geq 0.4$ (§4.2.4)，跨中处抗弯弯矩才能获得较好的使用效果。

(2) 在内支座板中的钢筋于极限强度设计中用到，且有一个至少为板的 1%的等效面积存在。组合截面可能属第 2 类或第 3 类，对弯矩分布的限制可能导致设计负弯矩 M'_{Rd} 的增大比抗力 M_{Rd} 增大得快。M'_{Rd} 是由钢筋提供，后者的进一步增大，可能使截面变为第 4 类截面。于是，此钢截面可能比(1)中的厚重，且在跨中会有很大部分没有使用抗弯弯矩。然而，这会允许使用较低连续程度的剪力连接件。由于具有较高的横向扭曲，屈曲的弯矩图更为不利。挠度可能满足要求，但是钢筋的直径增加，使得控制裂缝宽度更为困难。

使用的防火方法可能对结构设计有影响，例如，腹板包壳提高了腹板的等级与抵抗横向屈曲的抗力。

最后，必须决定是否采用有支撑或无支撑施工。有支撑施工允许使用薄钢梁，但因刚度较低，所以可能不满足于动力行为特性；有支撑施工费用高，裂缝宽度控制更为困难，但设计中不用再考虑过大的挠度。

§4.6 中实例是基于以上技巧(1)，使用轻质混凝土板以及包壳的腹板，这只是用来说明方法，并不是最优化结果。

4.6　例子：连续组合梁

4.6.1　数据

为能够使用前面所做工作，本设计题目完全与第三章的相同，建筑物两跨均为 9.5 m（图 3-1），在 4 m 中心处的横梁设为连续跨越一中心纵墙，在外墙处用柱子做简支支撑。如图 4-11 所示，连续性的使用使跨度从 9 m 增大到 9.5 m。因此，假定开始时板与跨中区的设计同图 3-12、图 3-29、图 3-31 一样，使用同样的材料、荷载及部分安全系数。

单位梁长的设计荷载用符号 w 代表，相应的 9.5 m 跨的弯矩值 $\frac{wl^2}{8}$ 如表 4-2 给出。

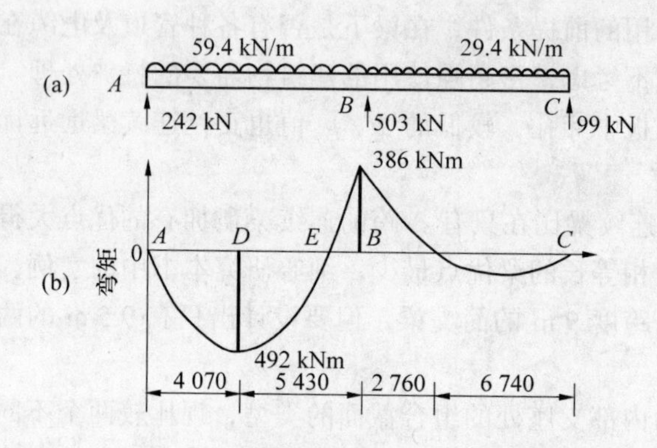

图 4-11　连续梁 *AB* 跨、*BC* 跨

第三章中的其他设计数据如下：

钢材：f_y=355 N / mm²，　　f_y / γ_a=323 N / mm²

混凝土：f_{ck}=25 N / mm²，　　f_{ck} / γ_c f_{ck} / γ_c =16.7 N / mm²

钢筋：f_{sk}=460 N / mm²，　　f_{sk} / γ_s=400 N / mm²

焊接纤维：f_{sk}=500 N / mm²，　　f_{sk} / γ_s=435 N / mm²

剪力连接件：P_R=72.4 kN，　　P_R / γ_v=57.9 kN

压型钢板　CF70 / 0.9，如图 3-9 所示。

组合板：150 mm 厚，在顶部 150 mm 处与在底部 300 mm 处用 T_8 钢，如图 3-12 所示，混凝土 ρ =1 900 kg / m³。

组合梁：钢截面 406 × 178 UB60，见图 3-29 所示。

并且剪力连接件见图 3-30，带包壳腹板见图 3-31。

对钢截面：

A_a=7 600 mm³，　　$10^{-6}W_{a.pl}$=0.208 mm³

$10^{-6}I_{ay}$=215.1 mm⁴，　　$10^{-6}I_{az}$=12.0 mm⁴

$M_{apl.Rd}$=386 kNm，　　$V_{pl.Rd}$=614 kN

对跨中组合截面（对更长跨复梁的 b_{eff} 的微小增加的影响被忽略）：

N_f=4.24 销钉，　　　　　　　$M_{pl.Rd}$=771 kNm

当 $N=N_f$ 时

$10^{-6}I_1$= 738 mm^4　当 n=11，且 x=133 mm

$10^{-6}I_1$=616 mm^4　当 n=22，且 x=185 mm

$10^{-6}I_1$=547 mm^4　当 n=33，且 x=212 mm

且 x 是板顶下中性轴的高度。

4.6.2　弯曲与竖向剪切

如果使用刚–塑性整体分析，且每跨中所能抵抗的弯矩值 $\frac{wL^2}{8}$，得下式值：

$$M_{pl.Rd}+0.5M_{apl.Rd}=964 \text{ kNm}$$

如果不考虑内支座 B 处板中的钢筋，如图 4 -11 所示，对于此荷载(669 kNm)正好大于 $\frac{wL^2}{8}$。所以这种承载极限状态的设计方法可以一试。

使用 § 4.2.1 的方法易得腹板与受压翼缘在支座 B 处为第一类。跨中的组合截面也属第一类。

现在假定$\lambda \leqslant 0.4$(并于 § 4.6.3 中验算)，对于靠近支座 B 处底部翼缘的横向屈曲。使用弹性分析的其他条件能够被满足(§ 4 .3)，只要在每个塑性铰的位置，受压钢翼缘处有横向约束，对正弯区，在混凝土板约束翼缘；对负弯区，由支持墙的锚接提供约束。没有规定所要求的抗力，但能从钢结构规范中推断底部翼缘平面的横向力不超过其自身的压力的 2%。

在对具有两等跨的连续梁的传统塑性分析中，图 4-10(b)中的机制是针对于各跨中的一种，假设的使用 § 4.3.3 的方法来计算要求的弯矩抗力 M_p，且假定正负弯矩抗力比值为 μ 。现在，已知负弯抗力，正弯抗力却不能知道，因为使用了局部剪力连接件来提供要求的抗力，其小于 § 4.6.1 给出的值 771 kNm。

因此，针对 AB 跨承受 59.4 kN / m 的荷载，假定 B 座的负弯矩为 386 kNm，如图 4-11(a)所示，在 A 支座处的反力为：

$$R_A=\frac{1}{2}\times 59.4\times 9.5-\frac{386}{9.5}=242(\text{kN})$$

D 点的竖向剪力为 0，于是 AD 长度为 242 / 59.4=4.07(m)。

D 点的正弯矩为：

$$M_{D.sd}=\frac{1}{2}\times 4.07\times 242=492(\text{kNm})$$

沿 AD 布置剪力连接件，以提供在 D 点的至少 492 kNm 的抗力。于是刚塑分析给出了具有 D、B 两铰的跨 AB 的充分的破坏模式。

跨 BC 上最小的设计有效荷载为 29.4 kN / m。对如图 4-11(a)所示荷载下，ABC 弹性整体分析得出 B 处的负弯矩正好大于 386 kNm。于是认为实际值为 386 kNm，弯矩图如图 4-11(b)。对横向屈曲，这是最临界的荷载布置。因为跨 BC 受压区长度为 2.76 m，

大于 BC 内荷载满布时的压区长度。

跨 AB 上的最大剪力在 B 点为

$$V_{sd}=59.4\times 9.5-242=322\,(\text{kN})$$

这是 $0.53V_{pl.Rd}$，原则上，使用式(4-13)，抗弯弯矩应降低。当 $V_{sd}/V_{pl.Rd}=0.53$ 时，式(4-13)方括号内为 0.996，所以此降低值显然可忽略。

4.6.3 横向屈曲

靠近支座 B 处的钢底翼缘的横向稳定是使用 §4.2.4 中的连续 U 形框架模型和图 4-11(b)的 BC 跨内弯矩分布图来验算的。

按规范 §4.1.1 部分，这里使用的 UB 截面也要进行屈曲验算。因为腹板太细长而不能满足式(4-29)的条件。

$$\left(\frac{h_s}{t_w}\right)^3\frac{t_f}{b_f}f_y^2=\left(\frac{393}{7.8}\right)^3\frac{12.8}{178}\times 355^2=1.16\times 10^9$$

其值大于极限值 5.52×10^8。

使用长细比 $\bar{\lambda}_{LT}$ 的最简单表达式，由式(4-27)得到的值大于 0.4，刚塑性整体分析是无效的。所以，可使用较小保守的方法引出方程式(4-22)，这给出了内支座处的弹性临界弯矩：

$$M_{cr}\approx\frac{k_c C_4}{\pi}(k_s E_a I_{afz})^{1/2}$$

对这种梁，$A=A_a$ 且 $I=I_{ay}$。于是由式(4-15)和式(4-16)，$K_c=1.0$。对图 4-11 中的 BC 跨，$wL^2/8=29.4\times 9.5^2/8=332(\text{kNm})$。由图 4-6，$\varphi=1.17$ 且 $C_4=22.2$。

k_s 代表 U 形框架的刚度[见式(4-17)]。

式(4-21)对带混凝土的包壳腹板给出 k_2。假定正常密度保护层对长期影响有模量比为 22。于是

$$k_2=\frac{E_a t_w b_f^2}{16h_s(1+4nt_w/b_f)}=\frac{210\,000\times 7.8\times 178^2}{16\times 393(1+88\times 7.8/178)}=1.70\times 10^6(\text{N})$$

由式(4-18)得到，$k_1=4E_aI_2/a$，其中 E_aI_2 是负弯矩下的组合板的带裂缝的刚度。为计算 I_2，图 3-9 所示的梯形肋板，则由宽度为 162–13=149(mm)的一矩形肋来代替。取模量 $n=22$，每米板宽中钢肋的宽度为 $149/(0.3\times 22)=22.6(\text{mm})$，因为肋的间距为 0.3 m，转换截面如图 4-12 所示，不计肋内的钢筋。

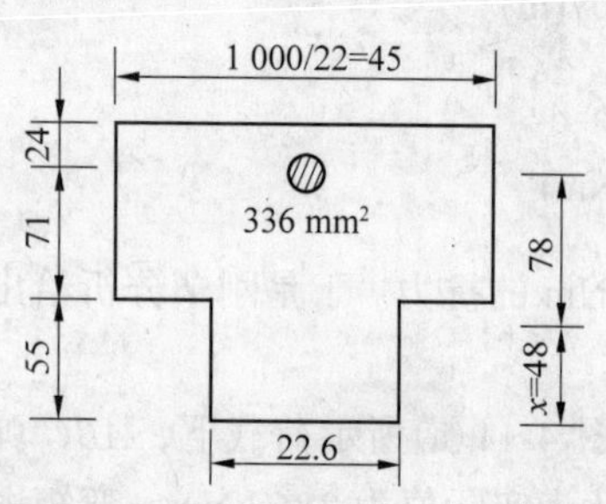

图 4-12 向下弯曲组合板裂缝截面

中性轴的位置为

$$\frac{1}{2}\times 22.6x^2=336(126-x),\text{因此}x=48\text{ mm}$$

那么

$$10^{-6}I_2 = 336\times0.078^2 + 22.6\times48^3\ /\ 3 = 2.88(\mathrm{mm^4/mm})$$

由式(4-18)，并且梁间距=4.0 m 时，

$$k_1 = 4\times210\,000\times2.88\ /\ 4 = 0.605\times10^6(\mathrm{N})$$

由式(4-17)得：

$$k_s = 0.605\times1.7\times\frac{10^6}{2.305} = 0.446\times10^6(\mathrm{N})$$

对钢底部翼缘，

$$I_{afZ} = \frac{b_f^3 t_f}{12} = 178^3\times\frac{12.8}{12} = 6.02\times10^6(\mathrm{mm^4})$$

由式(4-22)得

$$M_{cr} = \frac{22.2}{\pi}(0.446\times210\,000\times6.02)^{1/2} = 5\,306(\mathrm{kNm})$$

方程式(4-23)给出长细比 λ_{LT}，其值为：

$$\bar{\lambda}_{LT} = \left(M_{apl.Rd}\frac{\gamma_a}{M_{cr}}\right)^{1/2} = \left(385\times\frac{1.1}{5\,306}\right)^{1/2} = 0.283$$

其值小于 0.4，所以构件不会由于横向屈曲而削弱，这是使用刚塑性整体分析的条件。

4.6.4 剪力连接件及横向钢筋

对正弯区弯矩，要求的抗力为 492 kNm，低于完全剪力连接件的抗力 771 kNm，于是剪力连接件的最小程度可能是充分的。对 9.5 m 跨，如图 3-19 给出如下：

$$\frac{N}{N_f} \geqslant 0.54$$

在式(3-67)，$\frac{F_c}{F_{cf}}$ 可以用 $\frac{N}{N_f}$ 代替。使用插入法，由此方程得到：

$$\begin{aligned}M_{Rd} &= M_{apl.Rd} + \frac{N}{N_f}(M_{pl.Rd} - M_{apl.Rd})\\ &= 386 + 0.54(771-386)\\ &= 594(\mathrm{kNm})\end{aligned}$$

这是充分的。

由 §4.6.1，N_f=42.4。于是图 4-11(b)在 D 点每边 4.07 m 长度内要求的栓钉数量为

N=0.54 × 42.4=22.9　　　　取 23

4.07 m 内槽的数量：407 / 0.3=13.6

- 在靠近点 A 的十个槽内，每槽有 2 个栓钉。
- 在跨中区每个槽 1 个栓钉。

在内支座处纵向钢筋由裂缝控制规则确定，为 150 mm 间距的直径 8 mm 钢筋。如

果剪力连接件只布置于正弯矩区域，在图 4-11(b)靠近点 E 的这些钢筋与连接件重叠，连接件受荷将过重。如果不重叠，靠近点 E 处又会出现宽裂缝。因此，对于控制裂缝和钢筋剪力连接件应沿 EB 布设。

由式(4-1)得，点 E 处的有效宽度为：

$$b_{\text{eff}}=1.188\ \text{m}$$

在这个宽度内钢筋的数量为 8，面积为 402 mm²，于是设计的屈服拉力为：

$$\frac{A_s f_{sk}}{\gamma_s}=402\times\frac{0.46}{1.15}=161(\text{kN})$$

且 P_{Rd}=57.6 kN / 栓钉板，这要求 3 个栓钉。所以图 4-11(b)中沿 DB 所需的总数为 26。在这个长度内有 18 个槽，所以：

- 靠近 E 点的 10 个槽内每个槽内布置 2 个栓钉；
- 在跨中区每个槽内布置 1 个栓钉。

为简化施工，规定在每个末跨内，布置两栓钉槽的数量相同，尽管这似乎会多用两个栓钉。图 4-11 中的计算只是一个简化模型，真实的情况复杂得多。

横向钢筋应同第三章中的正弯区。

4.6.5 挠度验算

相应于稀有荷载组合在 § 3.7.2 中讲述了挠度的极限，当只有一类活载时，就像这里情况简单取为 g_k+q_k，但要求三种计算，因为恒载部分作用于钢截面上，部分作用于组合截面上。

工程中，对组合构件结合两种计算就足够精确，并使用模量比的均值。

为设计目的，当活载在一跨上满布发生最大挠度，而不置在其他跨内时，如图 4-13 所示，有三类荷载，通过无开裂弹性分析而确定弯矩分布，并假定梁为均匀规则截面。表 4-2 总结了数据与结果，其中 M_B 为在此分析阶段内支座 B 的负弯矩。

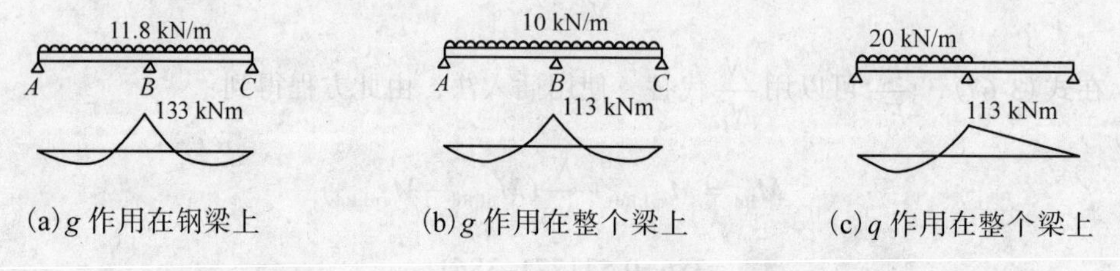

图 4-13 AB 跨受荷挠度

表 4-2 最大挠度计算

荷载分布	w (kN / m)	M_0 (kNm)	M_B (kNm)	f_1	f_2	M_t (kNm)	$10^{-6}I_1$ (mm⁴)	δ_c (mm)
g 作用在钢梁上	11.8	133	133	—	—	133	215	11.1
g 作用在整个梁上	10	113	113	0.765	0.7	60	547	6.3
q 作用在整个梁上	20	226	113	0.688	0.7	54	738	11.7

紧接§4.3.2.3的方法，B点无开裂组合截面的最大拉应力σ_{ct}已求出来，当活载同时作用于两跨上时，B点的最大应力σ_{ct}，计算时对活载使用n=11，对恒载n=33，由§4.6.1的数据得到：

$$\sigma_{ct}=\sum\left(\frac{M\chi}{nI_1}\right)=\frac{113\times212}{33\times547}+\frac{226\times133}{11\times738}$$

$$=1.33+3.70=5.03(\mathrm{N/mm^2})$$

其中nI_1为混凝土单元未开裂的惯性矩。

此应力大于$0.15f_{ck}(3.75\ \mathrm{N/mm^2})$，为避免对不规则截面的重分析，使用由式(4-36)得到的修正系数f。首先，需要内支座处开裂后的惯性矩I_2，并考虑纵向钢筋，面积A_s由§4.6.4 给出为 402 mm^2。从图 3-12，这些直径为 8 mm 钢筋位于板顶部以下24+8=32(mm)，弹性中性轴距GX处并认为关于G的面积矩相等。

$402\times321=8\,002X$　　所以　　X=16 mm

因此

$$10^{-6}I_2=215+7\,600\times0.016^2+402\times0.305^2=254(\mathrm{mm^4})$$

n=33 时f_1的值为

$$f_1=\left(\frac{I_1}{I_2}\right)^{-0.35}=\left(\frac{547}{254}\right)^{-0.35}=0.765$$

此值和n=11 时的值，于表 4-3 中给出。

钢底部纤维上的最大压应力现可以计算出来，以确定是否需要屈服的情况下修正系数f_2，至于σ_{ct}，假定活载作用于两跨上，用§4.6.1的数据。

$$\sigma_{a4}=\sum\left(\frac{Mx_4}{I_2}\right)=\frac{133\times203}{215}+\frac{113\times219}{254}+\frac{226\times219}{254}$$

$$=126+97+195=418(\mathrm{N/mm^2})$$

其中 x_4为底部纤维上相关的中性轴的高度，结果表明会发生屈服(418>355)，但不会在板硬前发生(126<355)，§4.3.2.3，f_2=0.7，用于式(4-35)中的负弯矩M_1为：

$$M_1=f_1f_2M_B$$

并于表 4-3 中给出。

每种荷载作用于简支跨上的挠度δ_0要求给出，一般为：

$$\delta_0=\frac{5wL^4}{384EI}=\frac{5\times9.5^4\times10^9}{384\times210}\left(\frac{w}{I_1}\right)=505\times10^6\left(\frac{w}{I_1}\right)(\mathrm{mm})$$

其中w用单位 kN / m，I_1用单位 mm^4，在式(4-35)中使用表 4-3 的值，给出总挠度为：

$$\delta_c=505\times10^6\sum\left[\left(\frac{w}{I_1}\right)\left(1-0.6\frac{M_1}{M_0}\right)\right]$$

$$=505\left[\left(\frac{11.8}{215}\right)\times0.4+\frac{10}{547}\left(1-0.6\times\frac{60}{113}\right)+\left(\frac{20}{738}\right)\left(1-0.6\times\frac{54}{226}\right)\right]$$

$$=11.1+6.3+11.7=29.1(\mathrm{mm})$$

总挠度为跨长的 1 / 327，小于规范 4 中规定的 $\frac{L}{250}$ 这一限值，在施工后挠度的改变值(11.7 mm 加上徐变相应部分 6.3 mm)也在 $\frac{L}{350}$ 极限值之下，为 27 mm。

即使如此，这些挠度值，对于具有跨高比为 9 500 / 556=17.1 的连续梁来讲，还是相当大的。这源于使用无支撑施工。高强钢材，以及轻质混凝土的结果，在低碳钢和正常密度混凝土条件下的类似有支撑结构中的挠度将会低得多。

4.6.6 裂缝控制

最宽的裂缝会发生于内支座以上板的上表面。用以控制裂缝在 0.5 mm 以内，有时也控制到 0.3 mm 的钢筋，如 § 4.2.5 所示，现也已确定。

没有设置纵筋用来抵抗荷载，因为极限承载状态的设计只是基于钢梁的单独抗力，因此模型为在荷载作用下钢筋负弯曲在板上引起变形，所以应利用 § 4.2.5.2 中的方法来设计钢筋以约束裂缝开展。

要求的最小钢筋量由式(4-33)给出，它依赖于 h_c 即混凝土翼缘的厚度，此值从 80 mm 变到 150 mm，这种情况下可取 95 mm，如 § 3.11.3 中所示。

短期荷载下无裂缝的组合截面的弹性中性轴是在板顶部以下 133 mm 处，§ 4.2.5.2 中定义的距离 z_0 是 86 mm，如图 4-14(b)所示。图 4-14 由式(4-32)得：

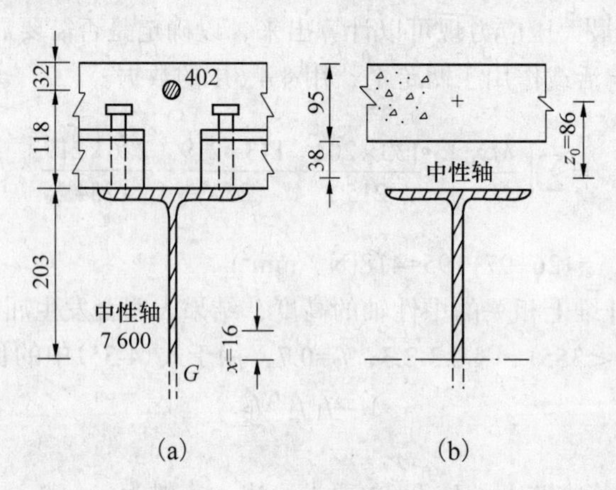

图 4-14　组合截面弹性特性

$$k_c=\left(1+\frac{h_c}{2z_0}\right)^{-1}=\left(1+\frac{90}{172}\right)^{-1}=0.66 \quad 且要\geqslant 0.7$$

故 k_c 取为 0.7。

当裂缝可能会发生时的混凝土抗拉强度 f_{cte} 取为 28 天的平均抗拉强度 f_{ctm}，对于 f_{ck}=25 N / mm^2 的混凝土，欧洲规范 4 中给出的 f_{cte} 的值为 2.6 N / mm^2。

对于 1 m 宽的板，式(4-33)给出

$$A_s \geqslant 0.8\,k_c f_{cte}\frac{A_c}{\sigma_{st}}=0.8\times0.7\times2.6\times\frac{90\,000}{\sigma_{st}}=0.131\times\frac{10^6}{\sigma_{st}}(\text{mm}^2)$$

开裂后立即在钢筋中出现的允许最大应力 σ_{st} 依赖于裂缝宽度 W_k 及钢筋直径 Φ，如图 4-7 所示，对于当 W_k=0.5 mm 与 $\Phi \leqslant$ 10mm，那么 $\sigma_{st} \leqslant$ 500 N / mm^2，这使得 $A_s \geqslant$ 262 mm^2 / m，即当布设间距为 180 mm 的 Φ 8 钢筋。

对 W_k=0.3 mm 且 $\Phi \leqslant$ 8 mm，图 4-7 中给出 $\sigma_{st} \leqslant$ 400 N / mm^2。因而 $A_s \geqslant$ 327 mm^2 / m，这可以布设间距为 150 mm 的 Φ 8 钢筋来提供。对于顶部横向钢筋方法同上，对焊接钢筋也可使用此法。

4.7 连续组合板

组合楼板的混凝土几乎总是于其支撑梁上连续布设的，但为简单起见，单个跨度时常设计为简支的，当变形过大时，可能按如下连续板设计。

使用弹性理论对如同楼板的连续薄板进行整体分析，由于受压部分的局部屈曲而引起的刚度变化时常不计，横截面的抗弯弯矩，可由测试得出（§ 3.3）。

对完成的组合板，通常对其极限弯矩进行分析时，同具有 2 类截面的连续梁的分析相同。使用无裂缝弹性分析，可利用 30%的负弯矩重分布，并假定全部荷载作用于组合构件上时，规范 4 允许采用刚塑性整体分析，当塑性铰处横截面具有充分大的转动能力，且当跨度≤3.0 m 及钢筋为如规范 2 中的定义为高延性筋时，这种验算就不再必要。

板连续布设的内支座处，对负弯矩的抗力是通过矩形应力区理论计算的。同对组合梁一样，除了使用受压板平面的有效宽度来考虑局部屈曲以外，规范 4 中给出这个的宽度是 1 类钢腹板规定值的两倍。因此，要考虑板边的混凝土的部分约束的影响，当板在支座上不连续时，截面按钢筋混凝土考虑。

对于内支座处的裂缝控制，钢筋混凝土规范 4 参考了规范 2。工程上，设置钢筋可以由防火设计来控制，如同 § 3.3.7 中，或者通过用以支撑板的组合梁所要求的横向钢筋来控制。

第五章　组合柱及组合框架

5.1　引言

欧洲规范 4 § 1.1 部分给出的组合框架的定义为：针对建筑物或类似施工作业的框架结构，其部分或全部梁与柱为组合构件，其余的大部分构件为钢结构构件。不排除在支撑系统内使用钢筋混凝土构件或预应力混凝土构件或砖面结构构件（如欧洲规范 3 中所定义）。

此定义暗指组合框架是比钢筋或预应力混凝土框架更类似于钢结构框架，它可能建设时首先竖起钢梁和钢柱组成的框架，然后在钢框架上固定压型板，以提供工作平台，最后浇筑钢筋混凝土。它使用的梁柱连接件，主要为钢结点。结点的抗弯能力超过了所连接梁的抗弯能力，但实际中，它的值可能较低，甚至忽略不计，组合框架的力学行为基本上不同于梁柱连接通常较为独立的钢筋混凝土框架。

规范 4 § 1.1 部分中组合框架的叙述与欧洲规范 3 中钢框架的叙述相近，没有参考规范 2 对钢筋混凝土结构的叙述，这为本章提供了基础，因为在英国对组合框架与结点没有可操作规范，也没有给出建筑物中组合柱的设计方法。

本章只研究许多类型的框架结构中的一种，它通常用于多层建筑物中，由水平梁与竖向柱在一矩形网格内组成三维骨架，梁支撑楼板，现研究的框架中如图 5-1 所示板、梁、柱全为组合的。板为单向板，从梁到梁布设。

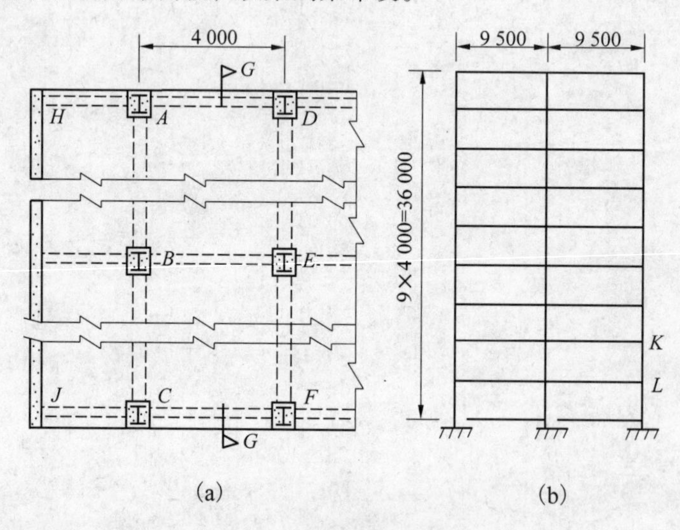

图 5-1　组合框架(简化)

在梁与柱的交接面处，柱通常为连续的，梁通过连接件与柱的外表面牢接。设计中通常假定这种连接为拼接点，但它们可能是半刚结点。

H 型或工字型截面钢柱的抗弯刚度在腹板平面内(主弯轴)比在平行于翼缘的平面内(次弯轴)大得多，柱通常设计为腹板与主要梁在同一平面内，如图 5-1(a)所示，以便梁柱作用导致两种构件的主轴弯曲。

在每一楼层 *ABC* 梁与它们的支撑柱形成一平面框架，如图 5-1(b)所示，框架也支撑次轴梁，如图 5-1(a)所示的 *AD* 与 *CF*。要求这些在建造中起稳定柱子的作用，并且支撑每个楼层的外墙。利用柱子，它们形成第二个平面框架，并与主轴框架正交。

对于重力荷载整体分析，假定每个平面框架各自独立。对每层柱柱长，对主轴框架有轴力 N_y、弯矩 M_y 与 M_{2y}。对次轴框架，有相应值 N_z、M_{1z} 与 M_{2z}。设计柱长时(或验算一个假定设计)，按轴向荷载 N_y+N_z 及由端部 4 弯矩导致的双轴弯矩。

此类多层平面框架抗水平荷载的能力较小，特别是结点设计成拼接时，然而当遇到它所在平面的水平力时，每个混凝土楼板便如同大刚度的深梁。因此，它能把风载转给少数建筑物中便于放置的竖直悬臂小构件，这些被设计用来抵抗水平荷载，它们的横向刚度比平面框架的刚度大得多，后者(平面框架)只设计用来抗重力。

竖向悬臂构件通常由端墙组成，也称为剪力墙，如图 5-1(a)中的 *HJ* 所示，或者由支撑风井梯、楼梯间及垂直管道的围墙组成(按使用规范)。这些可能是对角支撑的钢框架，但通常用钢筋混凝土建造。

柱与结点分别于 § 5.2 与 § 5.3 讨论，然后介绍分析框架的规范方法并通过一实例来进行。对柱，欧洲规范 4 的设计方法的详细介绍接着给出，并附有框架中某根柱的具体计算。

5.2 组合柱

多层建筑中钢柱必需考虑防火。这通常由混凝土保护层来提供，直到 20 世纪 50 年代，一般采用低强的湿性混合物来防火，并不计混凝土对柱的稳定与强度的贡献。Faber 及其他人的试验表明，使用高质量的混凝土与把柱子设计或组合构件能节省费用，这导致了包壳(箱形)桁架法。这起初是钢构件的允许应力法，且必须是 H 型或工字型截面。混凝土出现后考虑了上述两种方法，假定它可抵抗较小的轴力，减少钢构件的有效细长比，这增加轴向荷载的抗力，并假定对弯矩的抗力，全部由钢截面提供，不考虑混凝土中的纵向钢筋的抗力。

在轴向或偏心荷载作用下的包壳桁杆测试表明，BS449 法得到的结果十分不均匀，例如，Jones 与 Rizk 提出荷载系数范围为从 4.7～6.7，且 Faber 的工作也支持这一结论。在 BS5950 中此方法已经有所改进，但还十分保守，它的主要优点是比目前更为合理、更为经济的方法简单一些。

适当考虑 H 型截面且有混凝土保护层的柱中混凝土与钢相互作用的一个最早方法，是由 Basu 等人提出的。此法已扩大范围，能运用双向弯曲，并且与测试和数值模拟的结果吻合较好。它使用于建筑中柱的常规设计中偏于复杂，却适于应用在组合桥的范围规范中。它包括用于桥墩钢管混凝土，例如多层的机动车互通成立交桥，在第 2 卷中用一实例系统地解释了此方法。

Basu 及 Sommerville 方法是基于数值分析获得的代数近似曲线，在欧洲规范 4 § 1.1 部分，优先介绍了由 Roik，Bergnman 及 Bochm 大学的其他人提出的一种方法，它有更广的范围并基于一个清楚的概念模型且较为简单，将于 § 5.6 中用一实例介绍此方法。

5.3 梁－柱结点

5.3.1 结点特性

梁与 H 型截面钢柱翼缘连接点的三种类型如图 5-2 所示，且在图 5-17 中表示出一种短的端板结点。它们全为栓接，因为它们不易于现场制作，焊接费用昂贵且不易检查。图 5-2(a)所示的柱子处于外墙中，在内柱处，另一根梁用来连接另一侧翼缘，也可能有些次轴梁，如图 5-2(c)所示的那样，连接于柱的腹板。

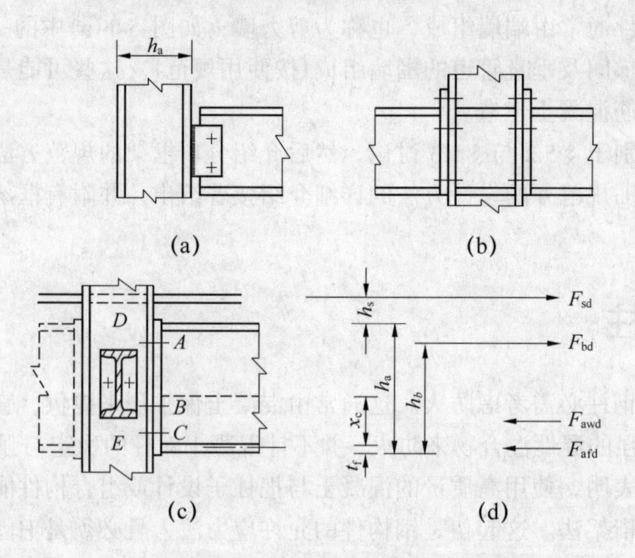

图 5-2　梁柱结点评估

当梁为组合梁，且柱为内柱，板中的纵向钢筋将连续穿过柱子，如图 5-2(c)所示。这种钢筋只是用来控制裂缝，但如果它是由单根的钢筋组成的，而不是由焊接网片组成，那么则假定钢筋的拉力有助于结点的抗弯，如图 5-2(d)所示。当使用刚塑整体分析时，在梁的负弯区的转动，发展到足以发展成破坏机构之前小直径的钢筋可能断裂，所以这些钢筋的直径应至少 12 mm，这一限制是目前正需研究的课题。

如图 5-2(a)所示的毛刺状平板结点，螺栓主要用来抗竖向剪力，且抗弯刚度较低。如图 5-2(c)所示的端板结点可能为半刚性结点（后面有所定义），A 点的螺栓能抵御拉剪合力，而在受压区的螺栓只设计用来抵抗竖向剪力，柱的腹板必须在 D 区进行受拉屈服验算，并验算受压区 E 区屈服与屈曲，以及进行抗剪验算。

为达到一刚性结点，必须使用外伸端部平板并且加强 D 区与 E 区的柱子腹板的刚度，如图 5-2(b)所示。

假定破坏不发生于柱子腹板中，图 5-2(c)所示的组合结点对负弯矩的抗力可使用简单塑性理论计算出来，如图 5-2(d)所示。

计算出钢筋的设计屈服力 F_{sd} 及点 A 的螺栓的屈服力 F_{bd}，后者要考虑到任何可能大于 B 点与 C 点螺栓的抗剪力的竖向剪力(适应假设端板与柱翼缘可以使螺栓达到力 F_{bd}) 如果底部翼缘设计屈服力 F_{afd} 大于 $F_{sd}+F_{bd}$，则可通过计算底部翼缘中部的弯矩计算出抗弯抗力。

$$M_{Rd} = F_{sd}\left(h_s + h_a - \frac{t_f}{2}\right) + F_{bd}\left(h_b - \frac{t_f}{2}\right) \tag{5-1}$$

如 $F_{afd} < F_{sd}+F_{bd}$，腹板 x_c 高度认为在受压区屈服(或者，如有必要，认为在剪压区)

$$F_{awd} = F_{sd} + F_{bd} - F_{afd}$$

同上述计算一样，弯矩 M_{Rd} 中扣除 $F_{awd}(x_c+t_f)/2$。

设计必需的其他信息是需要负弯矩抵抗结点转动 ϕ 的曲线，如图 5-3 所示。定义为相对于梁延续至它与柱的中心线交点处发生的转动的附加转动。对于钢结点，欧洲规范 3 的 § 1.1 部分给出了预测曲线的方法，这些方法扩展应用于组合结点的研究仍在进行之中。

现假定针对于一特殊的组合结点，由测试得到一些 $M-\phi$ 曲线应能估计出特征曲线(如利用试验曲线的较低板)，为获得图 5-4 所示的设计曲线 $OABCD$，它的纵坐标值应除以 γ_a(尽管规范 3 在这点上不清楚表明，可假定其为 1.1)，为设计的需要，这曲线能方便地用三线段图 $OBEF$ 取代设计所需的三种特性：

- 抗力
- 当弯矩为 M_{Rd} 时的最大转角，用 ϕ_d 表示
- 正割刚度 C

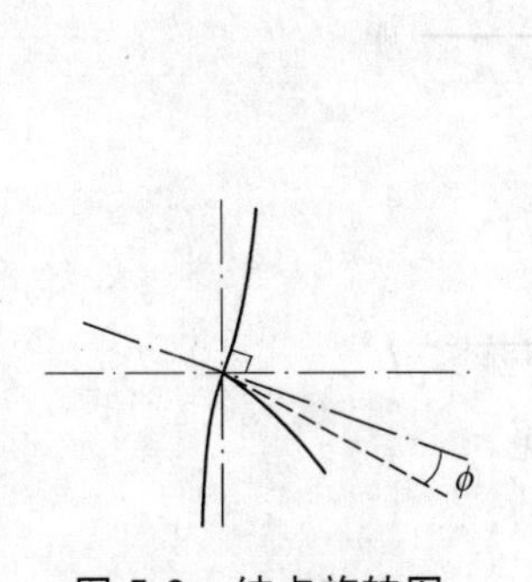

图 5-3　结点旋转图

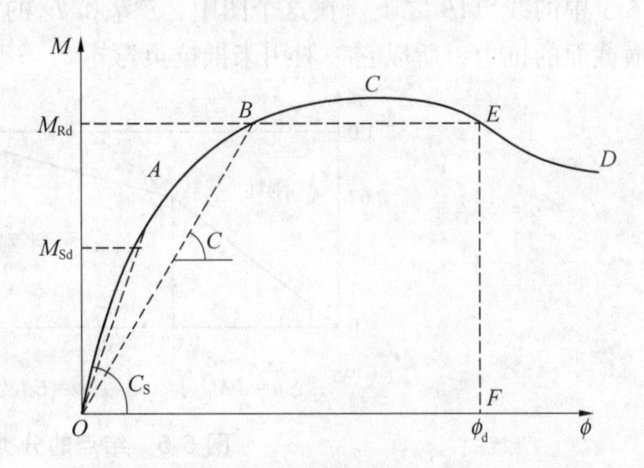

图 5-4　结点弯矩旋转曲线

如某一特殊荷载情况下设计弯矩 M_{sd} 低于 M_{Rd}，可使用对应的刚度。

图 5-2 所示的梁–柱结点类型的设计与分析，在欧洲规范 3 中和现在钢结构课本中均

已给出。板中的附加钢筋被假定对抗竖向剪力没有影响，对抗弯矩的影响由式(5-1)中的 F_{sd} 给出。尽力避免结点有强度但脆性大，如果将结点当做拼接结点，则端部板的塑性变形将提高转动能力，所以它们不宜太厚，通常 8 mm 或 10 mm 就足够了。

5.3.2　结点的分类

用欧洲规范 4 中梁–柱连结点，按相对于弹性整体分析旋转刚度和相对于框架对极限荷载的抗力的抗弯弯矩进行了分类。

5.3.2.1　按刚度分类

(1)名义上铰接结点。如此设计是为了它不出现对结构构件带来不利影响的显著弯矩。

结点被分为名义铰接的条件为：

$$C \leqslant 0.5E_a\frac{I_b}{L_b} \tag{5-2}$$

其中 C 为结点的转动刚度；E_aI_b 为所连接梁的转动刚度，其梁的长度为 L_b，E_aI_b 的值要与框架的整体分析中与结点相邻的截面一致。对 C 限制的重要性，可通过考虑一具有跨长 L_b 和规则截面的梁，通过 $C=0.5E_aI_b / L_b$ 的结点与刚性柱各端相连来予以说明。弹性分析表明，对于单位长度的均布荷载 w，梁各端的负弯矩是：

$$M_C=\frac{wL_b{}^2/8}{7.5}$$

这些末端弯矩同样作用在柱上，其柔度在工程上将降低弯矩于 M_C 以下，因此假定针对于 $M_C=0$ 设计的柱子不会受到结点处弯矩的不利影响。

(2)刚结点。如此设计结点的目的是使它的变形对结构的内力与弯矩的分布以及整个结构的变形不发生大的影响。

在一个有支撑框架中结点为刚性的条件是：它的弯矩—转动曲线的上升部分应该在图 5-5 中的线 $0AB$ 之上。在这个图中，E_aI_b 和 L_b 的定义如上。$M_{pl.Rd}$ 是相邻于结点的梁的横截面的抗力，所以它一般用来抵抗负弯矩。

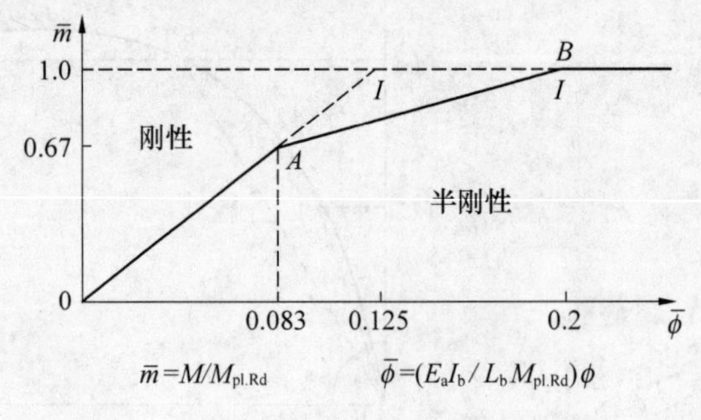

图 5-5　结点的分类

恰好为刚性的结点的柔度(性)引起的弹性弯矩重分布量是十分重要的。例如，我们研究与前述相同的梁，其特性为 E_aI_b 与 L_b，两端通过图 5-5 中 A 点所代表的结点由刚性柱支撑。这种梁在如此荷载下末端弯矩均为 $0.67M_{pl.Rd}$。由 $\phi=0.083$ 给出端部斜度，另外的端部弯矩必须使端部斜度减少至 0(如真正刚性柱一样)，其值为 0.167 $M_{pl.Rd}$。于是，结点的柔度导致了端部弯矩的重分布为 0.167 / (0.67+0.167)或 20%，工程中对组合梁的这一情况更为复杂，因为 E_aI_b 沿跨长是不均布的，而且柱不是刚性柱。

(3)半刚度结点。这是一种可提供构件之间的可预测交互程度的结点，但它们既非刚性也非铰接。欧洲规范 4 没有给出半刚性结点的应用规则，这也是目前需大力研究的课题结点。

5.3.2.2 抗力分类

(1)名义铰结点。设计中此类结点能够传递力，但不会产生对结构的构件有不利影响的显著弯矩。如此结点的主要作用是(作用效果)竖向剪力。

具有设计抗力 M_{Rd} 的结点，如果 M_{Rd} 小于所连接梁的 $M_{pl.Rd}$ 的 25%，且有充分的转动能力时，可作为铰接结点。设计结点满足这些条件并无太大困难，在 § 5.7.5 中将举有一个例子。

(2)完全强度结点。此类结点的设计抗力至少等于相连构件的抗力。对验算结点的转动能力是否充分有各自要求，这点较为困难。如果：

$$M_{Rd} \geqslant 1.2M_{pl.Rd} \tag{5-3}$$

那么此结点不再为完全强度结点。

所以，工程上通常设计的完全强度结点要满足条件式(5-3)，那么则可假定在与结点相邻的梁上发生非弹性转动，受压钢单元的分类体系确保了结点的转动能力。

(3)部分强度结点，其抗力可小于所连接构件的抗力，但如果处在塑性铰的位置，必须有充分的转动能力。确保在设计荷载作用所有必要塑性铰能够产生，目前这种结点很少使用，关于转动能力分析需要进一步研究。

5.4 无侧移组合框架的设计

5.4.1 缺陷

本节的范围局限于如图 5-1 所示多层结构，以 § 5.1 中所阐述的两类平面框架为模型，假定已知梁、柱的布局以及梁上的设计极限重力荷载。

首先说明这种框架的不足之处，这些主要是由于柱的垂直性不足引起的，但也必须考虑构件之间的连接不足和钢构件中的残余应力的影响，以及其他次要影响，如结构上的不均匀的温度。这里使用的“柱子”这一术语是指高度可延伸为建筑物全高构件，其中相当于层高的一部分称为一个“柱长”，这样说明是避免模糊这个概念。

一个柱长内的缺陷，是由考虑因对长细比 χ 的折减系数给出的曲线给出的，并不属于框架的缺陷。

梁的不足考虑了受压钢构件的分类体系及设计中的局部屈曲。

框架的不足由一个初始侧移，如图 5-6(a)的柱长为 h 的单柱，承受的轴力 N 用 ϕ 来代表，这在柱子中的作用影响，如同它在竖面情况下，且随受水平力 $N\phi$ 一样，如图所示。

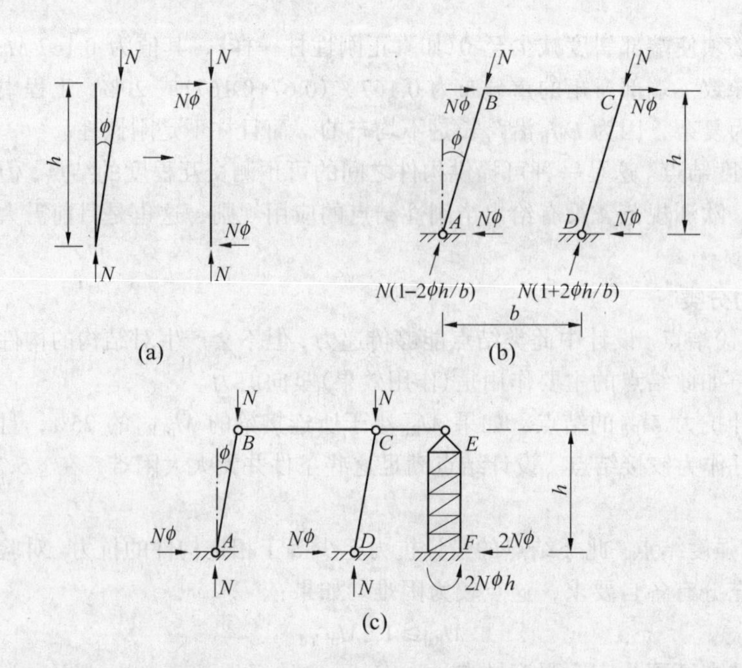

图 5-6　有斜支撑框架和无斜支撑框架

假定组合框架的角ϕ与相对应的钢框架相同，欧洲规范 3 § 1.1 部分给出的它作为层数 n_s 与平面框架内柱子数 n_c 的函数如下

$$\phi=\frac{k_c k_s}{200} \geqslant \frac{1}{400} \tag{5-4}$$

其中

$$k_c\left(0.5+\frac{1}{n_c}\right)^{1/2} \leqslant 1.0 \tag{5-5}$$

且

$$k_s=\left(0.2+\frac{1}{n_s}\right)^{1/2} \leqslant 1.0 \tag{5-6}$$

因此，某一具有两排平面框架(三柱)的五层结构，具有 k_c=0.913，k_s=0.632 且 ϕ= 1 / 347=2.89×10^{-3}，初始摆动作用于所有水平方向，并且沿框架高度均匀分布。在本例中，如果层高为 3.8 m，则每根柱子整体歪斜为 3.8 × 5 / 347=0.055(m)。

对于一特殊作用组合，令作用于框架上的全部设计极限重力荷载为每层 $G+Q$，则缺陷能由作用在每楼层平面上的理论水平力$\phi(G+Q)$来代表，但基础平面上可能设有大小相等、方向相反的响应。

为说明这些，可考虑一单排单层无支撑框架 $ABCD$，如图 5-6(b)所示，它具有两铰 A 与 D，并假定 $\sin\phi=0$，$\cos\phi=1$。在 B 与 C 施加附加力 $N\phi$，并同时假定荷载 N 仍沿柱长作用，在 A 与 D 点有明显的水平反应；但竖向反力 N 却用 $N(1\pm2\phi h/b)$来取代，其中角ϕ为与垂直方向夹角，于是点 A 的全部水平反力为：

$$N\phi-N\phi\left(1-2\phi\frac{h}{b}\right)=2N\phi^2\frac{h}{b}\approx0$$

在完好框架中，第 1 阶最大弯矩为 0。当有缺陷ϕ时，在角点 B 与 C 处则使它增至

$N\phi n$，这是不容忽略的。

如果这些角点为铰结，框架须通过结点与一刚性铅垂悬臂梁 EF 的顶端相连接，从而支撑框架防止有侧向摆动[如图 5-6(c)]，外力反应包括点 A 与点 D，有水平为 $N\phi$，点 F 处反方向作用 $2N\phi$，而点 A 与 D 的竖向反应与 ϕ 无关。

这些简单的分析为一次分析，也就是说，在不计荷载作用下，结构变形导致摆动 ϕ 的任何增量而考虑这些影响的分析称为 2 次分析。

5.4.2 对水平荷载的抗力

在欧洲规范 3 与 4 中，框架按照它的整个结构的布置，分为有斜支撑框架与无斜支撑框架，它们也按水平力作用下平面内框架刚度的大小分为有侧移框架与无侧移框架。

有斜支撑框架是一有独立的支撑体系的抗侧移的框架，它有足够的刚度使水平荷载的响应至少减少 80%，那么也叫做无侧移框架，图 5-6(c)的 $ABCD$ 便为一例。

无斜支撑框架，图 5-6(b)必须抵抗水平荷载，这意味着它的不足，同时也要抵抗诸如风载或地震荷载等水平作用。对一特殊荷载情况，取框架上全部竖向荷载的设计值为 V_{sd}，并有可能计算出这一荷载的倍数 λV_{sd}，即 v_{cr}，其在侧移模型中将导致初始完好框架的弹性临界屈曲。有一著名的计算简单框架涉及 S 与 C 函数的手算方法，并已列出表格；对更复杂的框架则由计算机程序计算。

如果 $\lambda \geqslant 10$，那么无斜支撑框架被称为无侧移框架，它的设计是基于 1 阶分析。如果 $\lambda \leqslant 10$，则称为有侧移框架，须使用 2 阶分析。侧移框架超出了规范 4 § 1.1 部分的范围，这里不再进一步阐述。在多层建筑中，使用有斜支撑框架总是较为经济的。

当对建筑结构中的梁–柱平面框架使用弹性整体分析时，对于分类框架为有侧移与无侧移，规范给出了简单的计算 λ 的另一种方法。使用 1 阶整体分析，并分别运用于每层上。框架作为无侧移的条件为，对于每层

$$\frac{\delta}{h} \leqslant 0.1\frac{H}{V} \tag{5-7}$$

其中 δ 为层高 h 间相对水平位移，H 与 V 分别为每层底部的全部水平及竖向反力。

在大的建筑物中，一侧的支撑体系通常为建筑物的另一部分，且通过侧翼在各层间相连，细建筑物的端部通常由剪力墙支撑，且大多数塔楼都有一个中心内筒，正如 § 5.1 所述，有时，支撑体系也可能为一平面框架，如图 5-6(c)所示的 EF。像上述一样，它也被分为有侧移或无侧移(但 V_{sd} 却是作用在全部支撑框架下的全部竖向荷载)，并且设计用来抵抗作用于它所支撑的框架上的水平荷载，以及自己缺陷的影响。对于钢或组合框架，时常要求设置对角支撑以便形成三角交叉结构。

5.4.3 有支撑框架的整体分析

5.4.3.1 作用

本节可参考 § 4.3 关于连续梁的整体分析，很多内容这里能够应用。有斜支撑框架不必一定以抗水平荷载作为设计基础，其荷载情况与梁相类似；对有斜支撑框架，无需进行正常使用状态的验算；对组合柱也是如此，柱子可使用弹性整体分析或塑性截面分析。

也就是说，好像它们的横截面属第 2 类，因此与施工方法即有斜支撑施工或无斜支撑施工无关。

对某类作用荷载，如家具或人群，但不包括库房荷载，当受荷面积增加时，可设计荷载发生的概率变小，承受 n 层楼层荷载的柱子上的特征作用荷载可通过下列系数 α 折减（见欧洲规范 1 草案）。

$$\alpha=\frac{0.6+0.7n}{n} \tag{5-8}$$

这里，适用于当 $n>2$ 且为 A 类与 V 类区域时，本质上讲，为居住区或很少有集中人群的公用区域，不适用于过分拥挤的区域或库房。这种折减不适用于荷载已由系数荷载组合全部中 φ 折减过程。

刚铰框架中，当附近楼层不全部承受施加荷载时，柱将产生最大弯矩。对于有许多类似层的框架中一个柱长 AB，对于外柱，当受如图 5-7(a)所示施加荷载时，轴力与弯矩产生最不利的荷载组合；对于内柱，则当荷载作用如图 5-7(b)时产生此不利组合，其弯矩分布则可能如图 5-7 所示。

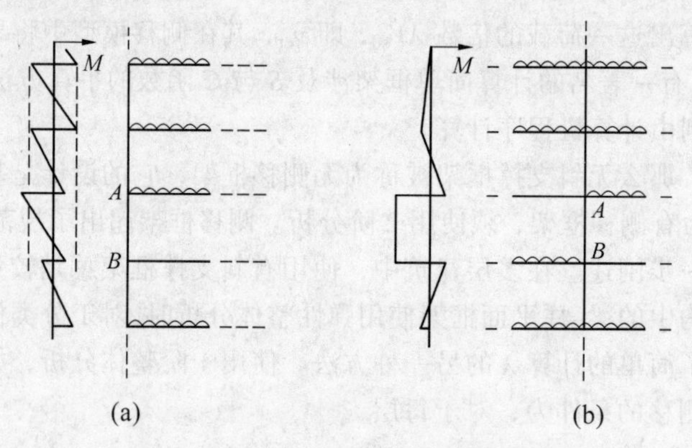

图 5-7　柱设计中外加荷载分布

5.4.3.2　柱上的偏心荷载

理论上铰接的梁–柱结点使用减少了柱中的弯矩，并相应地增加了梁上的正弯矩。对于梁，为安全起见，假定结点处弯矩为 0，如果如此，来自梁的荷载作用于柱上时，对主轴结点其偏心距稍大于钢柱截面的一半。

考虑真实结点刚度非零的弹性分析，得出的等效偏心距将比此值大。真实的力学行为也更为复杂。起初，端部弯矩使每根柱长更加趋于屈曲，但当荷载增加时，便开始产生这样的情况，即当端部弯矩改变符号时，结点的刚度越大，对柱的影响就更有利。

英国工程规范对于钢柱考虑了取每层柱子如 $L_e/L=0.7$ 的实际长度的 70%作为有效长度时的稳定影响，但当对端部弯矩计算时它规定等效荷载偏心距为 $e\approx 0.5\,h_a+100$ mm。

在欧洲一些其他国家，实际运用中假定 $L_e=L$，这使得屈曲更趋于临界屈曲，并且 $e=0$，即消除来自柱的弯矩。使用 $e=0$ 的理由是计算梁的弯矩时，使用柱中心之间跨度，而不是使用铰结头中心之间的较小跨长。规范 3 与 4 中未讲到这一点，这可以作为在建筑结构模型下的对规范 3 的一个补充。在下面实例中，假定 $L_e=L$，来自名义铰结点的荷载作用在组合柱截面表面 100 mm 处，对一般有包壳的 H 型截面取 $e \approx 0.5\ h_a + 160$ mm。

5.4.3.3 弹性整体分析

此分析方法一般能运用于具有刚接或名义铰接的加斜支撑的组合框架，梁的负弯区的抗弯刚度如 § 4.3.2 中讲述，对于柱子认为混凝土不开裂，并要考虑纵向钢筋的刚度，不可以忽略不计。

梁上弯矩重分布如在 § 4.3.2 中所述，但组合柱的端部弯矩不可折减，因为对柱的转动能力的了解目前还不充分。

如 § 5.5 例中，当梁–柱结点为名义铰接时，柱中弯矩容易通过单独构件上的弯矩分布求出。

5.4.3.4 刚–塑性整体分析

规范 4 § 1.1 中也包含了针对加斜撑框使用的四种方法，但几个条件使得此法于工程上并不常用，除了应用于梁的条件外，还包括如下：

(1) 全部结点必须表明有充分的转动能力或必须为完全强度结点且 $M_{Rd} \geqslant 1.2\ M_{pl.Rd}$，如 § 5.5.2 中所述。

(2) 设计中必须确保塑性铰不发生于组合柱中。

5.5 例子：组合框架

5.5.1 数据

为使得能使用前述计算，拟设计结构有一组合板的梯层，其在两跨组合梁之间跨度 4.0 m，组合梁的跨度为 9.5 m，有 9 层，层高 4.0 m，如图 5-1 所示。为简单起见，假定屋顶与楼层有同样的荷载与结构，建筑物独立长度为 60 m。

材料与荷载与以前已使用相当。组合楼层的设计同 § 3.4 中的一样，两跨组合梁的设计同 § 4.6 中的一样，且与外柱的连接为铰接，除非此梁在墙体提供的中点支座上并不连续。为替代每根梁的中点有一组合柱，并且其每跨通过一刚性与完全强度的结点相连。这些术语在 § 5.3.2 中已定义。

除了重力梁上所承担的荷载以外，惟一重力荷载是柱与外墙的重力，假定取下列标准值：

- 对每根柱：g_k=3.0 kN / m=12.0 kN / 每层；
- 对每层外墙：g_k=60 kN / (排 · 层)。

60 kN 的荷载作用于 $4 \times 4 = 16\ m^2$ 墙上，假定相邻柱之间在每层楼层处由跨度 4.0 m 的梁支撑墙体。

对于每根柱，每楼层的设计极限荷载则为来自主梁上的荷载加下面两种情况：

$$\left.\begin{array}{l} \bullet\ \text{对内柱：}12 \times 1.35 = 16.2(\text{kN}) \\ \bullet\ \text{对外柱：}72 \times 1.35 = 97.2(\text{kN}) \end{array}\right\} \tag{5-9}$$

根据风的方向平行于主梁的纵轴方向确定风载标准值。它对迎风墙产生压力，对背风墙产生吸力(如：低于大气压的压力)。这两种作用的总和假定为：

$$q_{k,\ wind}=1.5\ \mathrm{kN/m^2}\text{(迎风墙面)} \tag{5-10}$$

沿建筑物方向的风的作用忽略不计。

材料的特性如同§4.6.1中所总结的，只不过组合柱中的混凝土为正常普通密度，其特性为：

$$f_{ck}=25\ \mathrm{N/mm^2},\ E_{cm}=30.5\ \mathrm{kN/mm^2} \tag{5-11}$$

图5-1所示框架 *DEF* 的初始偏移按§5.4.1所述方法计算。楼层数 n_s 为9，在平面框架中柱的数量 n_c 为3个，由式(5-4)～式(5-6)得：

$$K_c=0.913,\ k_s=0.558,\ \phi=1/393=2.55\times10^{-3} \tag{5-12}$$

这超过了所要求的 $\dfrac{1}{400}$。

5.5.2 对抗水平力设计

起初假定抗水平荷载的斜撑体系由建筑物每端部的钢筋混凝土墙体组成，其中一墙体如图5-1(a) *HJ* 所示，还有一个为中部包含服务内筒的混凝土或钢塔。

风载由外墙传给每层的楼板，为简单起见，假定楼板为跨度30 m，如同高19 m的简支梁架在一墙体与建筑物的服务中心内筒之间。端部墙已显示是可行的，但这里不进行设计。工程中，某些水平荷载可能由其他墙体来抗御，这些情况是用来为电梯与楼梯间进行防水处理的。

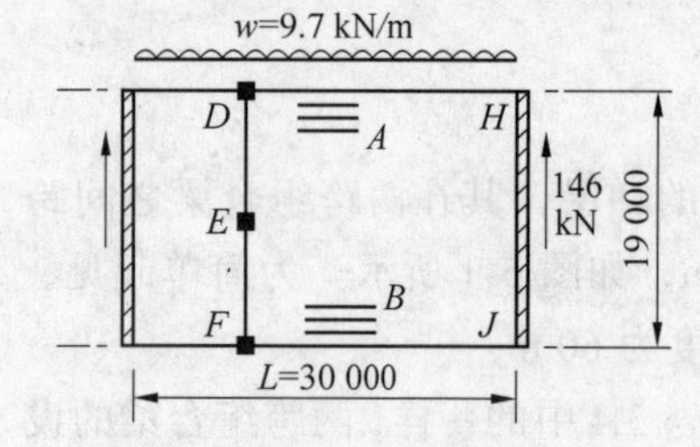

图5-8 典型楼板平面(单位：mm)

典型的楼板的水平荷载，由沿一边作用的单位长度上为 w 的水平荷载组成(图5-8)。某一典型框架，例如 *DEF*，可看做“有斜支撑”且无侧移框架，只进行抗重力设计。

如图5-6所示的框架缺陷，可通过作用于每层楼板 ϕ 倍于每层的永久与可变重力荷载的总和的理论力值，考虑对19 m×1 m楼层面积上的荷载标准值为：

$$q_k=5\times\frac{19}{393}=0.242(\mathrm{kN/m})$$

$$g_k=\frac{5.45\times19+(2\times72+12)/4}{393}=0.363(\mathrm{kN/m}) \tag{5-13}$$

5.45是每平方米上的平均恒载，包括梁的自重。

由式(5-10)得出，风载的标准值为

$$w_k=1.5\times4=6.0(\mathrm{kN/m})$$

该值远大于 q_k 与 g_k 的值，于是最大设计荷载是通过考虑风载，而不是考虑施加荷载而得出的，并将其作为于§1.3.2.4中解释组合表达式(1-6)中荷载组合的重要活载。由表1-3得到对于施加于楼层上的荷载 ϕ 取为0.7，于是设计荷载为：

$$\begin{aligned}w&=\gamma_G g_k+\gamma_Q w_k+\gamma_Q\psi_0 Q_k\\&=1.35\times0.363+1.5(6.0+0.7\times0.242)\end{aligned}$$

$$=9.7\,(\text{kN}/\text{m}) \tag{5-14}$$

对 30 m 跨，最大的弯矩与剪力为：

$$M=\frac{wl^2}{8}=1\,091(\text{kNm}) \qquad V=\frac{wL}{2}=146\,\text{kN} \tag{5-15}$$

为估计混凝土楼板的反应，起初可假定其高为 19 m、宽为 80 mm 的梁，由简单弹性理论得出最大弯曲应力为：

$$\sigma_{\max}=\frac{6M}{bh^2}=6\times\frac{1\,091}{80\times19^2}=0.23\,(\text{N}/\text{mm}^2)$$

平均剪应力为：

$$\tau_{\text{m}}=\frac{146}{80\times19}=0.10\,(\text{N}/\text{mm}^2)$$

明显的这些应力值是能接受的，但对图 5-8 中 A 与 B 区中的钢筋应该做更为详细验算。每层的水平挠度，相对于支座小于 1 mm。

为简单起见，如图 5-8 中 HJ 所示的端部墙，可设其高为 36 m，由式(5-15)得，在每楼层平面处的设计水平荷载为 146 kN，底部的弯矩为：

$$M=\frac{146}{4}\times\frac{36^2}{2}=23\ 700(\text{kNm})$$

为验算设计墙体的可行性，可假设墙体 19 m 宽与 300 mm 厚，底部上的最大弯曲应力，如上述计算，为：

$$\sigma_{\max}=\frac{6\times23\,700}{300\times19^2}=1.31\,(\text{N}/\text{mm}^2)$$

此值小于设计抗压应力 $f_{\text{ck}}=25\text{N}/\text{mm}^2$ 的 1 / 10，其顶端的挠度为 7 mm。

规范 3 中建议对于正常使用荷载，高 h 的多层建筑物的结构最大水平挠度不应大于 $h/500$，对于本建筑即为 72 mm。

这些计算表明，只有采用所建议类型的有斜支撑系统是可取的。很显然，对水平荷载比结构至少 5 倍于一般平面框架[图 5-1(a)DEF]的刚度。因此，每个框架可取为有斜支撑与无侧移框架处理。

5.5.3 设计荷载对柱的影响

一般框架的全部设计活载通过它的主梁传给它的 3 根柱子。恒载关于框架平面对称，故作用于柱子上的次轴弯矩可忽略不计，附加重力荷载认为不会引起主轴弯矩，在外柱上主轴弯矩只由主梁的端部反应引起，其最大、最小值为 242 kN、99 kN，在柱长内最不利弯矩分布是当梁的一端应力最小值会发生。于是分析模型如图 5-9(a)所示，如 § 5.4.3.2，偏心距取为 0.26 m，同样取柱的横截面为 320 mm^2。

对内柱，其与梁刚性连接，弹性分析的模型如图 5-9(c)所示，且其荷载分布如图 5-7(b)所示，当两跨取满载时，每个的弯矩如图 4-11 所示的 AB 跨的弯矩图相同。柱的每边产生塑性铰，因此作用于柱上的净弯矩为 0。

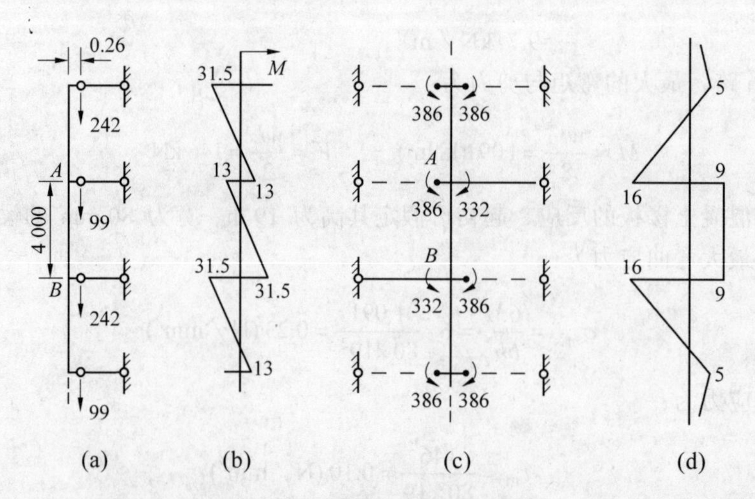

图 5-9　柱的分析模型和弯矩

只有恒载的某跨梁首先假定为弹性的（以后加以讨论的一种假设），其固定端弯矩为 $\frac{wL^2}{8}$。

$$M_f = 29.4 \times \frac{9.5^2}{8} = 332(\text{kNm}) \tag{5-16}$$

对于弯矩分布，满载跨中的刚度 EI/L 为 0，因为塑性铰可在恒定弯矩保持下转动。梁与柱两者的弯曲刚度是基于未开裂缝混凝土，且模量比取为短期荷载作用值的两倍，以考虑徐变。对于柱子，$E_a I_1$ 取为 25.5×10^{12} Nmm^2，从而得出：

$$\left(\frac{EI}{L}\right)_{\text{Col}} = 25.5 \times \frac{10^9}{4} = 6.38\times10^9(\text{Nmm})$$

对于梁，$I_1 = 616\times10^6$ mm^4，且远端为简支，于是刚度为：

$$0.75\frac{EI}{L} = 0.75\times210\times616\times\frac{10^6}{9.5} = 10.2\times10^9(\text{Nmm})$$

图 5-9(a)与图 5-9(c)的模型的力矩分布可得出如图 5-9(b)、(d)的弯矩分布情况，内柱 B 端的失衡弯矩为 386−332=54(kNm)，其中柱的抗力为 16+9=25(kN)，于是对于分布有较轻荷载的跨的末端弯矩则由 29 kNm 增至 361 kNm。这是负弯截面的 $M_{\text{pl.Rd}}$ 的 94%，因此上面对此跨假定的刚度值太高了。如图 5-9(d)所示，设计弯矩应该增加。

保守的假设是梁没有刚度，以使失衡弯矩 54 kNm 在每个楼层上、下柱长之间平分。柱长 AB 应该设计为 $M_1=M_2=27$ kNm。对于假定大小的柱，该值还是非常低的，因为荷载主要为轴向荷载。

梁柱之间的每个结点设计时采用

$$M_{\text{Rd}} \geqslant 1.2\times386 = 463.2(\text{kNm})$$

作为验算转动能力的另一个方法。

对外柱的设计计算将于 § 5.7 中给出，与内柱的结点，则不予设计。

5.6 欧洲规范 4 中对柱的简化设计法

5.6.1 引言

§ 5.6 的背景知识已于 § 5.2 中加以介绍：组合柱和 § 5.5.3 中关于有斜支撑平面框架的整体分析。对每根柱长的整体分析得到其设计轴力 N_{sd} 和端部弯矩 $M_{1.sd}$ 与 $M_{2.sdl}$，为方便，取 M_1 两端弯矩的较大值，当它们导致单一曲率弯曲时两者同号。

开始时，有混凝土包壳层的 H 型或工字型截面(图 5-10)。这与对钢管混凝土的方法是不同的，原因将于 § 5.6.7 中解释。假定有包壳的截面为双轴对称，且柱长段内截面规则，作用弯矩分解到主轴平面与柱的轴弯曲平面，它们的记号必要时要加上附加下标，分别为 y，z。

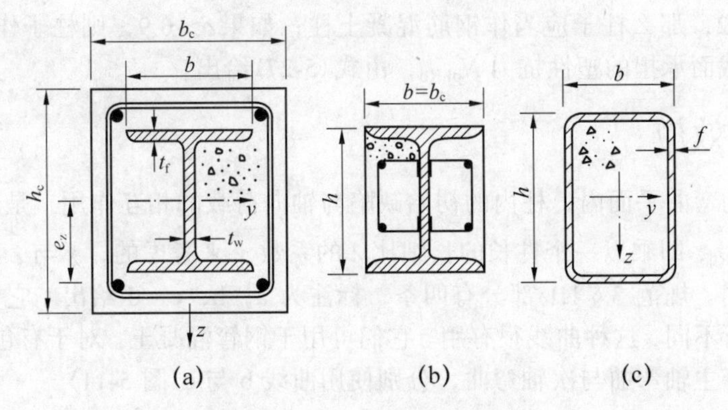

图 5-10 组合柱典型横截面

柱长每末端假定由两根或更多的梁连接和在这些点被侧支撑，这里每根柱有效长度假定为 L，如§5.4.3.2 所述，柱上侧面荷载假定反作用于每根柱长末端。

下面解释的方法分别应用于各弯曲平面，通常全部较大且重要影响的弯矩，均只发生在一个平面内。如果这为次轴弯曲，则没有必要进行主轴修正。如果它为主轴弯曲，那么必须验算次轴屈曲，如同 § 5.6.5.2 中所叙述的，这是由于轴向荷载与次轴缺陷之间相互作用的原因。

5.6.2 防火及详细规定

基于一假定截面对组合柱计算之前，明智的做法是验算截面是否满足有关的尺寸限值。

有混凝土包壳的工字型截面柱的防火是靠覆盖于钢截面及钢筋上的混凝土的厚度来提供的。例如对 90 分钟防火期限要求，规范 4 § 1.2 部分给出的极限值分别为 40 mm 与 20 mm。

规范 2 § 1.1 部分对最小保护层厚度及对钢筋最大及最小问题的规定也应遵守。这些措施能确保耐腐、黏结力的安全传递，避免混凝土掉落及纵向钢筋屈曲。在计算抗力中，应考虑钢筋面积与混凝土面积之比，并满足：

$$0.003 \leqslant \frac{A_s}{A_c} \leqslant 0.04 \tag{5-17}$$

上限值是为确保钢筋在接头处不过密。

计算中可能用到的钢截面上混凝土保护层的厚度使用的最小值为 40 mm，并且也规定不可超过钢构件高度的 1 / 3。这与保证有效的设计方法与柱的比例有关。同样的原因也规定了钢贡献率δ值及其长细比$\bar{\lambda}$。

钢的贡献率δ定义为：

$$\delta = \frac{A_a f_y / \gamma_a}{N_{pl.Rd}} \tag{5-18}$$

并且必须满足的条件为：

$$0.2 \leqslant \delta \leqslant 0.09$$

如果$\delta < 0.2$，那么柱子应当作钢筋混凝土柱；如果$\delta > 0.9$，则柱子作为钢结构柱，$A_a f_y / \gamma_a$为钢截面承担的塑性抗力$N_{pl.Rd}$，由式(5-27)给出。

5.6.3 二次效应

在所研究的弯曲平面内，柱内的初始缺陷与轴向荷载的相互作用，是通过减少短柱的轴向抗力$N_{pl.Rd}$，即乘以一个柱长的长细比$\bar{\lambda}$的系数χ来考虑的，χ与$\bar{\lambda}$相关的屈曲曲线与钢柱的相同。规范 3 § 1.1 部分有四条，标注为 a，b，c，d 给出。它们只在考虑柱长的缺陷时有所不同，这种曲线很有用。它们可用于钢管混凝土。对于有包壳的横截面，使用系数对应于主轴弯曲与次轴弯曲，分别使用曲线 b 与 c(图 5-11)。

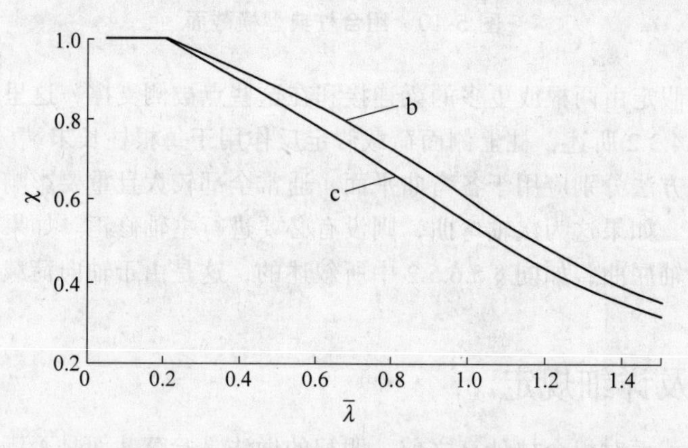

图 5-11 系数χ与长细比$\bar{\lambda}$函数的屈曲曲线

屈曲曲线没有考虑作用于柱长内的弯矩的二次效应。这是通过使用系数k增大一次最大弯矩。

$$k = \frac{\beta}{1-(N_{sd} / N_{cr})} \geqslant 1.0 \tag{5-19}$$

$$\beta = 0.66 + 0.44\left(\frac{M_2}{M_1}\right) \geqslant 0.44 \quad (5\text{-}20)$$

N_{cr} 为柱长的弹性临界荷载，系数 β 考虑了如图 5-12(a)所示的单一曲率弯曲的不利影响和如图 5-12(b)内的双曲率弯曲。

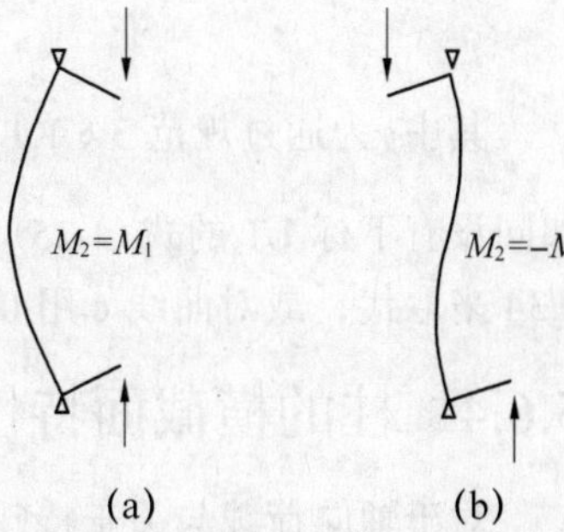

$M_2=M_1$ $M_2=-M_1$

(a) (b)

图 5-12 单曲率与双曲率弯曲

无量纲长细比 $\bar{\lambda}$ 为：

$$\bar{\lambda} = \left(\frac{N_{pl.R}}{N_{cr}}\right)^{0.5} \quad (5\text{-}21)$$

这类似于求 $\bar{\lambda}_{LT}$ 的式(4-23)使用于钢柱上的意义，弹性临界荷载为：

$$N_{cr} = \pi^2 \frac{(EI)_e}{L^2} \quad (5\text{-}22)$$

其中 L 为柱的屈曲长度，这里取两约束梁中心之间的实际长度 L(即所给的体系长度)。

有效弹性抗弯刚度的计算式为：

$$(EI)_e = E_a I_a + 0.8\, E_{cd} I_c + E_s I_s \quad (5\text{-}23)$$

其中

$$E_{cd} = \frac{E_{cm}}{\gamma_c}$$

并且 γ_e 取为 1.35。对于材料的弹性特性很少有例子使用 γ 系数的。式内 $0.8\,E_{cd}I_c$ 中的 I_c 是混凝土面积关于无裂缝柱截面中心的惯性矩。此式为截面混凝土部分的有效刚度，它部分基于测试数据并考虑混凝土的徐变。但这些不足以用来设计具有不利长细比与较低弯矩的柱。因此，规范进一步规定了关于等效模量的构成。

在式(5-23)中，对结构钢构件及钢筋不使用局部安全系数，尽管用到了 γ_e，仍认为 N_{cr} 为标准值。因此，式(5-21)中轴向抗力 $N_{pl.R}$ 也通过所有 $\gamma_M=1$ 来计算。

$$N_{pl.R} = A_a f_y + A_c(0.85 f_{ck}) + A_s f_{sk} \quad (5\text{-}24)$$

这是完好柱子对轴向荷载的抗力，并称为压碎荷载。且其因柱太短而不可能发生屈曲，A_c 面积可方便地计算出来：

$$A_c = b_c h_c - A_a - A_s \quad (5\text{-}25)$$

上面用到图 5-10(a)中的概念，注意其值不应取为 $b_c h_c$。

在 § 1.3.2.2 中讲到规范 3 和 4 中规定，当屈曲影响抗力时增大 γ_a 的值，尽管还不能在目前使用的规范版本中给出的组合值中反映出来。对于柱子，要增大 γ_a 的值，应当满足：

$$\bar{\lambda} > 0.2 \text{ 且 } \frac{N_{sd}}{N_{cr}} > 0.1 \quad (5\text{-}26)$$

γ_a 的增大，会影响随后的计算，这就是首先计算 $\bar{\lambda}$ 与 N_{cr} 的原因。

柱长对轴向荷载的设计抗力，考虑柱子的二次效应后，得出为：

$$N_{Rd}=\chi N_{pl.Rd}$$

其中χ为通过规范 3 § 1.1 部分有关的屈曲曲线以$\bar{\lambda}$概念的形式给出的。对于χ的方程如同没有下标 LT 的式(4-25)及式(4-26)一样，且式(4-26)的缺陷系数 0.21，对曲线 b 用 0.34 来取代，或对曲线 c 用 0.49 来取代。

5.6.4　柱的横截面特性

对于轴向荷载与关于特殊轴弯曲的组合设计是基于在轴向抗力 N_{Rd} 与关于该轴的抗弯弯矩 M_{Rd} 之间的相互作用曲线。此方法能使用图 5-13 中的量纲曲线作出最好的解释。

从式(5-24)中容易求出塑性抗力 $N_{pl.Rd}$ 为

$$N_{pl.Rd}=A_a\frac{f_y}{\gamma_a}+A_c\frac{0.85f_{ck}}{\gamma_c}+A_s\frac{f_{sk}}{\gamma_s} \tag{5-27}$$

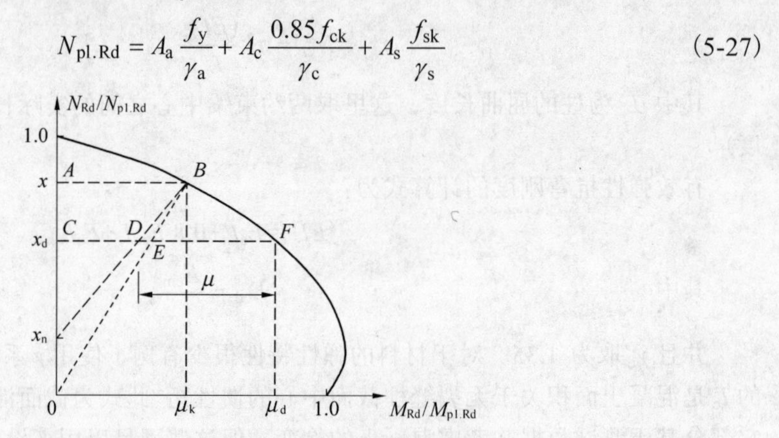

图 5-13　压缩和单轴弯曲相互作用曲线

计算曲线上其他点及 $M_{pl.Rd}$ 的手工方法的复杂性是使用组合柱的主要不利因素。

计算梁 $M_{pl.Rd}$ 的假定为：矩形应力区域且钢截面上应力为 $\pm f_y/\gamma_a$，钢筋上应力为 $\pm f_{sk}/\gamma_s$ 并且处于受压或受拉开裂的混凝土上的应力为 $0.85f_{ck}/\gamma_c$，并假定使用完全剪力连接。

问题在于代数学之中，对于如图 5-10(a)中所示的主轴弯曲截面，塑性中性轴至少有五种可能的位置，每一个都使得 N_{Rd} 与 M_{Rd} 的表达式相当复杂。使用此方法，最可实际使用的手工方法为推测中性轴的位置，使用应力区的总和计算 N_{Rd}，并且通过关于无开裂截面形心的这些力的弯矩来计算 M_{Rd}。图 5-13 中给出了一点。因此，曲线上的其他点可重复上述过程得出。

规范 4 § 1.1 部分中用折线形图，如图 5-14 中的 *AECDB* 来取代曲线，从而简化计算。计算 *B*、*C*、*D* 点坐标的既灵巧又简单的方法于规范的附录 C 中给出，并在本书的附录 B 中予以解释。对有包壳的工字型截面的主轴弯曲，*AC* 可以取作为直线，但对其他情况，如点 *E* 需由上面使用的方法求得。没有规定它的位置，那么开始推测的中性轴位置，通常已足够好。

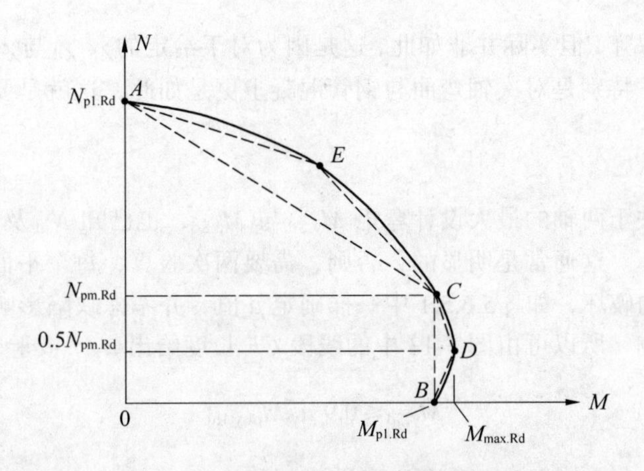

图 5-14 相互作用曲线的折线近似

横向剪力可以假定只由钢截面来承担，并可以使用梁的弯–剪相互作用设计法。在柱中，V_{sd} 通常小于 0.5 $V_{pl.Rd}$。因此，抗弯弯矩不折减。

5.6.5 层间柱长的抗力

5.6.5.1 单轴弯曲

假定已确定图 5-13 中的相互作用曲线，已知设计轴力 N_{sd} 及最大弯矩，并且已计算了长细比系数 χ 。

令

$$\chi_d = \frac{N_{sd}}{N_{pl.sd}} \tag{5-28}$$

于是图 5-13 中的 χ_d 即代表设计轴向荷载。

相互作用曲线上的点 B 代表在轴向荷载 $\chi N_{pl.Rd}$ 作用下柱的破坏点，不包括任何弯矩作用，因此认为抗弯弯矩 AB 在柱子破坏前，等于由轴向荷载引起的最大弯矩。当 $M_2=M_1$ 时，就认为二阶弯矩与轴向荷载成一定比例，于是对某些较低荷载 $\chi_d N_{pl.Rd}$，它的值由 CE 段长给出。现在抗弯弯矩为 CF，于是对于施加的弯矩能求出其抗力 EF。

当 $\dfrac{M_2}{M_1} \leqslant 1.0$ 时便不再有所在轴向荷载下的二阶弯矩，如图 5-12 所示，这通过用 BDG 取代线 BEO 来加以考虑，其中 G 的基准(坐标)为：

$$\chi_n = \chi \frac{1 - M_2 / M_1}{4}, \text{但} \chi \leqslant \chi_d \tag{5-29}$$

抗弯弯矩因此从 EF 增至 DF。

对于不保守的假定，混凝土的矩形应力区拓伸到塑性中性轴，则需进行进一步验证，这可以通过减少抗弯弯矩 10%，所以验证条件为：

$$M_{sd} \leqslant M_{Rd} = 0.9\,\mu\,M_{pl.Rd} \tag{5-30}$$

其中

$$\mu = \mu_d - \mu_k \frac{\chi_d - \chi_n}{\chi - \chi_n} \tag{5-31}$$

对应于 χ_d 与 χ_k 的 μ_d 、μ_k 分别由相互作用曲线给出，使用位于相互作用曲线内的多边折线图看起来保守，但实际并非如此，这是因为对于给定的χ，$\chi_{\rm d}$与$\chi_{\rm n}$，它增大了 μ 值，误差有可能过大，特别是对次轴弯曲与钢管混凝土更是如此，这就是要求使用附加点 E 的原因。

5.6.5.2 双轴弯曲

现假定已知关于两轴的最大设计弯矩 $M_{\rm y.Sd}$ 与 $M_{\rm z.Sd}$，也已知 $N_{\rm sd}$ 及χ，必须确定哪一个平面会发生破坏。这通常是明显的，否则，需要两次验算，每个平面一次。

对于 z 面内的破坏，如 § 5.6.5.1 中一样确定 μ 值，并考虑缺陷影响。对于 y 面内破坏，不计缺陷影响，所以可由图 5-13 中的线段 CF 长度给出 $\mu_{\rm y}$。要验算的条件为：

$$M_{\rm y.Sd} \leqslant 0.9\,\mu_{\rm y}\, M_{\rm pl.y.Rd} \tag{5-32}$$

$$M_{\rm z.Sd} \leqslant 0.9\,\mu_{\rm z}\, M_{\rm pl.z.Rd} \tag{5-33}$$

$$\frac{M_{\rm y.Sd}}{\mu M_{\rm pl.y.Rd}} + \frac{M_{\rm z.Sd}}{\mu_{\rm z} M_{\rm pl.z.Rd}} \leqslant 0.1 \tag{5-34}$$

5.6.6 纵向剪切

对于按 § 5.6.1 中定义的端部弯矩 M_1 与 M_2，柱中横向剪力为$\dfrac{(M_1 - M_2)}{L}$，通过无开裂组合截面的弹性分析，能估计出在钢与混凝土交接面上的纵向剪应力。在多层建筑中，因为这些应力较低所以很少有此步必要。

当加于柱上的轴向荷载在全部轴向荷载上占的比例较大时，那么在楼层处靠近结点部位的应力较高，在柱成为组合构件后加上荷载，记为 $N_{\rm Sd}$，假定此力由面积为 $A_{\rm a}$ 的钢截面与转换面底部的保护层之间分担。

$$N_{\rm S.c} = N_{\rm Sd}\left(1 - \frac{A_{\rm a}}{A}\right) \tag{5-35}$$

其中 $N_{\rm S.c}$ 是于钢截面上引起剪力的力，A 是柱以钢面积为单位的转换面积。

目前还没有计算钢截面表面上纵向剪应力的好方法，设计通常是基于它的平均值，除以截面参数 $u_{\rm a}$ 与假定的转换长度 $L_{\rm v}$ 的乘积得出：

$$\tau_{\rm Sd} = \frac{N_{\rm S.c}}{u_{\rm a} l_{\rm v}} \tag{5-36}$$

这个值较低，考虑了 $\tau_{\rm Sd}$ 的近似特性，长度 $l_{\rm v}$ 不应大于相关横向尺寸的两倍，其中对于有保护层的 H 型截面，相关横向尺寸可能就是钢翼缘的宽度。

欧洲规范 4 § 1.1 部分给出了几种情况下由黏结与摩擦引起的设计剪切强度 $\tau_{\rm Rd}$，对完全包壳的截面：

$$\tau_{\rm Rd} = 0.6\ {\rm N/mm^2} \tag{5-37}$$

当达到破坏时，不必考虑钢与混凝土之间剪力引起的力的进一步传递，防止局部破坏的最好方法是设置横向钢筋连接，规范 2 要求靠近梁柱结点钢筋间距要比其他地方小。

如果局部剪应力过大，柱上应设置剪力连接件，它们最好与 H 型截面或工字型截面的腹板相连，因为由于钢翼缘的约束提高了它的抗力，欧洲规范 4 § 1.1 部分给出了其设计规则。

5.6.7　钢管混凝土

此类柱的典型横截面如图 5-10(c)所示，为避免钢的局部屈曲，墙体的长细比必须满足：

$$\frac{h}{t} \leqslant 52\,\varepsilon \tag{5-38}$$

其中
$$\varepsilon = \left(\frac{235}{f_y}\right)^{0.5}$$

f_y 为屈服强度，单位为 N/mm^2，对直径为 d 的圆截面钢管混凝土，这一限值为：

$$\frac{d}{t} \leqslant 90\,\varepsilon^2 \tag{5-39}$$

对有包壳层的 H 型截面设计是必要的，除了在计算压溃荷载 $N_{pl.Rd}$ 时因为要考虑如下所述由于钢管的横向约束使混凝土提高的抵抗能力。

式(5-24)与式(5-27)中的 $0.85f_{ck}$ 由 f_{ck} 取代，同样只对于圆截面，f_{ck} 依赖于 t/d 之比及 M_{Sd}/N_{Sd} 之比，当 $\bar{\lambda} \leqslant 0.5$ 时会有一定程度的提高。对于圆截面，因要考虑墙体中的环向拉应力，计算 $N_{pl.Rd}$ 时，使用的钢墙有效屈服强度也应有所折减，这些应力对由柱上轴向荷载引起的混凝土横向膨胀有约束作用。

钢管混凝土的更大优点为它使用屈曲曲线 a，而不用曲线 b 与 c。

5.7　实例：组合柱

5.7.1　数据

要求设计一根如图 5-1 中框架 *DEF* 的长 *KL* 的外柱。材料与以前 § 5.5.1 中使用的材料相同，这里必要的值为：

f_y=355 N/mm^2，　f_{sk}=460 N/mm^2，　f_{ck}=25 N/mm^2，　E_{cm}=30.5 kN/mm^2

框架设计成有斜支撑框架，外柱的设计极限荷载由 § 5.5.1 与 § 5.5.3 中规定，计算如下：

每层的轴向荷载，$N_{Sd} = 242 + 97.2 = 339.2(kN)$

弯矩为[图 5-9(b)]：
$$\begin{cases} M_{1y} = +31.5\ kNm \\ M_{2y} = -13\ kNm \end{cases} \tag{5-40}$$

次轴弯曲只由柱两边作用相等的恒载导致，于是假定：

$$M_{1z} = M_{2z} \approx 0 \tag{5-41}$$

所承担楼层数的系数 α_n 并不使用，因为作用的荷载为 C 类，所以设计的轴向荷载为：

$$N_{Sd} = 339 \times 8 = 2\ 712(kN) \tag{5-42}$$

假定钢筋的混凝土保护层为 30 mm，钢板混凝土包壳原为 57 mm，满足 90 分钟耐火期限的要求，以及对于外露 2 类(b)，潮湿环境有霜的要求，如此设计对此柱的外表层也是适当的。外柱横截面如图 5-15 所示。

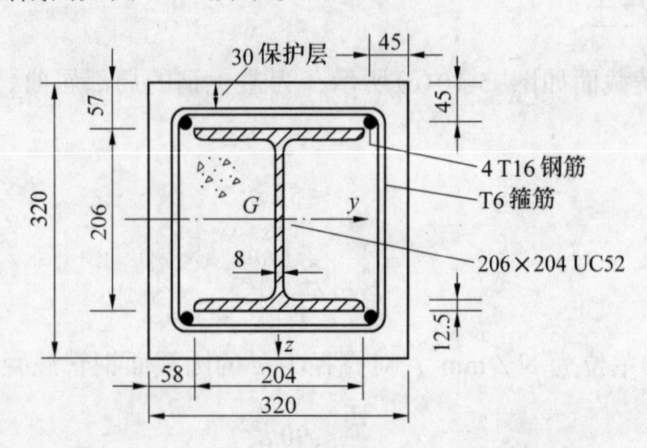

图 5-15 外柱横截面（单位：mm）

5.7.2 长细比、横截面特性

三种材料的横截面积为

$A_a = 6\,640\,\text{mm}^2, A_s = 804\,\text{mm}^2, A_c = 94\,950\,\text{mm}^2$。

A_s / A_c之比为 0.008 5，满足表达式(5-17)的要求。

由式(5-27)对轴向荷载的塑性抗力为：

$$N_{pl.Rd} = \frac{2\,357}{\gamma_a} + \frac{2\,017}{\gamma_c} + \frac{370}{\gamma_s} = 2\,143 + 2\,017 + 322 = 4\,482\,(\text{kN}) \tag{5-43}$$

其中取 $\gamma_a = 1.10, \gamma_c = 1.5, \gamma_s = 1.15$，当这些系数取为 1.0 时，

$$N_{pl.R} = 2\,357 + 2\,017 + 370 = 4\,744\,(\text{kN}) \tag{5-44}$$

由式(5-18)得：

$$\delta = \frac{2\,143}{4\,482} = 0.478 \tag{5-45}$$

其值在允许范围之内。

计算弹性临界荷载 N_{cr}时，需要知道无开裂截面的惯性矩。

对钢截面查表得：

$$10^{-6} I_a = 52.6\,\text{mm}^4$$

对钢筋 $10^{-6} I_s = 804 \times 0.115^2 = 10.6\,\text{mm}^4$

对混凝土 $10^{-6} I_c = 320^2 \times 0.32^2 / 12 - 52.6 - 10.6 = 811(\text{mm}^4)$

$$E_{cd} = 30.5 / 1.35 = 22.6(\text{k N/mm}^2)$$

由式(5-23)得：

$$\begin{aligned} 10^{-12}(EI)_e &= 0.21 \times 52.6 + 0.8 \times 0.022\,6 \times 811 + 0.20 \times 10.6 \\ &= 27.8(\text{Nmm}^2) \end{aligned} \tag{5-46}$$

对框架的整体分析，使用有效模量 $E_c' = E_{cm}/2 = 15.25(\text{kN/mm}^2)$，来考虑混凝土的徐变。由此方法得：

$$10^{-12}E_aI_1 = 25.5\ \text{Nmm}^2 \tag{5-47}$$

在 § 5.5.3 中使用此值。

柱的有效长度取为实际长度，由式(5-22)得：

$$N_{cr} = \pi^2 \times 27.8 \times \frac{1\,000}{16} = 17\,150(\text{kN}) \tag{5-48}$$

由式(5-12)与式(5-44)得：

$$\overline{\lambda} = \left(\frac{N_{pl.R}}{N_{cr}}\right)^{0.5} = \left(\frac{4\,744}{17\,150}\right)^{0.5} = 0.526 \tag{5-49}$$

由图 5-11 中柱曲线 b，长细比折减系数为：

$$\chi = 0.872 \tag{5-50}$$

由式(5-26)及式(5-43)，对轴向荷载的抗力为：

$$N_{Rd} = \chi N_{pl.Rd} = 0.872 \times 4\,482 = 3\,907(\text{kN}) \tag{5-51}$$

现计算设计弯矩，由式(5-20)得：

$$\beta = 0.66 + 0.44\frac{M_2}{M_1} = 0.66 - 0.44 \times \frac{13}{31.5} = 0.48$$

由式(5-19)、式(5-42)及式(5-48)得：

$$k = \frac{\beta}{1-(N_{Sd}\ /N_{cr})} = \frac{0.48}{1-2\,712\ \ /17\,150} = 0.57\text{，即 } k<1.0$$

因此：

$$M_{Sd} = kM_1 = 1.0 \times 31.5 = 31.5(\text{kNm}) \tag{5-52}$$

图 5-16 中主轴弯曲的折线型相互作用图的坐标使用附录 B 的方法计算，由方程式(B-1)，得：

$$f_{yd} = \frac{355}{1.1} = 323\,\text{N}/\text{mm}^2, f_{sd} = \frac{460}{1.15} = 400\,\text{N}/\text{mm}^2$$

$$f_{cd} = 0.85 \times \frac{25}{1.5} = 14.2\,\text{N}/\text{mm}^2$$

式(B-2)～式(B-4)给出塑性横截面模量为：

$$10^{-6}W_{pa} = 0.568(\text{mm}^3)$$

$$10^{-6}W_{ps} = 0.804 \times 0.115 = 0.092\,5(\text{mm}^3)$$

$$10^{-6}W_{pc} = 3.23/\ 4 - 0.568 - 0.092\,5 = 7.53(\text{mm}^3)$$

由式(B-8)得：

$$N_{pm.Rd} = 94.95 \times 14.2 = 1\,345(\text{kN}) \tag{5-53}$$

由式(B-9)得：

$$h_{\mathrm{n}} = \frac{1\ 345}{0.64 \times 14.2 + 0.016(646 - 14.2)} = 70.0(\mathrm{mm}) \tag{5-54}$$

$h/2 - t_{\mathrm{f}}$ 的大小为 91 mm。

于是 h_{n} 满足表达式(B-11)。

由式(B-7)得出 D 点的抗弯弯矩：

$$\begin{aligned} M_{\mathrm{max.Rd}} &= 0.568 \times 323 + 0.092\,5 \times 400 + 7.53 \times \frac{14.2}{2} \\ &= 184 + 37 + 53 = 274(\mathrm{kNm}) \end{aligned} \tag{5-55}$$

使用式(B-5)、式(B-6)及式(B-10)求出点 B 与 C 的抗弯弯矩：

$$\begin{aligned} 10^{-6} W_{\mathrm{pan}} &= 8 \times 0.07^2 = 0.039\,2(\mathrm{mm}^3) \\ 10^{-6} W_{\mathrm{pen}} &= (320 - 8) \times 0.07^2 = 1.529(\mathrm{mm}^3) \\ M_{\mathrm{pl.Rd}} &= 274 - 0.039\,2 \times 323 - 1.529 \times \frac{14.2}{2} = 250(\mathrm{kNm}) \end{aligned} \tag{5-56}$$

图 5-16 给出的比值为：

$$\frac{N_{\mathrm{pm.Rd}}}{N_{\mathrm{pl.Rd}}} = \frac{1\ 345}{4\ 482} = 0.30$$

$$\frac{M_{\mathrm{max.Rd}}}{N_{\mathrm{pl.Rd}}} = \frac{274}{250} = 1.096$$

于是，便可给出 $ACDB$ 折线图。

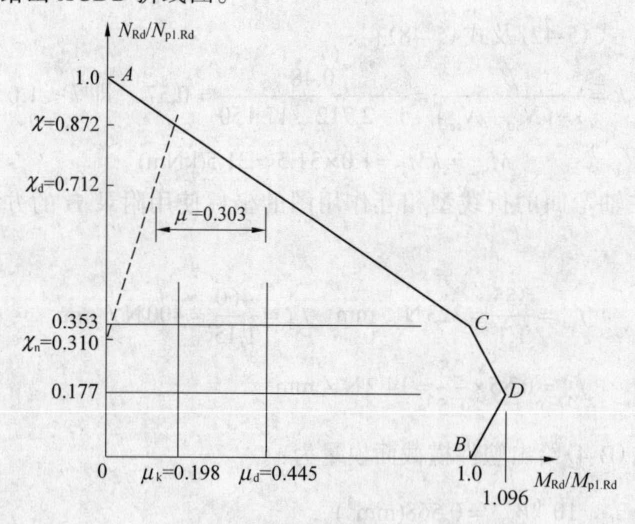

图 5-16　主轴弯曲相互作用

5.7.3　主轴弯曲下柱的抗力(层间柱)

图 5-16 中 χ_d 与 χ_{n} 之比，依赖于设计荷载作用影响。由式(5-28)、式(5-42)及式(5-43)得：

$$\chi_{\rm d} = \frac{N_{\rm Sd}}{N_{\rm pl.Rd}} = \frac{2\,712}{4\,480} = 0.605 \tag{5-57}$$

由式(5-29)、式(5-40)及式(5-50)得：

$$\chi_{\rm n} = \chi \frac{1 - M_2 / M_1}{4} = 0.872 \times \frac{1 + 13 / 31.5}{4} = 0.310$$

从图 5-16 或通过计算得：

$$\mu_{\rm k} = 0.198, \mu_{\rm d} = 0.445$$

从式(5-31)或从图 5-16 得出：

$$\mu = \mu_{\rm d} - \frac{\mu_{\rm k}(\chi_{\rm d} - \chi_{\rm n})}{\chi - \chi_{\rm n}}$$

$$= 0.445 - \frac{0.198 \times 0.402}{0.872 - 0.310} = 0.303$$

由式(5-30)得出的设计弯矩为：

$$M_{\rm Rd} = 0.9 \mu M_{\rm pl.Rd} = 0.9 \times 0.303 \times 250 = 68({\rm kNm})$$

由式(5-52)得，$M_{\rm Sd} = 31.5\,{\rm kNm}$，于是，层间柱有足够的抵抗能力，经得起双轴弯曲与纵向剪切的验算。

5.7.4 验算双轴弯曲与纵向剪切

现研究关于次轴屈曲的可能性，柱截面为正方形，但对于钢截面 $I_{\rm az} < I_{\rm ay}$，与主轴屈曲相比，$N_{\rm cr}$ 较低，$\bar{\lambda}$ 较高，χ 较低。次轴的设计弯矩为 0。由式(5-41)，当$\mu_{\rm z}$≥0 时，此种设计是安全的。

对 $M_{\rm pl.Rd.z} < M_{\rm pl.Rd.y}$ 的横截面，折线型相互作用图形是不同的。但没有必要使用它，由图 5-16 明显知：

$$\chi_{\rm d} \leqslant \chi_{\rm z} \text{时}，u_{\rm z} \geqslant 0 \tag{5-58}$$

通过类似于 § 5.7.3 的计算得出：

$$10^{-12}(EI)_{\rm e.z} = 21.1\,{\rm Nmm^2};\ N_{\rm cr.z} = 13\,020\,{\rm kN};\ \bar{\lambda} = 0.604$$

图 5-11 中曲线 C 给出 $\chi_{\rm z} = 0.783$。值 $\chi_{\rm d}(= N_{\rm Sd} / N_{\rm pl.Rd})$对于两轴相同，均为 0.712，于是满足式(5-58)的条件。

§ 5.6.6 中描述了对纵向剪切的验算。此层间柱的设计横向剪力为：

$$V_{\rm Sd} = \frac{M_1 - M_2}{L} = \frac{31.5 + 13}{4} = 11({\rm kN})$$

这明显可以忽略不计，钢截面腹板中的$V_{\rm pl.Rd}$ 为 320 kN。

在一楼层作用于柱上的全部竖向荷载为 339 kN[方程式(5-40)]。仅仅作用于钢梁的竖立荷载为 46 kN，假定柱的混凝土保护层于楼板浇筑前已浇筑，所以对于 N_{Sd}=339 kN 梁柱交界面的局部纵向剪应力可以计算。

同在 § 5.7.2 一样，可通过 $E_c' = 15.25\ \text{kN}/\text{mm}^2$ 得出方程(5-35)中 A_a/A 的比值。由这里给出的横截面面积，其转换面积为：

$$10^{-3}A = 6.64 + 0.804 + 94.95 \times \frac{15.25}{210} = 14.3(\text{mm}^2)$$

从式(5-35)得：

$$N_{S.c} = 339\left(1 - \frac{6.64}{14.3}\right) = 182(\text{kN})$$

钢截面的参数为 $u_a = 1\,140\,\text{mm}$，由式(5-36)与式(5-37)，其转换长度 l_v 为

$$l_v = \frac{N_{S.c}}{u_a \tau_{Sd}} = \frac{182}{1.14 \times 0.6} = 266(\text{mm})$$

其值小于相关横向尺寸 203 mm 的两倍，于是局部黏结应力并不过大。

这次计算忽略了由与各楼层相连的三钢梁所承受荷载引起传给混凝土保护层上的任何荷载，所以是保守的(安全的)。

这样就完成了对此柱的设计。

5.7.5 柱–梁结点(头)

本结构使用的结头没利用它的组合作用，于是应按如规范 3 的钢结构实用规范进行设计。图 5-17 中所示在主梁与外柱之间的可能结点。

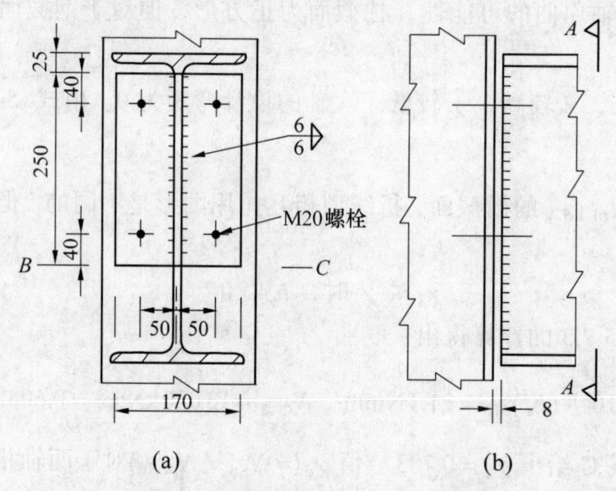

图 5-17 梁–柱结点(单位：mm)

按 § 5.3.2 的定义，此点为铰结点。靠利用一薄的端部平板来实现其抗弯柔度，使用间距为 100 mm 的 M20 双排螺钉，以使端部板的塑性变形，允许梁端如图 5-17(a)绕线 *BC* 转动，同在荷载作用下变形一样，不会对柱施加较大的弯矩。

在欧洲规范 3 与 4 中，相关于爆炸与冲击这种事故后果，两规范均叙述了结构整体性原理，但没有给出使用规则。对规范 3，§ 1.1 部分英国国家应用条例要求如图 5-17

所示的此类结点要能抵抗沿梁轴作用的设计拉力至少为 75 kN。

惟一其他设计的作用影响是 242 kN 的竖向剪力，如图 4-11 所示，因为假定剪力在结头作用面内传给柱子，于是弯矩忽略不计。

设计如图所示的结点时，要考虑这两个力，按照规范规定的螺栓的抗弯载能力及抗剪强度、焊缝的抗剪强度、端部平板的竖向剪力、螺栓孔洞的边缘及端部距离，本例中，洞的直径为 22 mm。

注意钢柱面上的弯矩已假定为在梁的设计中为正弯矩，因其跨度以柱中线考虑的，在柱的设计中为负弯矩，在转头的设计中为 0，且已知这些简化均满足工程需要及要求。

第六章　组合梁的受扭研究与抗扭设计

6.1　概述

6.1.1　组合梁复合受扭性能研究

在建筑及桥梁结构中，构件处于受扭的情况普遍存在，且多数处于复合受扭状态，例如曲线桥梁、框架边梁、托梁、超高层建筑转换层大梁等。在厂房结构中，梁侧的重型悬挂荷载作用也会对梁产生扭矩。在动力荷载或地震荷载作用下，构件的破坏亦大都由弯、剪、扭的不同组合所引起的。因此，研究组合梁的抗扭性能具有实际意义。

根据钢梁截面形式的不同,可将组合梁截面分为开口截面组合梁和闭口截面组合梁。常见的开口截面组合梁是由工字型钢梁和混凝土翼板组成，闭口截面组合梁则以焊接钢板箱梁与混凝土翼板组成，如图 6-1 所示。

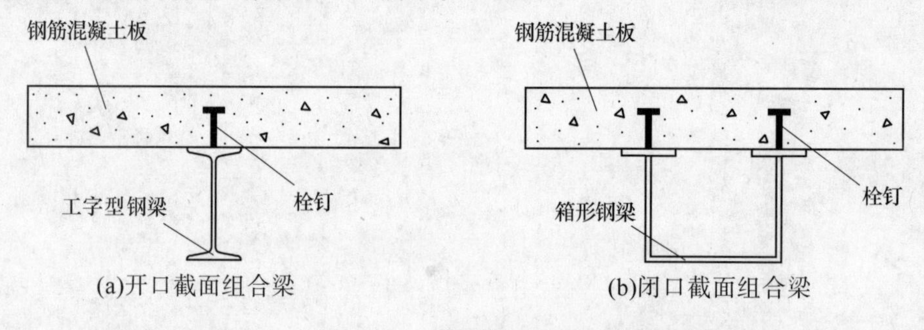

图 6-1　常见开口、闭口截面组合梁截面示意图

扭矩作用下，开口截面组合梁与闭口截面组合梁表现出不同的力学性能，应分别进行研究。

20 世纪 80 年代初期，哈尔滨建筑大学先后进行了 17 根梁的受弯、受剪性能试验研究。分析中采用了将钢梁和混凝土板视为墙肢，将连接件视为拟高层结构分析模型，将截面分解为完全组合和完全不组合两部分叠加的二弯矩模型，两种模型的计算结果均与试验结果吻合良好。分析结果表明，按简化塑性方法进行梁的抗弯、抗剪和连接件设计计算是可靠的;当有板托时，应考虑混凝土部件的抗剪作用，并给出了建议的计算公式;当采用完全剪力连接时，正常使用条件下，相对滑移使梁的跨中挠度增加 15%左右。郑州工业大学、清华大学先后对深托座梁、压型钢板组合梁和钢筋混凝土叠合板组合梁进行了试验研究，提出了压型钢板组合梁抗弯承载力按简化塑性方法的计算公式，并对梁的抗弯刚度进行了探讨，建立了按塑性方法计算叠合板组合梁的抗弯和混凝土板纵向抗剪能力计算公式，并给出了板中的构造横向最小配筋率。连续组合梁具有较好的经济效益，但在负弯矩区钢筋混凝土翼板受拉、钢梁受压，此时，梁截面受弯、受剪性能、裂缝宽度计算及内力重分布等问题都明显地暴露出来，值得深入地研究。哈尔滨建筑大学共进行了 3 根连续梁、7 根简支伸壁梁的试验研究，并进行了相应的电算分析。近年来，负弯矩区截面抗剪能力的研究解释了负弯矩区截面抗剪强度比塑性计算值有所提高的原因是腹板在复合应力作用下的钢材强化效应，并通过力比、弯矩比等参数变化分析了负弯矩区截面强度破坏情况和极限荷载、使用荷载限值，提出了负弯矩区强度破坏和局部屈曲破坏的界限、弯剪共同作用下的相关关系及设计界限。郑州工业大学对静载下组合梁柱连接性能进行了试验研究，主要参数是板中纵向钢筋配筋率和钢柱形式的变化。清华大学也对连续组合梁进行了研究。但国内未开展组合梁的抗扭性能研究。

1959 年，Adekola 指出:弯压作用下，横向拉应力会超过混凝土的抗拉强度而出现纵向开裂，应使钢筋有足够的锚固长度以防止梁的过早破坏。1967 年，Roderick 等在对组合梁的各种破坏类型分析后指出: 当翼板中横向钢筋不足时，可能发生栓钉的拉出、剪坏而使混凝土板纵向开裂。1975 年，R.P.Johnson 根据 A.H.Mattock 和 N.M.Hawkins 对钢筋混凝土剪力传递的试验结果，指出组合梁在受弯过程中可产生两种剪切破坏。同时，混凝土翼板的纵向开裂也可用剪力摩擦理论分析，并给出了具体的组合梁翼板纵向抗剪承载力计算公式。R.Lawther 等人假设混凝土与钢为线弹性材料，用“徐变法”分析了受弯压组合梁的变形，成功地考虑了长期荷载的影响。D.J.Oehlers 等人对组合梁的抗弯极限强度进行了系统研究后指出:相同的组合梁采用完全剪力连接或部分剪力连接时，分析结果相差较大，应规定连接件的最大间距和最小强度值，以便避免发生过大滑移而导致混凝土过早开裂。之后，R.Narayanan 等较为系统地研究了连续组合梁桥在动力荷载作用下，钢梁腹板可能发生的局部屈曲，指出钢梁腹板的局部屈曲将引发翼缘的较大变形。他最后建议了设计方法，以避免局部屈曲。南非学者 N.W.Dekker 等人把梁分为正弯矩区和负弯矩区，讨论了正弯矩区和负弯矩区不同的计算方法，给出了考虑腹板局部屈曲的分析模型。

6.1.2 构件的抗扭理论发展

开、闭口截面组合梁是由混凝土翼板和钢梁两部分构成。钢梁一般作为薄壁构件，用较为成熟的薄壁杆件结构力学就能分析求解，难点为混凝土翼板作为钢筋混凝土构件的抗扭性能目前还没有彻底掌握，仍处于研究之中。

钢筋混凝土构件一般受到四种荷载的作用: 轴力、弯、剪、扭。承受轴向荷载和弯曲荷载的作用很容易理解，不同国家的设计方法几乎是一样的。相反，钢筋混凝土构件承受剪和扭的作用时，不同国家的设计规范或规程不同，这主要是因为钢筋混凝土构件在受扭状态下受力情况比其他受力状态要复杂得多，目前对其抗扭性能的掌握程度尚不很成熟。

一般有两种方法分析钢筋混凝土构件的剪扭问题：力学理论方法和桁架模型理论方法。由于用力学的方法去满足试验结果，使得在规范上反映出此方法为半理论、半经验的方法。但从理论的观点来看，这种方法不能满足变形协调条件，在某些条件下，甚至不满足平衡条件。

用桁架模型分析钢筋混凝土构件受扭性能主要有下列几种模型。

6.1.2.1 斜弯破坏模型

由苏联学者于 1958 年首先提出。该计算模型对破坏面中和轴(受压区分界线)取矩建立极限平衡条件，推导出构件抗扭强度计算公式。该理论的主要缺点是：对于配筋率较高的纯扭构件，因往往在构件四个侧面形成断断续续相互平行的螺旋形裂缝，没有完整的破坏面，且不具有斜弯破坏特征，使得斜弯破坏模型难以使用。

1968 年，美国 T. C. Hsu 提出一种改进的斜弯计算模型。Hsu 建议的极限抗扭强度计算公式与修正的空间桁架模型相似，同样考虑了混凝土的抗扭作用。他认为混凝土抗扭作用不是由核心混凝土承担，而是由宽边剪压区混凝土抗剪强度提供。

6.1.2.2 斜压场理论

1973 年，加拿大 D. Mitchell 和 M. P. Collins 提出了斜压力场理论。该理论认为构件开裂后，扭矩由一个压力场承担，斜压力仅作用在有效壁厚上，并且认为混凝土保护层剥落不起作用，从而调整剪力流路线位置，以弥补古典空间桁架模型的缺陷。1985 年，T. C. Hsu 将混凝土的软化效应引入斜压场理论中。

斜压场理论的优点在于它不仅可以较准确地估算构件的极限抗扭强度，还可以计算受扭全过程的扭转变形以及钢筋和混凝土的应变。缺点是只适用于电算分析，不能给出显式的极限状态下的抗扭承载力公式；混凝土充分开裂以前，计算结果误差较大；不适用于小扭弯比构件等。

6.1.2.3 空间桁架模型

20 世纪初，Ritter 和 Morsch 提出了初步的桁架模型理论来处理受剪问题。此后，Rausch 把此方法发展来处理受扭问题。此模型认为：混凝土单元与钢筋单元正交，受到剪应力时将出现与钢筋成一倾角的斜裂缝。这些斜裂缝将混凝土分成一系列的对角斜向桁杆，并假设这些斜杆来抵抗轴向压力。并认为钢筋只承受轴向拉力，这些斜杆和钢筋一起形成桁架来抵抗剪应力。为简化计算，假设混凝土斜杆与钢筋成 45°角。因此，这一理论被称为 45° 桁架模型理论。

Ritter、Morsch 和 Rausch 的初步桁架模型理论十分优美，由平衡条件导出的方程也较简单，不幸的是，开始时这一理论的计算结果与试验结果不符合。对纯扭情况，这种理论分析结果超过试验结果 30%，对较低的剪力墙，要高出试验结果 50%。

为提高这种桁架模型的分析精度，经历了下列三个主要变化发展阶段：

(1)为 Lampert 和 Thurlimann 等人把混凝土斜杆与钢筋的倾角当变角来处理。从这点出发，导出了三个基本平衡方程，解释了破坏时纵筋和箍筋达到屈服时比例不同的原因，这一理论被称为变角桁架模型理论。因为破坏时被认为是塑性，因此这一理论也可以称为塑性桁架模型理论。

(2)第二个发展阶段为 Collins 通过推导变形协调方程来确定混凝土斜杆的倾斜角。假设倾斜角与主压应力和主压应变的方向倾角一致，故这一理论称为斜压场理论。又因为平均应变条件应满足 Mohr 应变圆，混凝土斜杆的应力应满足 Mohr 应力圆，又称这一理论为协调桁架模型理论。

(3)第三阶段为 Robinson 和 Demorieux 发现混凝土斜杆的软化现象，后来由 Vecchio

和 Collins 把这一软化现象进行了定量化描述。Vecchio 和 Collins 导出了一条混凝土软化应力—应变曲线，软化的程度依赖于两主应变的比值。结合平衡、协调和软化应力—应变关系，形成了一个对钢筋混凝土构件受剪扭分析时精度非常好的理论。它不仅能计算出构件的抗剪扭的强度，而且能计算出结构开裂后的变形。这一理论被称为强调混凝土斜杆软化作用的软化变角空间桁架模型理论。

对混凝土软化现象的发现和定量化描述，解决了困扰研究者半个世纪的难题。目前，研究者一致认为桁架模型理论为处理剪扭问题提供了一种较好的方法，大多数国家的规范均是采用空间桁架模型来分析钢筋混凝土构件的抗扭性能。本书多次用到软化变角空间桁架模型理论对两种组合梁进行抗扭性能分析。

6.1.2.4 板–桁架模型

1996 年，兰州铁道学院刘凤奎提出了一种新型的考虑混凝土软化的空间桁架模型，它只适用于扭弯比较小的构件。由于弯矩的作用较大，构件的顶部并不开裂而形成受压板，无法采用四面开裂的软化桁架模型进行全过程分析。为此，他认为，此时整个构件就可比拟为由两个侧面桁架、一个底部桁架和一个顶部受压板组成的空间复合受力结构，即板–桁架模型。

我国从 1966 年对钢筋混凝土受扭构件的破坏机理和设计方法陆续进行了研究，在 1976 年由当时的国家建委组成了“抗扭”专题组，对钢筋混凝土、预应力混凝土矩形梁、T 形梁等在纯扭、弯扭和弯剪扭下的工作受力性能进行了深入的研究，主要取得下列成果：

(1)对矩形纯扭构件的强度计算，考虑钢筋对抗扭的贡献，提出了实用的两项式公式。

(2)对组合截面的纯扭构件，分析了翼缘厚度对强度的影响，揭示了翼缘和腹板的连接效应。

(3)对弯剪扭构件，采用变角空间桁架模型，导出了强度相关曲线方程和验算公式；对弯扭构件提出了不同破坏形态的判别界限。

(4)对预应力混凝土纯扭构件，从分析变角空间桁架模型的机理出发，提出了能够反映不同预应力程度的抗裂度公式。

在 1989 年的《钢筋混凝土结构设计规范》中引入了这些研究成果。

6.1.3 箱梁的受力分析

在已经建成的混凝土桥梁中，除极少数外，当跨度大于 60 m 时，其横截面大都是箱形截面。钢–混凝土组合箱梁作为薄壁结构，由于其具有抗扭刚度大等诸多优点，目前在桥梁工程中得到了广泛采用。

曲线箱梁或直线箱梁在偏心荷载作用下，既产生弯曲又产生扭转。因此，对钢–混凝土组合箱梁的受力分析可以综合表达为偏心荷载来进行受力分析。钢–混凝土组合箱梁在偏心荷载作用下，将产生纵向弯曲、扭转、畸变及横向挠曲四种基本变形状态。分析时一般先假定位移模式。有了位移模式后，可求得截面的应变和应力。在此基础上，或用力的平衡条件和变形协调条件，或根据变分原理建立微分方程，解微分方程便得位移和应力。

关于箱形梁的扭转分析，苏联学者符拉索夫和乌曼斯基建立了较完整的理论：

(1)刚性扭转的第一理论。乌曼斯基基于周边不变形而提出的闭口截面刚性扭转实用理论。

(2)刚性扭转的第二理论。乌曼斯基放弃翘曲程度的函数β与扭转角θ相同的假定，认为β是一个待求的函数。

(3)刚性扭转的第三理论。1948 年詹涅里杰基于周边不变形而提出的闭口截面约束扭转实用理论。

(4)刚性扭转的第四理论。即符拉索夫的广义坐标法，从周边可变形闭口截面扭转分析出发，根据虚功原理，并令周边变形参数为零，导出了周边不变形闭口截面的刚性扭转解析法，将复杂的空间受力转化为一维问题求解。这是一个适用范围很广的分析法，适用于任何支撑的边界条件，也可应用于变截面箱形梁的分析。整个方法与有限元法的结合而产生的有限条法，可分析薄壁空间曲箱梁。但广义坐标法所需边界条件不够明确，同时，其全部剪应力按胡克定理求得，且沿周边按直线分布是该法的缺点。

对于箱形梁的畸变应力分析，国内外学者做了不少工作，有广义坐标法、等代梁法、Kupfer 法等。

组合箱梁的弯剪扭复合受力问题涉及的因素较多，计算公式比较复杂，也绝不能是简单的叠加所能适用的。当弯剪扭之间的比值不同、配筋数量不同时，一般可以分成三种斜裂面破坏的类型：即受压面在顶面、侧面和底面，根据三种破坏类型可以导出相应的相关方程。但是，最常见的破坏是顶面破坏。

6.1.4　钢–混凝土组合梁的抗扭研究概况

目前，关于组合梁抗扭性能研究的资料，国内在此方面的工作尚属空白，国外的研究也较少。B.Ghosh、M.B.Ray 和 S.K.Mallick 等人在总结前人研究成果的基础上，共计完成了 19 根开口截面组合梁(5 根为纯扭作用、14 根为弯扭复合作用，钢梁全部采用工字钢)的试验分析，分析了弯、扭作用下组合梁的应力和变形，抗弯极限强度通过平衡方程与线性应变模型而得到，计算抗扭极限强度时考虑钢梁及连接件的作用。对于弯扭作用下的组合梁，R.K.Singh 只作了定性分析，没有提出相关方程。他认为适量的弯矩可以提高构件的极限抗扭强度，同样的，适量的扭矩也可以提高构件的极限抗弯强度。极限抗扭强度的提高系数最大为 1.8，极限抗弯强度的提高系数最大为 1.15。文中列举和提出的主要公式有如下几个：

(1)弯扭复合作用下剪力连接件的破坏荷载为：

$$C_{\mathrm{F}}=\frac{N}{2}+\sqrt{\frac{N^2}{4}+H^2} \tag{6-1}$$

式中：H 表示弯矩作用下每个连接件所受的剪力；N 表示扭矩作用下每个连接件所受的轴力。

(2)Colville 根据混凝土板的斜拉开裂准则，提出的极限抗扭强度表示为：

$$T_{\mathrm{cu}}=(1.78\sqrt{f_{\mathrm{c}}})1.5\frac{k_{\mathrm{c}}}{h_{\mathrm{c}}} \tag{6-2}$$

式中：k_c表示混凝土板扭转常数；h_c表示混凝土板厚度；f_c表示混凝土抗压强度。

(3)对于弯扭复合作用，受拉破坏准则为：

$$-\frac{f_{cm}}{2}+\sqrt{\frac{f_{cm}^2}{4}+\tau^2}=7.5\sqrt{f_c} \tag{6-3}$$

式中：τ表示混凝土的扭转剪应力；f_{cm}表示弯矩引起的正应力。

(4)提出的组合梁极限抗扭强度为：

$$T_u=T_{cu}+T_{tr}+T_{tj} \tag{6-4}$$

其中：T_{cu}、T_{tr}、T_{tj}分别表示混凝土板、钢筋和钢梁所提供的抗扭承载力。

由试验可知，工字钢梁对整体抗扭性能的贡献较小。

得到的结论有：

(1)Colville 关于剪力连接件的公式(6-1)，可以满足要求。滑移和掀起都可以忽略。

(2)由混凝土板、钢筋和钢梁分别承担扭矩的计算方法可以较准确地估算组合梁的极限抗扭强度。闭合箍筋既使间距较大，也可以发挥显著的作用。

(3)试验结果证实：弯矩作用可以提高组合梁的抗扭承载力；同时，扭矩的存在也使组合梁的抗弯能力大于理论极限强度。

(4)抗扭刚度不受钢梁和弯矩的影响。

(5)加载过程中，弯扭比保持常数与否，对组合梁抗扭性能影响并不明显。

近年来，虽然钢－混凝土组合梁在我国建筑和桥梁等领域已经得到越来越多的应用，显示出很好的技术经济效益和社会效益，受到了建设单位和施工单位的欢迎，然而，由于部分专业设计人员和主管领导并不算综合效益账，简单地把组合梁同钢筋混凝土梁相比较。诚然，组合梁的造价比钢筋混凝土梁要高 30%～40%，但是，组合梁带来的综合效益如结构高度降低、自重减轻、地震作用减小、构件截面尺寸减小、基础造价降低、延性提高、施工费用降低、施工速度加快等是相当可观的。另外，目前我国有关规范和规程关于组合梁的设计条文尚不完善，甚至不够合理，给组合梁的推广应用也造成了一定的困难。目前我国对采用新型结构而给建设单位节省的投资一般是不给予奖励的，相反，设计费用与工程造价成正比，这就在某种程度上挫伤了设计人员采用新型结构的积极性。建议有关部门制定相应政策，鼓励专业技术人员采用新结构和新技术，以增加工程结构中新技术的含量，促进我国结构工程向高技术和高质量方向发展。

为了促进传统结构的发展，还需要加大对钢－混凝土组合结构研究的投入。在组合梁领域值得进一步研究的问题包括组合梁在复合受力状态下的性能与设计方法、组合梁截面的优化、预应力组合梁、桁架组合梁、大跨组合梁的温度、徐变和收缩效应、新型组合梁的开发、钢－混凝土组合结构体系的整体性能等。

我国对组合梁抗扭的基本性能研究，由于开展的时间短，投入的人力、物力、财力有限，许多问题有待进一步的研究。特别是近十年来，钢－混凝土组合梁大量地应用于各类大型桥梁、高层建筑以及随着其形式、种类的不断扩大，工程的抗震要求和级别不断提高，出现了大量问题有待研究解决。另一方面，从国内外文献看许多研究过的问题还不够深入，得出的结论有待于进一步的研究检验。

综合所见文献，组合梁抗扭方面有待研究的课题主要有：

(1)钢 – 混凝土组合梁复合受力(弯、剪、扭不同组合作用)下的计算分析及试验研究，特别是在复合受扭下，组合梁及其剪力连接件如何进行设计。

(2)钢 – 混凝土组合梁在框架体系中的综合性能，特别是地震等动力荷载作用下组合梁在框架中的抗扭性能研究。

(3)要研究如何从强度、变形和裂缝等方面提供合理的限值，来明确受扭破坏的标志，以利于试验数据的处理。

(4)预应力钢 – 混凝土组合梁的受扭性能及收缩、徐变规律的研究。

(5)开展低周、反复荷载下组合梁的抗扭性能研究。

(6)高强或改性的混凝土组合梁的受扭性能研究。

(7)开展受扭组合梁变形协调条件的研究，以便在复合受扭的全过程分析中，把强度和变形的计算理论统一起来。

(8)深入开展钢 – 混凝土组合梁抗扭机理的研究。

在建筑结构中，结构处于受扭的情况是不少的，且大多处于复合受扭状态，例如曲线桥梁、框架边梁、托梁、超高层建筑转换层大梁等。在电厂主厂房结构中，梁侧的重型悬挂荷载作用也会对梁产生扭矩。实际的组合梁往往处于弯剪、弯扭、弯剪扭等复合受力状态，在动力荷载或地震荷载作用下，结构的破坏大都是弯、剪、扭的不同组合引起的。在我国，构件的抗扭研究是一个发展较晚的课题，目前对钢筋混凝土构件在扭矩作用下性能的掌握程度尚不很成熟，对钢 – 混凝土组合梁的抗扭研究还是空白。因此，对组合梁在纯扭和弯扭下的抗扭性能进行试验研究和理论分析有着重要的现实意义和广阔的工程应用前景，不仅是对组合梁合理设计计算的实际要求，也是完善组合梁分析理论的迫切需要，无疑具有理论与实践的双重意义。

本课题结合国家自然科学基金资助项目和北京市科委资助项目，以组合桥梁为实际工程背景，在试验研究的基础上，对组合梁的抗扭性能进行研究，解决工程实际问题，确保设计的安全、经济、可靠，并为将来有关组合梁规范抗扭设计条文的制定提供科学依据，研究成果可直接为组合梁的抗扭设计及计算分析提供理论依据和参考。

6.1.5 本章的工作

本章将从试验研究和理论分析两方面开展工作。

6.1.5.1 试验研究工作

共计完成了21根组合梁的试验，如表6-1所示，均以混凝土翼板的配箍率和加载的弯扭比为变化参数。

表 6-1 试验试件分类

受力形式	纯扭	弯扭	弯剪扭	合计
开口截面梁根数	5	9	1	15
闭口箱梁根数	2	3	1	6
合 计	7	12	2	21

6.1.5.2 理论分析工作

(1)自行设计了组合梁纯扭和复合弯扭的加载装置，分别对21根组合梁的试验结果，利用数据处理软件Origin5.0和 Graph-tools 2.0进行了全面整理和分析，对组合梁的试验装置设计、试件制作、加载过程、试验现象和组合梁的纯扭、弯扭和弯剪扭破坏时的裂缝形态及应力和应变分布作了详细的描述；找到了开、闭口截面组合梁在纯扭及复合弯扭下的破坏规律，把扭矩直接施加在钢梁上和组合梁整体受扭两种加载方式进行了对比分析，归纳了试件开裂、极限状态下的一系列重要结论。

(2)分别推导了纯扭和弯扭下开、闭口组合梁的开裂扭矩和极限扭矩的计算公式；并考虑设计人员使用的方便，提出了实用抗扭计算公式。与实测值对比，吻合良好。

(3)把变角桁架模型理论用于开、闭口组合梁的受扭极限状态分析中，采用混凝土的软化模型曲线，利用平衡、变形协调和材料本构关系，导出了进行开、闭口组合梁受扭极限状态分析的一系列方程式，并提出了一种能计算出组合梁极限状态下的极限扭矩、极限扭率、混凝土主应变、钢梁及钢筋应变的简化算法；后又借助于Visual C++5.0可视化语言，编制了组合梁受扭极限状态分析程序，制作了输入和输出的可视化界面。计算结果和试验值基本吻合。

(4)根据剪力连接件在组合梁复合受力下的破坏机理和受力性能，提出了连接件复合受力分析的级数分析法，可以方便地求解出组合梁在复合受力下的挠度、滑移和纵向翘曲等。

(5)为了求出复合弯扭下直线组合梁连接件由扭矩作用而引起的横向剪力和竖向轴力，摸清连接件在弯扭作用下的破坏机理和受力性能，本书巧妙地把受复合弯扭的直梁等效为复合弯扭的圆弧形曲梁，导出了连接件在复合弯扭下的剪力和轴力具体计算公式，并提出了直线组合梁在复合受扭下连接件的设计方法，指出目前直线组合梁连接件设计时未考虑扭矩影响的不足。

(6)对曲线组合梁的连接件受力机理进行了研究，导出了由于曲率的影响而对连接件产生的横向剪力和竖向轴力，提出了曲线组合梁连接件的设计方法。

(7)对开、闭口截面组合梁进行了受扭的全过程分析。把整个破坏过程分为开裂前和开裂后两个阶段：在开裂前阶段，利用弹性理论方法；在开裂后的阶段，根据混凝土、钢梁和钢筋的本构关系，利用平衡、变形和协调条件，推导出了适用于开、闭口组合梁受扭全过程分析的一系列方程式，后提出了开、闭口截面组合梁全过程分析的简化算法，并利用Visual C++5.0可视化语言，编制了组合梁受扭全过程分析的计算程序，制作了输入和输出的可视化界面。最后，把试验和理论分析的结果进行了对比，表明方法合理，精度满足要求。

(8)对组合梁在弯扭、弯剪扭作用下的相关性进行了研究，分别推导出了开、闭口组合梁在大弯扭比、小弯扭比以及在弯剪扭作用下的相关方程。并对组合梁在弯扭作用下，弯矩的存在对极限扭矩有提高作用，且扭矩的存在对组合梁的极限弯矩也有提高，对这一试验现象进行了合理的解释。

(9)对开、闭口组合梁的抗扭刚度进行了研究，分别导出了开、闭口组合梁在开裂前、从开裂到极限破坏、极限破坏阶段三阶段的抗扭刚度计算公式；利用空间桁架模型理论，分析了影响抗扭刚度的主要参数；对组合梁受扭分析中的等效壁厚的取值问题进行了专题研究，得到了抗扭组合梁翼板的等效壁厚简化计算公式。

(10)由两种不同材料组成的组合梁属于薄壁构件，其受扭应属于约束扭转，用薄壁理论进行分析是符合实际的方法。首先给出了组合梁的扭转极限分析方法；后在合理假定的基础上，用广义坐标法分别对两种组合梁进行了薄壁分析，详细导出了有关计算的微分方程组，借助 Fortran 算法语言，编制了相关主程序，利用有限元线法的 COLSYS 微分方程求解软件包，对其进行处理分析。

(11)结合试验和理论分析成果，提出了开、闭口组合梁的实际设计方法；对两种抗扭组合梁的截面尺寸、纵筋和箍筋的最大、最小配筋率和间距的构造要求作了说明；给出了抗扭混凝土翼板截面的限制条件，推导了应进行抗扭设计的最小扭矩值和最大配筋量。

采用了多种理论和方法来分别分析开、闭口截面组合梁的纯扭和复合弯扭下的性能。本书的研究工作坚持：试验→理论分析→与试验对比→编程计算→公式回归简化→提出容易被设计人员采用的设计方法和构造规定这一主线，尽力缩短试验和理论分析与实际设计使用之间的距离，以便成果能够被工程设计人员所接受，并填补目前有关规范或规程中关于组合梁抗扭设计与构造的空白。

6.2 组合梁受扭试验研究

6.2.1 开口截面组合梁的受扭试验研究

6.2.1.1 纯扭试验

根据加载方式的不同，组合梁纯扭试验可分为两种，一种为扭矩直接作用于钢梁上，另一种为扭矩作用于整个组合梁截面。本节叙述的纯扭试验属于后一种。

在弹性阶段，扭转角相对较小。混凝土翼板上表面首先出现与构件轴线近似成 45°的斜裂缝。超过开裂扭矩 T_{cr} 后，扭转角显著增大，抗扭刚度急剧降低。随着扭矩的增大，斜裂缝逐渐向两侧延伸，且数量不断增加，同时混凝土翼板下表面也出现斜裂缝，形成环绕整个混凝土翼板的螺旋形裂缝。达到极限扭矩后，裂缝的数量不再增加，裂缝宽度急剧增大，抗扭承载力并无明显下降。当混凝土翼板出现一条或几条宽度较大的主斜裂缝时，整个组合梁受扭破坏。

典型的纯扭开口截面组合梁的 $T—\theta'$ 关系曲线如图 6-2 所示。

可见，开口截面组合梁在纯扭作用下表现为三个工作阶段：开裂前为线弹性阶段，开裂后至破坏前为弹塑性阶段，此后为下降阶段。弹性阶段扭矩主要由混凝土翼板承担，弹塑性阶段由混凝土翼板、钢筋和钢梁三部分承担，破坏后则主要由钢筋和钢梁承担。开口截面组合梁受扭破坏的延性明显好于普通钢筋混凝土梁。

从试验中还可知，尽管对整个组合梁而言为自由受扭，但由于混凝土翼板和钢梁的扭转翘曲特性不同，存在相互约束作用，因此混凝土翼板和钢梁截面中仍存在纵向正应力，各自表现为约束扭转。

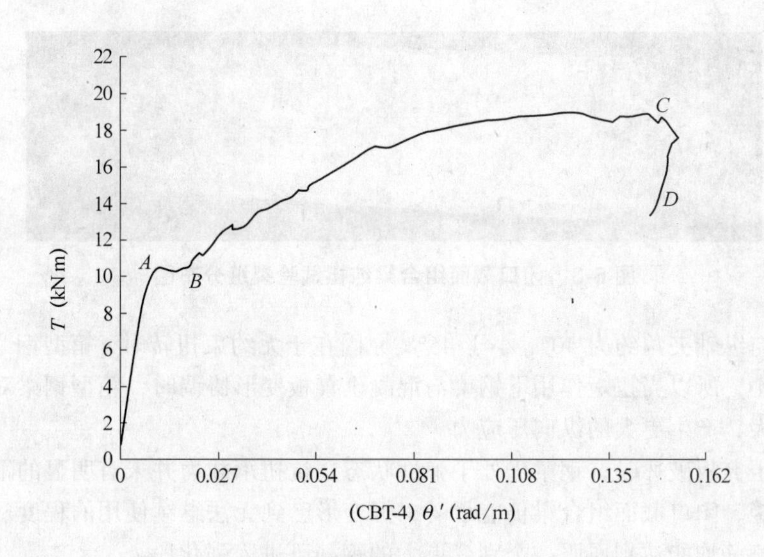

图 6-2 纯扭开口截面组合梁的 $T—\theta'$特征曲线

6.2.1.2 复合受扭试验

根据加载方式的不同，组合梁复合受扭试验亦可分为两种：一种扭矩直接作用于钢梁上，但仍为整个组合梁截面整体受弯；另一种为扭矩和弯矩均作用在整个组合梁截面上。本节叙述第二种复合受扭试验结果。

开口截面组合梁在复合受扭作用下的破坏形态可分为扭型破坏和弯型破坏，影响破坏形态的重要因素为扭弯比 T/M。

(1)扭型破坏。当扭弯比 T/M 较大时，表现为扭型破坏。破坏形态与纯扭作用下的组合梁相似，差别在于弯扭区段混凝土翼板上表面的斜裂缝方向与梁纵轴约呈 40°角，这是弯曲压应力与扭矩产生剪应力叠加的结果。跨中混凝土翼板未出现明显压溃。

(2)弯型破坏。当扭弯比 T/M 较小时，表现为弯型破坏。

混凝土翼板上表面的斜裂缝都分布在弯剪扭作用区段，与纵轴呈 35°～40°，在弯扭区段混凝土翼板上表面几乎没有斜裂缝，只有几条纵向裂缝；混凝土翼板下表面主要为扭矩引起的斜裂缝，大多集中分布在弯扭区段内，与纵轴夹角为 50°～60°，在弯剪扭区段的裂缝数量很少。试验表明，随着扭弯比的减小，混凝土翼板上表面斜裂缝的夹角逐渐减小，而下表面斜裂缝的夹角变大，说明上表面受弯曲压应力和扭转剪应力的复合作用，而下表面受弯曲拉应力和扭转剪应力的复合作用。破坏时，构件扭转角较小，跨中产生相当大的挠度，沿斜压塑性铰线处混凝土被压碎。

试验结果表明，在一定的扭弯比范围内，弯矩的存在可提高组合梁的抗扭承载力，同时扭矩的作用也有利于提高组合梁的抗弯承载力。

6.2.2 闭口截面组合梁的受扭试验研究

6.2.2.1 纯扭试验

纯扭作用下，闭口截面组合梁混凝土翼板的裂缝分布如图 6-3 所示。

图 6-3 闭口截面组合梁纯扭试验裂缝分布图

斜裂缝与纵轴夹角约为40°，小于45°，原因在于无约束扭转时，箱型钢梁的翘曲比工字型钢梁小，所以当扭矩作用下钢梁与混凝土翼板变形协调时，箱型钢梁对混凝土翼板的约束更大，产生更大的纵向压应力。

当混凝土翼板破坏时，钢梁仍处于弹性状态，抗扭承载力并未有明显的下降，如果继续施加扭矩，闭口截面组合梁仍能承受，但变形已到无法继续使用的程度。箱梁破坏时，纵筋和箍筋均能达到屈服，个别变形大的钢筋已进入强化段。

图 6-4 为典型的纯扭闭口截面组合梁的 $T—\theta'$关系曲线。

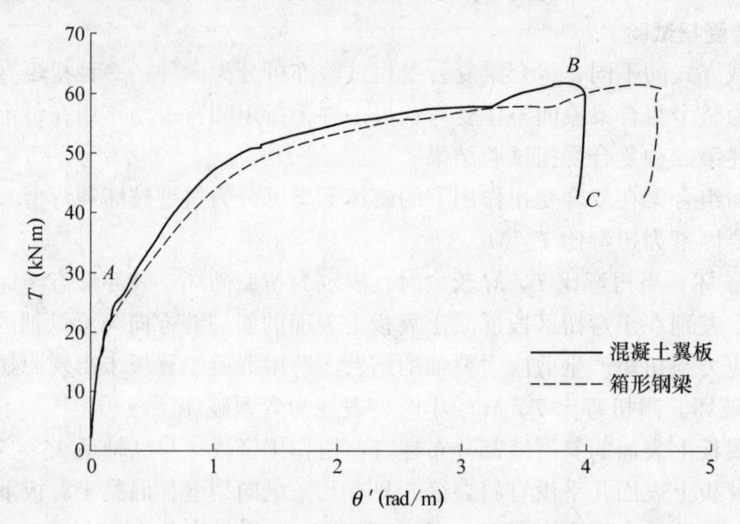

图 6-4 纯扭闭口截面组合梁的 $T—\theta'$特征曲线

6.2.2.2 复合受扭试验

与开口截面组合梁类似，扭弯比是影响闭口组合梁弯扭破坏形态的重要因素。当扭弯比 T/M 较大时，组合梁受力以扭矩为主，呈扭型破坏；当 T/M 较小时，弯矩起主要作用，组合梁表现为弯型破坏。

6.3 组合梁的开裂扭矩计算

6.3.1 开口截面组合梁的开裂扭矩计算

开口截面组合梁的开裂扭矩 T_{cr} 主要由混凝土翼板承担，钢梁的贡献较小，可忽略。

因此，计算开口截面组合梁的开裂扭矩时，只需对混凝土翼板分析，且不考虑翼板中钢筋的作用。下面介绍两种开口截面组合梁开裂扭矩的计算方法：塑性理论计算方法和试验回归方法。

6.3.1.1 塑性理论计算方法

采用完全塑性理论，假定混凝土翼板受扭开裂时，混凝土应力全部达到抗拉强度 f_t，如图 6-5 所示，根据堆砂模拟法(由薄膜比拟法演变而来)建立 T_{cr} 与 f_t 的关系如下：

$$T_{cr}=W_{tp}f_t \tag{6-5}$$

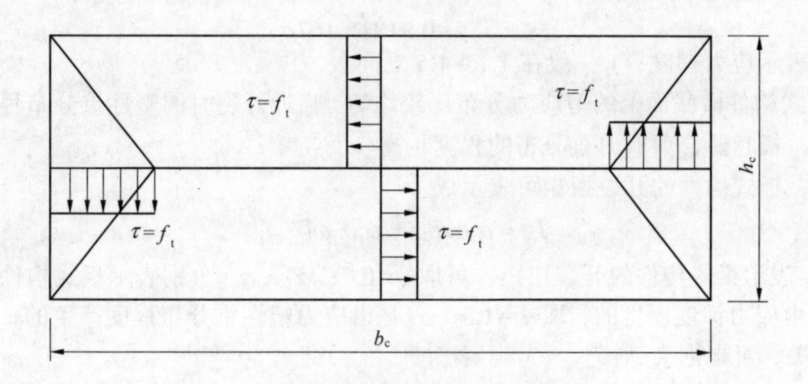

图 6-5 截面剪应力塑性分布图

考虑到实际混凝土翼板开裂时，并非所有截面进入塑性，因此引入截面塑性发展系数ω，将式(6-5)修正为：

$$T_{cr}=\omega W_{tp}f_t \tag{6-6}$$

式中：W_{tp} 为混凝土翼板截面受扭塑性抵抗矩。

对于图 6-5 中截面有：

$$W_{tp}=\frac{h_c^2}{6}(3b_c-h_c) \tag{6-7}$$

将 f_t 用 f_c 表示，经整理和对试验数据的回归分析可得开口截面组合梁的开裂扭矩计算公式为：

$$T_{cr}=a\sqrt{f_c}\times b\frac{k_c}{h_c} \tag{6-8}$$

其中

$$k_c=\frac{1}{3}b_c h_c^3\left(1-0.63\times\frac{h_c}{b_c}\right) \tag{6-9}$$

式中：系数 a 、b 的取值由公式中各参数的单位而定。

当 b_c、h_c 采用单位 m，f_c 采用 N / m^2，T_{cr} 采用 kNm 时，式(6-8)可表示为：

$$T_{cr}=0.625\sqrt{f_c}\times 1.5\frac{k_c}{h_c} \tag{6-10}$$

当 b_c、h_c 采用单位 cm，f_c 采用 MPa，T_{cr} 采用 Ncm 时，式(6-8)可表示为：

$$T_{cr}=1\,024\sqrt{f_c}\times 0.1\frac{k_c}{h_c} \tag{6-11}$$

6.3.1.2 试验回归方法

一般来说，在具有相同的截面受扭塑性抵抗矩的情况下，板式构件的开裂扭矩要高于梁式构件，原因有两点：

(1)板式构件的厚度较薄，当达到开裂临界状态时，其截面的应力梯度要大于同等状态下的梁式构件。应力梯度越大，受拉混凝土塑性影响系数γ_t值(γ_t表示偏心抗拉强度与轴心抗拉强度的比值)就越高。

$$\gamma_t=0.919+5.167\sigma \tag{6-12}$$

式中：σ表示应力梯度；γ_t一般在1.1～1.5之间。

(2)板式构件横截面上的剪应力分布比较均匀，临近开裂时的塑性重分布程度要高于梁式构件，板越薄，剪应力重分布的程度越高。

因此，板式构件的开裂扭矩可表示成：

$$T_{cr}=\alpha_1\alpha_2 T_{cr0}=\alpha_1\alpha_2\omega W_{tp}f_t \tag{6-13}$$

其中：T_{cr0}表示梁式构件的开裂扭矩，可取$\omega=0.7$；α_1、α_2分别表示板式构件的提高系数，α_1是由应力梯度产生的，取$\alpha_1=1.3$；α_2是由应力塑性重分布程度产生的，与截面的宽高比有关，可根据文献[5]、[7]确定。

$$\alpha_2=0.73+0.045\frac{b_c}{h_c}\quad\left(6<\frac{b_c}{h_c}\leqslant 10\right) \tag{6-14}$$

将ω、α_1、α_2表达式代入式(6-13)，可简化为：

$$T_{cr}=\left(0.664+0.041\frac{b_c}{h_c}\right)W_{tp}f_t \tag{6-15}$$

6.3.2 闭口截面组合梁的开裂扭矩计算

闭口截面组合梁的上部混凝土翼板属于板式构件。试验表明，对于配有纵筋和箍筋的板式构件，纵筋和箍筋的存在可以提高混凝土的开裂强度T_{cr}，但是当$\rho+\rho_{sv}$值超过一定数值(>0.014)时，开裂强度T_{cr}不再继续增加。从设计角度看，忽略钢筋的作用偏于安全。

$$T_{cr0}=[1+\alpha(\rho_{st}^{v}+\rho_{vt}^{v})]T_{crp} \tag{6-16}$$

式中：系数α取值在10.5～13.1之间，平均为11.8；T_{cr0}、T_{crp}分别表示钢筋混凝土板和素混凝土板的抗扭开裂强度；ρ_{st}^{v}、ρ_{vt}^{v}分别表示纵筋和箍筋的体积配筋率。

由于闭口截面组合梁下部钢梁的作用，破坏往往表现为钢筋混凝土超筋梁的破坏特征，所以可以用混凝土斜压杆的压应力达到极限值来表明闭口截面组合梁的破坏。采用变角桁架模型中的混凝土斜压杆实际上还受到由于扭转变形引起的弯曲应力以及界面的剪切应力，这些附加的应力对混凝土斜压杆起削弱作用。因此，闭口截面组合梁的破坏是由于混凝土斜压杆的压应力达到了有效抗压强度$k_0 f_c$所致(k_0为折减系数，且小于1)。

开裂扭矩值可以用最大主拉应变等于混凝土极限拉应变值来表示。组合梁的纯扭开裂强度涉及扭剪应力和截面抗扭抵抗矩的取值问题。纯扭组合梁上的主拉应力和主压应力等于扭剪应力。由于与主拉应力平面相垂直的平面内同时存在着主压应力，根据莫尔强度理论，此压应力将降低混凝土的轴心抗拉强度，因此扭剪应力 τ 取值应该低于混凝土的轴心抗拉强度 f_t。

闭口截面组合梁的开裂扭矩可表示为：

$$T_{cr}=T_{1c}+T_{2s} \tag{6-17}$$

式中：T_{1c} 表示混凝土板忽略钢筋影响的抗扭开裂强度；T_{2s} 表示对应于混凝土板开裂时，钢梁所承担的扭矩。

6.3.2.1 T_{1c} 的计算

钢筋混凝土构件在开裂时钢筋应力很小，对开裂扭矩影响不大，可以不计钢筋对开裂扭矩的影响。如图 6-6 所示，受纯扭的闭口截面组合梁构件，在扭矩作用下，截面长边中点的剪应力最大，根据力的平衡条件可知主拉应力 $\sigma_{tp}=\tau_p$，主拉应力的方向与闭口截面组合梁上混凝土板的纵轴线呈 45°角。当主拉应力 σ_{tp} 超过混凝土的开裂强度 f_t 时，混凝土将在垂直于主拉应力的方向开裂。所以，在纯扭作用下，构件的裂缝总是沿着与构件大致呈 45°角的方向发展，且开裂扭矩即为主拉应力满足式(6-18)时的扭矩：

$$\sigma_{tp}=\tau=f_t \tag{6-18}$$

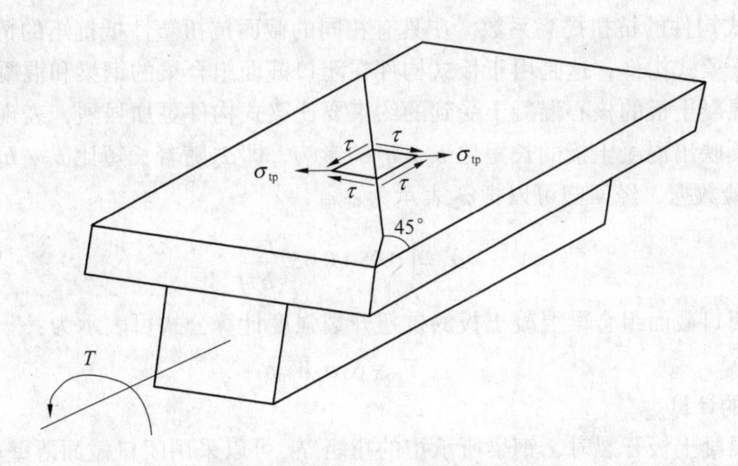

图 6-6　闭口截面组合梁纯扭下的开裂应力示意图

由于混凝土既非弹性材料，又非理想塑性材料，是介于两者之间的弹塑性材料，对低强度混凝土来说，塑性性能好一些；对高强混凝土来说，其性能更接近于弹性。当按弹性理论计算纯扭构件的剪应力分布，则低估了板的抗扭开裂强度；当采用全塑性材料的剪应力分布时，则又会过高地估计构件的抗扭开裂强度。此外，构件内除了作用有主拉应力外，还有与主拉应力成正交的主压应力。在拉压复合应力下，混凝土的抗拉强度要低于单向受拉时的抗拉强度。另外，混凝土内部的微裂缝、裂隙和局部缺陷又会引起应力集中而降低构件的强度。

由上述分析，闭口截面组合梁混凝土翼板的抗扭贡献可以采用塑性材料的应力分布进行计算，但混凝土的抗拉强度要适当地降低。

由材料力学理论可知：

$$\tau = \frac{T}{W_{\mathrm{t}}} \tag{6-19}$$

在矩形截面的全塑性状态，把截面的剪应力划分为 4 个部分，如图 6-6 所示，计算各部分所组成的总力偶，则截面的总扭矩为：

$$T = \tau \frac{h_{\mathrm{c}}^{2}}{6}(3b_{\mathrm{c}} - h_{\mathrm{c}}) \tag{6-20}$$

所以，相应的抗扭塑性抵抗矩 W_{tp} 为：

$$W_{\mathrm{tp}} = \frac{h_{\mathrm{c}}^{2}}{6}(3b_{\mathrm{c}} - h_{\mathrm{c}}) \tag{6-21}$$

混凝土板主拉应力满足式(6-18)时的开裂扭矩：

$$T_{1\mathrm{c}} = \alpha W_{\mathrm{tp}} f_{\mathrm{t}} \tag{6-22}$$

式中：α为折减系数，可以表达为：

$$\alpha = \alpha_1 \alpha_2 \tag{6-23}$$

其中，α_1 为降低系数。因为开裂扭矩近似采用塑性材料的应力分布进行计算，所以混凝土的抗拉强度要适当地降低。统一取α_1=0.7。

α_2 为板式构件的抗扭提高系数。在具有相同的截面抗扭塑性抵抗矩的情况下，其开裂强度要高于梁式构件，这是由于板式构件在闭口截面组合梁的钢梁和混凝土板中钢筋的限制下，混凝土板的核心混凝土受到的约束要比梁式构件更加强烈，表现出很大的塑性。α_2 值应反映出混凝土板的长短比 $b_{\mathrm{c}} / h_{\mathrm{c}}$ 的影响，即α_2 随着长短比 $b_{\mathrm{c}} / h_{\mathrm{c}}$ 而变化。根据文献[5]试验数据，经回归可以把α_2 表示为：

$$\alpha_2 = \left(0.95 + 0.057\frac{b_{\mathrm{c}}}{h_{\mathrm{c}}}\right) \tag{6-24}$$

因此，闭口截面组合梁混凝土板的抗扭开裂强度计算公式可表示为：

$$T_{1\mathrm{c}} = \alpha_1 \alpha_2 W_{\mathrm{tp}} f_{\mathrm{t}} \tag{6-25}$$

6.3.2.2 $T_{2\mathrm{s}}$ 的计算

对应于混凝土板开裂时，钢梁所承担的扭矩 $T_{2\mathrm{s}}$ 可以采用闭口截面薄壁杆件(图 6-7)的自由扭转的相应公式进行计算。

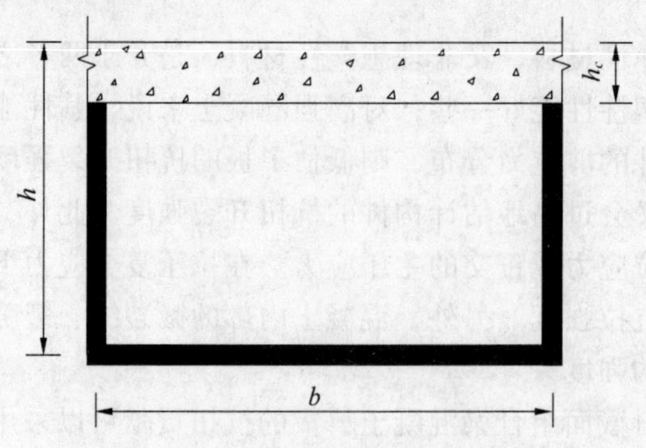

图 6-7　分析钢梁取闭口截面的示意图

剪力流强度：

$$q = \frac{T_{2s}}{2hb} \tag{6-26}$$

上部混凝土板上的剪应力为：

$$\tau = \frac{T_{2s}}{2hbh_c} \tag{6-27}$$

因此可得到对应于混凝土板开裂时由下部箱形钢梁提供的抗扭强度为：

$$T_{2s} = 2hbh_c f_t \tag{6-28}$$

由式(6-25)和式(6-28)，闭口截面组合梁开裂扭矩的计算公式为：

$$T_{cr} = T_{1c} + T_{2s} = \alpha_1 \alpha_2 W_{tp} f_t + 2hbh_c f_t \tag{6-29}$$

其中

$$W_{tp} = \frac{h_c^2}{6}(3b_c - h_c) \tag{6-30}$$

6.4 组合梁的抗扭承载力计算

6.4.1 开口截面组合梁的抗扭承载力计算

组合梁的极限扭矩 T_u 由以下三部分构成：

$$T_u = T_{cu} + T_{tr} + T_j \tag{6-31}$$

式中：T_{cu} 表示混凝土板的作用；T_{tr} 表示钢筋的作用；T_j 表示钢梁的作用。

通过对文献[8] ~ [11]试验结果的回归分析，得到纯扭组合梁的极限扭矩 T_u 与开裂扭矩 T_{cr} 的关系如下：

$$T_u = \eta_c T_{cr} \tag{6-32}$$

其中

$$\eta_c = \sqrt{1 + \frac{21}{\sqrt{f_c}}} \tag{6-33}$$

工程中可以用扩大系数方法估算组合梁的纯扭极限扭矩。用扩大系数考虑钢筋和钢梁的作用，对已有的试验结果进行统计，得到由钢筋混凝土翼板组成的组合梁，其纯扭极限扭矩 T_u 平均约为开裂扭矩 T_{cr} 的 1.89 倍。

在忽略工字钢梁的抗扭作用情况下，极限扭矩由混凝土和钢筋两部分承担。组合梁的极限抗扭强度计算公式，仍按照钢筋混凝土构件抗扭专题组采用的公式形式：

$$T_u = \alpha W_{tp} f_t + \beta \sqrt{\xi} \frac{A_{sv} f_{yv} A_{cor}}{s} \tag{6-34}$$

上述公式中系数通过回归得到：

$$\alpha = 1.10 - 0.25\rho_v \tag{6-35}$$

$$\beta = 0.83 + 5.66\rho_v - 5.36(\rho_v)^2 \tag{6-36}$$

式中：ρ_v表示体积配筋率。

6.4.2 闭口截面组合梁的抗扭承载力计算

闭口截面组合梁的极限扭矩可以表示为：

$$T_u = T_{cu} + T_s \tag{6-37}$$

式中：T_{cu}表示极限状态下钢筋混凝土翼板的抗扭贡献；T_s表示极限状态下箱形钢梁的抗扭贡献。

6.4.2.1 钢筋混凝土翼板的极限抗扭贡献 T_{cu}

板式构件是指截面长短边比大于 6 的构件。根据 Bredit 的薄壁管理论，可以求出扭矩T和单位长度管壁上剪力流q的关系为：

$$T = \int rq\,\mathrm{d}s = 2qA_0 \tag{6-38}$$

式中：A_0为剪力流作用的中心线所包围的横截面面积；r为管的半径。

变角空间桁架理论把配有纵筋和箍筋的板式构件假想成一个壁厚为t的箱形截面构件。构件受扭时，沿箱壁产生不变的环向剪力流 q，构件开裂后的破坏图形可以比拟为一个空间桁架，即纵筋为桁架的弦杆，箍筋为桁架的竖杆，斜裂缝间的混凝土为桁架的斜压腹杆，如图 6-8 所示。

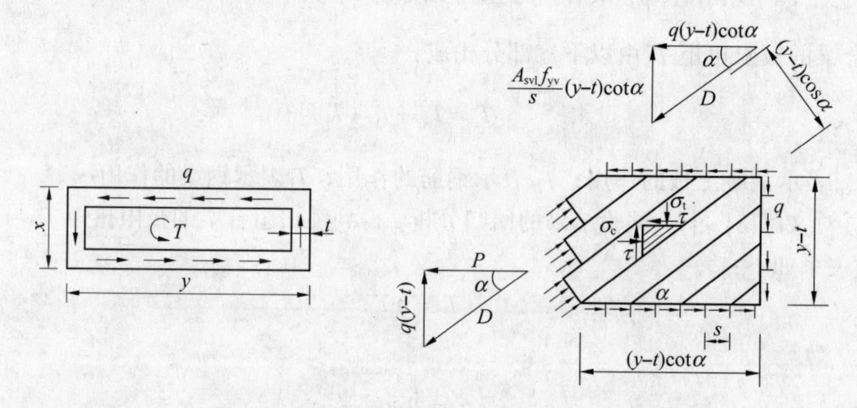

图 6-8 板式构件空间桁架模型分析示意图

由平衡条件得：

$$q(y-t) = \frac{A_{svl} f_{yv}}{S}(y-t)\cot\alpha \tag{6-39}$$

$$P = A_0 f_y (y-t) / u_0 \tag{6-40}$$

$$D\sin\alpha = q(y-t) \tag{6-41}$$

$$\cot\alpha = \frac{P}{q(y-t)} = \frac{A_0 f_y s}{A_{svl} f_{yv} \cot\alpha \cdot u_0} \tag{6-42}$$

式中：u_0表示剪力流中心线的周长。

$$u_0=2(y-t)+2(x-t) \tag{6-43}$$

令
$$\xi=\frac{A_0 f_y s}{A_{svl} f_{yv} u_0} \tag{6-44}$$

故
$$\cot\alpha=\sqrt{\xi} \tag{6-45}$$

把混凝土斜压力用混凝土的斜压杆中的压应力来表示，则：

$$D=\sigma_c t(y-t)\cos\alpha \tag{6-46}$$

从而得到
$$\sigma_c t(y-t)\cos\alpha\sin\alpha=q(y-t) \tag{6-47}$$

$$q=\frac{1}{2}\sigma_c t\sin 2\alpha \tag{6-48}$$

把式(6-39)和式(6-48)分别代入式(6-38)，则：

$$T=2qA_0=2\cot\alpha\frac{A_{svl} f_{yv}}{s}A_0 \tag{6-49}$$

$$T=2qA_0=\sigma_c t\sin 2\alpha\cdot A_0 \tag{6-50}$$

公式(6-50)为用混凝土斜压杆压应力来表示的板式构件的抗扭极限强度公式。

由于下部钢梁的作用，闭口截面组合梁的破坏往往表现为钢筋混凝土超筋梁的破坏特征。如前所述，由于板式构件很薄，核心混凝土受到的约束要比梁式构件更为强烈，表现出很大的塑性，使有效抗压强度 kf_c 提高的系数 k 也应反映出长短边之比 y/x 的影响。经分析，对闭口截面组合梁可以取 k=1.15。

将式(6-50)中混凝土压应力用 kf_c 来代替，可得到用变角空间桁架模型推导的闭口截面组合梁混凝土翼板的极限扭矩 T_{cu} 计算公式：

$$T_{cu}=A_0 tkf_c\sin 2\alpha \tag{6-51}$$

式(6-51)中各个符号的意义如下所述：

A_0表示剪力流中心线所包围的面积，假设剪力流中心线与混凝土斜压杆的压力作用点重合。

$$A_0=(y-t)(x-t)=(b_c-t)(h_c-t) \tag{6-52}$$

α表示混凝土斜压杆的主压力与构件纵轴之间的夹角，它表示纵筋与箍筋的配筋强度比。

t表示混凝土板斜压杆的有效厚度。由式(6-49)和式(6-50)，可以求出有效厚度 t：

$$A_0 tkf_c\sin 2\alpha=2\cot\alpha\frac{A_{svl} f_{yv}}{s}A_0 \tag{6-53}$$

整理得：

$$t=\frac{1}{\sin^2\alpha}.\frac{A}{u_0}.\frac{\sigma_c}{kf_c}\rho_{sv} \tag{6-54}$$

从式(6-54)可以看出，影响有效厚度 t 的因素主要取决于钢筋的配筋率。由于式(6-54)中配筋率、σ_c 和 t 相互影响，计算相当复杂。根据哈尔滨建筑大学对核心混凝土抗扭作用的研究可知：当有效厚 $t=x/3.33$ 时，闭口截面的抗扭强度大致与实心截面的抗扭强度等效。因此，建议板式构件混凝土斜压杆的有效厚度 t 按下式取用：

$$t=\frac{x}{3} \tag{6-55}$$

当构件的配筋率较高时，斜压力会造成构件的边角撕裂或剥落，这将使抵抗外扭矩的剪力流现象发生改变。截面长边尺寸较小的梁由于保护层面积占翼板截面总面积的百分比较大，因而与截面的长边尺寸较大的翼板相比，其剪力流的路线改变较大，因而对承载力的影响也较显著。

当考虑了上述因素后，选用一个与截面长短边之比 y/x 有关的参数 Z_t 对公式(6-51)进行修正，即得到混凝土翼板的抗扭贡献的计算公式为：

$$T_{cu}=Z_t A_0 tkf_c\sin 2\alpha \tag{6-56}$$

通过对文献[5]的试验数据并以截面的长短边之比 y/x 为参数进行回归分析，可以求得超筋板式构件长宽比对极限扭矩的影响系数：

$$Z_t=(0.7+0.08\frac{y}{x})=(0.7+0.08\frac{b_c}{h_c}) \tag{6-57}$$

由

$$\xi=\frac{A_{st}f_{sy}s}{A_{sv1}f_{yv}u_0} \tag{6-58}$$

故

$$\cot\alpha=\sqrt{\xi}=\sqrt{\frac{A_{st}f_{sy}s}{A_{sv1}f_{yv}u_0}}, \tag{6-59}$$

可以得到：

$$\alpha=\operatorname{arccot}\sqrt{\frac{A_s f_y s}{A_{sv1}f_{yv}u_0}} \tag{6-60}$$

一般工程上有：

$$0.6<\xi\leqslant 1.7 \tag{6-61}$$

则有：

$$37°<\alpha<52° \tag{6-62}$$

所以 $\sin 2\alpha=0.95\sim 1.0$，取 1.0 (6-63)

6.4.2.2 箱形钢梁的抗扭贡献 T_s

试验表明，闭口截面组合梁在纯扭破坏时，钢梁仍处于线弹性阶段，应变和应力为线性关系。因此，钢梁的抗扭贡献 T_s 可以表示为：

$$T_s=GJ\theta'_s \tag{6-64}$$

设破坏时混凝土翼板和钢梁的扭率相等，则有：

$$\theta'_c=\theta'_s \tag{6-65}$$

$$\theta_c' = \frac{T_{cu}}{K_{to}''} \tag{6-66}$$

式中：K_{to}'' 表示钢筋混凝土翼板的钢筋屈服时的纯扭刚度。

由文献[11]可知，钢筋混凝土翼板屈服到破坏时的抗扭刚度为：

$$K_{to}'' = \frac{4E_s b_{cor}''^3 h_{cor}''^3}{u_{cor}''^2}\left(\frac{1}{\frac{1}{\rho_{st}^v}+\frac{1}{\rho_{vt}^v}+\frac{4\alpha_E \lambda_t b_{cor}'' h_{cor}''}{u_{cor}'' t}}\right) \tag{6-67}$$

$$u_{cor}'' = 2(b_{cor}'' + h_{cor}'') \tag{6-68}$$

式中：E_s 表示钢筋的弹性模量；b_{cor}''、h_{cor}''、u_{cor}'' 分别表示钢筋混凝土翼板箍筋中心连线的宽度、厚度尺寸和角部箍筋中心连线的周长；ρ_{st}^v、ρ_{vt}^v 分别表示纵筋和箍筋的体积配筋率；α_E 表示钢筋与混凝土的弹性模量比；λ_t 表示附加系数，根据试验取$\lambda_t=3$ 较为合适。

建议板式构件有效壁厚可以按式(6-55)计算。所以，闭口组合梁的极限扭矩 T_u 的计算公式为：

$$T_u = A_0 t k f_c \sin 2\alpha (1+\frac{GJ}{K_{to}''}) \tag{6-69}$$

6.5 组合梁的受扭构造

6.5.1 混凝土翼板的限制条件

组合梁受扭破坏是由于混凝土斜压杆被压碎引起的。由于混凝土翼板较薄，混凝土受到钢筋的约束要比梁式构件(长短边比 $y/x<6$)更加强烈，表现出很大的塑性。

为了避免受扭组合梁的混凝土翼板过早破坏，能够发挥钢梁应有的作用，需要规定受扭组合梁翼板的最小截面尺寸，即规定翼板截面的限制条件。目前，我国对梁式构件的截面限制条件是用塑性理论来表达的，即：

$$T_u = \omega W_t f_c \tag{6-70}$$

式中：ω表示截面未达到完全塑性的系数。

当取有效厚度 $t=x/3$，$x=h_c$，$y=b_c$，由

$$A_0 t = t(y-t)(x-t) = (y-x/3)(x-x/3)\frac{x}{3} = \frac{2}{27}x^2 y(3-\frac{x}{y}) \tag{6-71}$$

而
$$W_t = \frac{1}{6}x^2(3y-x) = \frac{1}{6}x^2 y(3-\frac{x}{y}) \tag{6-72}$$

式中：A_0 表示剪力流所围区域面积。

式(6-71)除以式(6-72)得：

$$\frac{A_0 t}{W_t}=0.44=\text{常数} \tag{6-73}$$

$$A_0 t=0.44W_t \tag{6-74}$$

把式(6-74)和式(6-34)结合，得到：

$$T_u=(0.154+0.017\ 6\frac{y}{x})W_t f_c \tag{6-75}$$

对板式构件取

$$\omega=(0.154+0.017\ 6\frac{y}{x}) \tag{6-76}$$

因此，建议组合梁翼板截面的限制条件：

$$\omega \geqslant \frac{T_{max}}{W_t f_c} \tag{6-77}$$

式中：T_{max} 表示作用于组合梁上的最大扭矩。

6.5.2 构造配筋

6.5.2.1 纵筋

对于纯扭组合梁，翼板截面的短边 $b<400$ mm 时，纵筋可以集中配置在四角；$b\geqslant 400$ mm 时，纵筋可以沿箍筋的周边均匀布置。纵筋的间距在 100 ~ 200 mm 时，裂缝宽度较小。

角部纵筋起箍筋的锚板作用。当箍筋的间距过大而角部纵筋直径过小，则角部斜压力将会将混凝土推出。当角部的纵筋的直径 d 满足关系式(6-78)，上述破坏可以避免。

$$d\geqslant \frac{s\cdot \tan\alpha}{16} \tag{6-78}$$

至于混凝土主压应力的倾角α，它不仅与纵筋拉应变ε_s、箍筋拉应变ε_v、混凝土的主压应变ε_c 的大小有关，还与作用在组合梁上的扭矩和弯矩的比值有关，随着扭弯比的减少，α将增大。

在扭矩作用下，纵筋主要承受拉力和销栓力，角部的纵筋还承受斜压力所产生的外推力。从我国的工程实际来看，一般情况下纵筋的直径不宜小于 10 mm，为了合理地限制裂缝宽度，纵筋间距不宜大于 300 mm。

6.5.2.2 箍筋

箍筋主要起竖向拉接作用，以平衡混凝土斜压力所产生的外推力。Pandit 的试验表明：箍筋满足搭接长度时，梁的抗扭强度比箍筋搭接 $8d$ 的梁要高 8%。箍筋搭接 $8d$ 的梁破坏时在箍筋接头处发生拉开现象，所以应注意箍筋有足够的锚固长度。箍筋自由端的锚固应弯入箍筋内侧范围内的混凝土中。

6.5.2.2.1 箍筋形式

纯扭组合梁翼板往往在四个侧面上都出现斜裂缝，所以箍筋必须做成封闭式，以便来抵抗四个侧面角部的外推力。国内外的抗扭的试验表明：当箍筋的两端弯成 135°时，

再伸长 $6d$，并使弯钩包住纵筋，这种形式均可满足抗扭构造的要求。

6.5.2.2.2 箍筋间距

纯扭组合梁的最小体积配筋率为：

$$\rho_{vt,min}^{v}=\frac{A_{svt}u_{cor}}{bh_{c}s} \tag{6-79}$$

可以求得：

$$\rho_{vt,min}^{v}=\frac{0.55f_{t}}{\sqrt{\xi}f_{yv}} \tag{6-80}$$

式中：$\xi=\dfrac{A_{st}f_{ys}}{A_{svt}f_{yv}u_{cor}}$；$f_t$ 表示混凝土的抗拉强度。

箍筋的间距是限制斜裂缝开展的重要因素之一。箍筋的间距过大，斜裂缝一出现，裂缝宽度就比较大。试验表明，箍筋的间距满足下列关系式时

$$s\leqslant\frac{b''_{cor}+h''_{cor}}{4}\leqslant 250\,\text{mm} \tag{6-81}$$

可以限制使用条件下受扭组合梁的斜裂缝宽度，角部纵筋直径大于 $s/16$ 时，可以避免角部混凝土的脆性破坏。

从试验可以知道：扭剪的应力较高时，箍筋的间距应小或者角部的纵筋应强，这样可以避免由于斜压杆的外推力而造成混凝土菱角的过早崩裂，同时每根扭剪裂缝至少应与两根箍筋相交。

对开口组合梁的细长挑出部分，可以不受上述箍筋最小间距的要求。

如果扭转是由变形协调所产生的，而不是为了平衡外力，则一般不需要验算，可以采用合理的构造配筋来处理。

6.6 组合梁的抗扭设计

6.6.1 抗剪连接件设计

6.6.1.1 扭矩引起连接件上的横向剪力 V

(1)在极限弯矩状态下，设作用于钢梁与混凝土翼板交界面上抗剪连接件上的最大纵向(沿梁轴向)剪力为 Q，Q 取(f_cA_c，Af)中较小者，即：

$$Q=\min\{f_{c}A_{c},Af\} \tag{6-82}$$

式中：A_c、A 分别表示混凝土翼板的截面面积和钢梁的截面面积；f_c、f 分别表示混凝土翼板的抗压强度和钢梁的屈服强度。

(2)如图 6-9、图 6-10 所示，在极限弯扭(扭矩 T，弯矩 M)作用下，直梁的半跨 AB (B 为跨中)，可以等效理解为半跨圆弧曲梁 A_1B_1，引起 A_1 点扭矩的偏心距为 T/P，P 为垂直于圆弧曲梁作用的力，取：

$$P=\frac{M}{L/2} \tag{6-83}$$

式中：M、L 分别表示直线组合梁的弯矩和跨度。

显然，在弯扭复合作用下，直线组合梁任意截面的受力完全等同于等效曲线组合梁上 A_1 点的受力，因此截面 A_1 处连接件的受力状况完全等同于直线组合梁上任意截面处连接件的受力状况，这样就为直线组合梁受复合弯扭时剪力连接件的设计提供了方便。

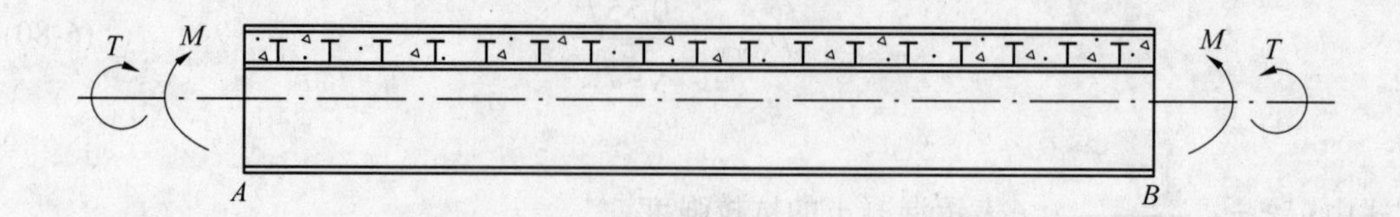

图 6-9　受弯扭直线组合梁

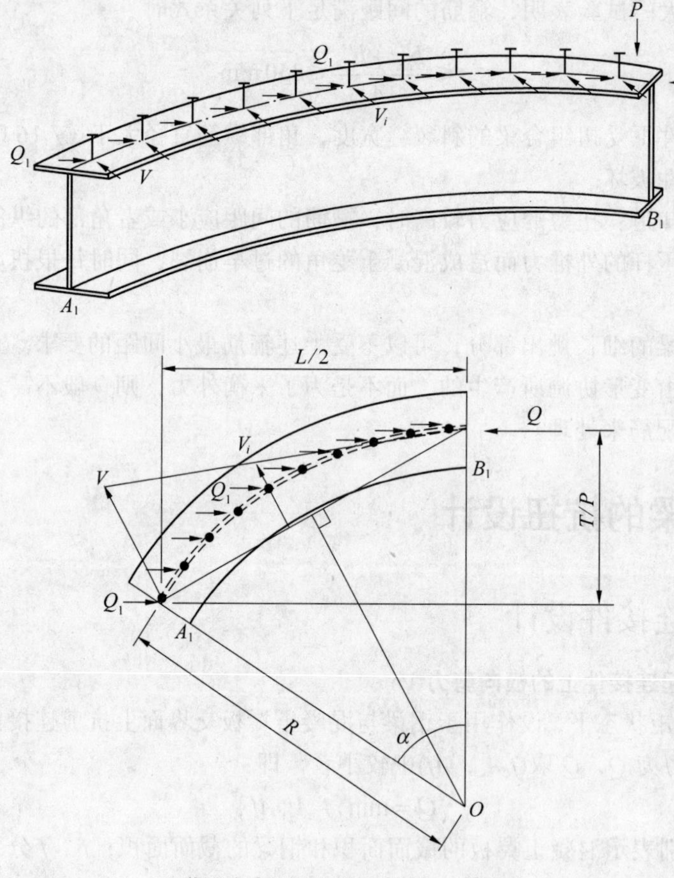

(A_1 截面处受力状况相同于直梁 AB 任意截面)

图 6-10　半跨直线组合梁等效为圆弧曲梁交界面受力图

沿混凝土翼板和钢梁之间剖开，如图 6-10 所示，剪力 V_i 和 Q 位于圆弧曲梁的水平面内，P 为垂直于该水平面的外集中力。

由于 Q 对曲线组合梁各截面形心的偏心作用，引起每个连接件所承担的剪力 V_i 与连接件到 B_1 点的距离成正比。也就是说，在半跨 $L/2$ 内，单个连接件由扭矩产生的水平剪力 V_i 同该截面处的扭矩值成正比，大小沿直线 A_1B_1 线性分布，B_1 处 $V_i=0$，A_1 处 V_i 最大$=V$，V 即是所求的由扭矩 T 在直梁连接件上引起的剪力，如图 6-10 所示。

连接件在梁跨内均匀分布，Q 引起单个连接件上的水平剪力 Q_1 均与 Q 方向相反，半跨上所有连接件的 Q_1 相等，且总和为 Q，即：

$$Q_1=\frac{Q}{n} \tag{6-84}$$

用 n 表示为连接件的总数(半跨内)，n_s 表示连接件的列数，求出 A_1 处单个连接件上的剪力 Q_1 和 V，也就知道了在弯扭作用下直线组合梁上连接件的所受剪力。半跨内连接件的排数：

$$m=\frac{n}{n_s} \tag{6-85}$$

由图 6-10 可知：

$$\tan\frac{\alpha}{2}=\frac{T/P}{\dfrac{L}{2}} \tag{6-86}$$

得到：

$$\alpha=2\arctan(\frac{T/P}{L/2}) \tag{6-87}$$

又因为$\left(2R\sin\dfrac{\alpha}{2}\right)^2=\left(\dfrac{L}{2}\right)^2+\left(\dfrac{T}{P}\right)^2$，所以

$$R=\frac{\sqrt{\dfrac{L^2}{4}+\left(\dfrac{T}{P}\right)^2}}{2\sin\dfrac{\alpha}{2}} \tag{6-88}$$

由$\sum M_{B_1}=0$，即在水平平面内，所有连接件的 V_i 对 B_1 的弯矩之和应等于所有连接件的 Q_1 对 B_1 的弯矩之和。从 A_1 处开始，第 i 排连接件上由扭矩引起的剪力 V_i：

$$V_i=V-(i-1)\frac{V-0}{m-1}\quad(i=1,2,3,\cdots,m) \tag{6-89}$$

第 i 排连接件上的 V_i 对 B_1 的弯矩为：

$$\left[Vn_s-(i-1)\frac{n_sV-0}{m-1}\right]\times\left[2R\sin\frac{\alpha}{2}-2R\sin\frac{\alpha}{2}\frac{i-1}{m-1}\right]=n_sV_i\cdot R\sin(\alpha-\frac{i-1}{m-1}\alpha) \tag{6-90}$$

第 i 排连接件上的 Q_1 对 B_1 的弯矩为：

$$Q_1n_s\times\left[R(1-\cos\alpha)-R(1-\cos\alpha)\frac{i-1}{m-1}\right]=n_sQ_1\left[R-R\cos(\alpha-\frac{i-1}{m-1}\alpha)\right] \tag{6-91}$$

得到：

$$\sum_{i=1}^{m}\{[Vn_s-(i-1)\frac{n_s V-0}{m-1}]\times[2R\sin\frac{\alpha}{2}-2R\sin\frac{\alpha}{2}\frac{i-1}{m-1}]\}=\sum_{i=1}^{m}\{[Q_1 n_s\times[R(1-\cos\alpha)-R(1-\cos\alpha)\frac{i-1}{m-1}]\}$$

$$2n_s VR\sin\frac{\alpha}{2}\sum_{i=1}^{m}\{[1-\frac{i-1}{m-1}]\times[1-\frac{i-1}{m-1}]\}=n_s Q_1 R(1-\cos\alpha)\sum_{i=1}^{m}[1-\frac{i-1}{m-1}] \tag{6-92}$$

从而，得到 A_1 处由扭矩作用引起的单个连接件上剪力 V 为

$$\Rightarrow V=\frac{n_s Q_1(1-\cos\alpha)\sum_{i=1}^{m}\left[1-\frac{i-1}{m-1}\right]}{2n_s\sin\frac{\alpha}{2}\sum_{i=1}^{m}\left[1-\frac{i-1}{m-1}\right]^2} \tag{6-93}$$

把 $Q_1=\frac{Q}{n}$ 代入式(6-93)可得：

$$V=\frac{Q(1-\cos\alpha)\sum_{i=1}^{m}\left[1-\frac{i-1}{m-1}\right]}{2n_s\sin\frac{\alpha}{2}m\sum_{i=1}^{m}\left[1-\frac{i-1}{m-1}\right]^2}=\frac{Q(1-\cos\alpha)}{2n_s\sin\frac{\alpha}{2}}\times\frac{\sum_{i=1}^{m}\left[1-\frac{i-1}{m-1}\right]}{m\sum_{i=1}^{m}\left[1-\frac{i-1}{m-1}\right]^2} \tag{6-94}$$

其中：$\sum_{i=1}^{m}\left[1-\frac{i-1}{m-1}\right]=m-\sum_{i=1}^{m}\frac{i-1}{m-1}$，而：

$$\sum_{i=1}^{m}\frac{i-1}{m-1}=0+\frac{1}{m-1}+\frac{2}{m-1}+\cdots+\frac{m-2}{m-1}+1=\frac{0+1}{2}\cdot m\text{(等差数列)}$$

所以：

$$V=\frac{Q(1-\cos\alpha)}{2n_s\sin\frac{\alpha}{2}}\times\frac{\frac{m}{2}}{m\sum_{i=1}^{m}\left[1-\frac{i-1}{m-1}\right]^2}=\frac{Q(1-\cos\alpha)}{4n_s\sin\frac{\alpha}{2}}\times\frac{1}{\sum_{i=1}^{m}\left[1-2\frac{i-1}{m-1}+\left(\frac{i-1}{m-1}\right)^2\right]}$$

$$=\frac{Q(1-\cos\alpha)}{4n_s\sin\frac{\alpha}{2}}\times\frac{1}{m-2\cdot\frac{m}{2}+\sum_{i=1}^{m}\left(\frac{i-1}{m-1}\right)^2}=\frac{Q(1-\cos\alpha)}{4n_s\sin\frac{\alpha}{2}}\times\frac{1}{\sum_{i=1}^{m}\left(\frac{i-1}{m-1}\right)^2} \tag{6-95}$$

其中：$\sum_{i=1}^{m}\left(\frac{i-1}{m-1}\right)^2=\frac{1}{(m-1)^2}[0+1+2^2+3^2+\cdots+(m-1)^2]$

利用级数公式 $1+2^2+3^2+\cdots+m^2=\frac{1}{6}m(m+1)(2m+1)$ 有：

$$V=\frac{Q(1-\cos\alpha)}{4n_s\sin\frac{\alpha}{2}}\times\frac{1}{\sum_{i=1}^{m}(\frac{i-1}{m-1})^2}=\frac{Q(1-\cos\alpha)}{4n_s\sin\frac{\alpha}{2}}\times\frac{1}{\frac{1}{(m-1)^2}\cdot\frac{1}{6}m(m-1)(2m-1)}$$

$$=\frac{Q(1-\cos\alpha)}{4n_{\rm s}\sin\frac{\alpha}{2}}\times\frac{1}{\frac{m(2m-1)}{6(m-1)}} \tag{6-96}$$

设连接件的受扭影响系数

$$k=\frac{m(2m-1)}{6(m-1)} \tag{6-97}$$

式(6-96)可以写成：

$$V=\frac{Q(1-\cos\alpha)}{n_{\rm s}4k\sin\frac{\alpha}{2}} \tag{6-98}$$

通过推导，可以把 $k=\frac{m(2m-1)}{6(m-1)}$ 回归为 $(m-1)$ 的线性函数，系数 k 的回归式为：

$$k=0.332(m-1)+0.75 \tag{6-99}$$

当 $n_{\rm s}$=1 时，

$$k=0.332(n-1)+0.75 \tag{6-100}$$

因此，每个连接件所承受的剪力 H 为 Q 和 V 的矢量和，H 的大小为：

$$H=\sqrt{Q_1^2+V^2+2Q_1V\sin\frac{\alpha}{2}} \tag{6-101}$$

6.6.1.2 扭矩引起的连接件上轴向力 *N*

钢梁和混凝土板之间传递扭矩 T 时，连接件上受到轴向力 N 作用，如图 6-11 所示。

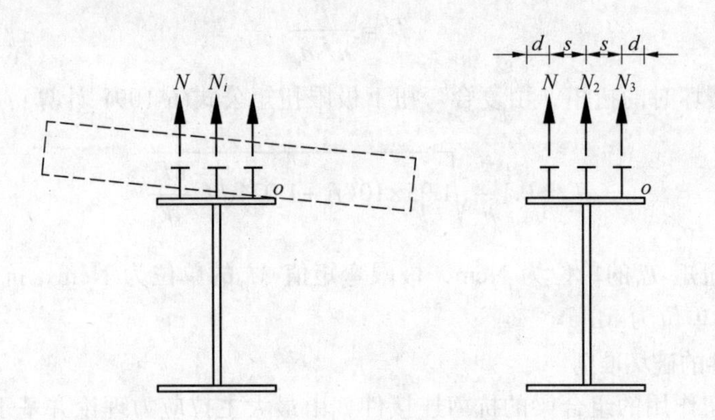

图 6-11 抗剪连接件上的竖向轴力作用示意图

设 s 表示栓钉连接件间的横向间距；d 表示连接件到旋转中心(图 6-11 中 o 点)的距离，可以认为每个连接件的受力与到 o 点的距离成正比。由力矩平衡方程可以得到任意连接件受到的最大竖向轴力。

设混凝土翼板绕 o 点发生微小刚体转动，由图 6-11 可得：

$$\frac{N_i}{N}=\frac{(i-1)s+d}{(n_{\rm s}-1)s+d} \tag{6-102}$$

所以，

$$N_i = N \cdot \frac{(i-1)s+d}{(n_s-1)s+d} \tag{6-103}$$

又因为

$$\sum_{i=1}^{n_s} \{[(i-1)s+d]N_i\} = T' \tag{6-104}$$

把式(6-103)代入式(6-104)，得到：

$$\sum_{i=1}^{n_s} \frac{[(i-1)s+d]^2 N}{(n_s-1)s+d} = T'$$

所以

$$N = \frac{(n_s-1)s+d}{\sum_{i=1}^{n_s}[(i-1)s+d]^2} T' \tag{6-105}$$

当 n_s=1 时，即仅有一列连接件时，

$$N = \frac{2T'}{b_s} \tag{6-106}$$

$$b_s = 2d + (n_s-1)s \tag{6-107}$$

每排连接件承受的扭矩 T' 为：

$$T' = \frac{T}{n/n_s} \tag{6-108}$$

T 为弯扭破坏时的扭矩，由复合弯扭下极限扭矩公式(6-109) 计算：

$$T_p = 0.1\frac{k_c}{h_c}\sqrt{1.05\times10^6 f_c + 1\,024\sqrt{f_c}\frac{M_p}{W}} \tag{6-109}$$

其中极限扭矩 T_p 的单位为 Ncm，极限弯矩值 M_p 的单位为 Ncm，抗弯模量 W 的单位为 cm^3，f_c 的单位为 MPa。

6.6.1.3 连接件的破坏准则

受复合弯扭作用的组合梁的抗剪连接件，由最大主拉应力理论并基于破坏准则设计时，连接件的破坏荷载为：

$$C_F = \frac{N}{2} + \sqrt{\frac{N^2}{4} + H^2} \tag{6-110}$$

破坏标准为：

$$C_F = \frac{N}{2} + \sqrt{\frac{N^2}{4} + H^2} \leqslant f_u A_s \tag{6-111}$$

式中：f_u、A_s 分别表示连接件的极限抗拉强度和截面面积。

连接件的破坏形态有两种：连接件附近的混凝土破坏；连接件自身的强度不足而破坏。抗剪连接件的强度与混凝土强度、栓钉的材性等因素有关。式(6-111)仅能保证连接件不至于因自身的强度不足而被拉坏，是根据最大拉应力理论得到的。为防止连接件附近混凝土的破坏，弯扭作用下单个连接件所受的水平剪力 H 应满足：

$$H \leqslant \min\{0.43A_s\sqrt{E_c f_c}, 0.7A_s f_u\} \tag{6-112}$$

式中：E_c、f_c 分别为混凝土的弹性模量和混凝土的抗压强度设计值。

6.6.1.4 弯扭复合作用下连接件的实用设计方法

由上面的理论推导，可以得到抗扭组合梁的抗剪连接件的设计程序：

(1)确定要使用的栓钉连接件的尺寸，利用式(6-109)确定极限扭矩，计算截面受弯破坏时作用于连接件上的力 Q。

(2)确定 n_s (每排连接件的数目)。

(3)估计最大弯矩点到零弯矩点之间所需要的连接件的数量 n，可以采用下式估算：

$$n = \frac{Q}{\min\{0.43A_s\sqrt{E_c f_c}, 0.7A_s f_u\}} \tag{6-113}$$

(4)用式(6-87)、式(6-88)和式(6-98)求出 R 和 V；用式(6-101)求出 H。

(5)利用式(6-105)或式(6-106)，确定在最大扭矩处与零弯矩处两计算点之间的 N。

(6)复核破坏标准。一是否满足式(6-111)；二是否满足式(6-112)；否则，调整 n 和 n_s 的值，重复上面(4)到(6)步的计算。

(7)对 T、M 变化的构件，每一部分都可以按上述方法设计计算。

6.6.1.5 设计算例

一根受弯扭复合作用的组合梁，其混凝土翼板采用 700 mm × 80 mm，跨度 3.8 m，采用 C30 混凝土，钢梁采用焊接箱形钢板梁(厚度 10 mm，高 × 宽=200 mm × 250 mm)，钢梁屈服强度为 300 MPa，极限弯矩 M_u=105 kNm，极限扭矩 T_u=68.09 kNm。

(1)采用栓钉连接件的直径 Φ16 mm，截面面积 201 mm^2，单个栓钉连接件上最大承受荷载 $f_u A_s$=98.1 kN。在受弯破坏时，连接件上的水平剪力为：$Q=\min(f_c A_c, Af)$=924 kN。垂直作用于圆弧梁上的力 P 的最大值为：$P=\dfrac{M}{L/2}$=55.26 kN。

(2)取 n_s=2。

(3)由式(6-113)估计半跨中的连接件数 $n=20$。

(4) $\alpha = 2\arctan\left(\dfrac{T/P}{L/2}\right) = 66.1°$，并可以得到：$R = \dfrac{\sqrt{\dfrac{L^2}{4}+\left(\dfrac{T}{P}\right)^2}}{2\sin\dfrac{\alpha}{2}} = 2.09$ m。

(5)用 $V = \dfrac{Q(1-\cos\alpha)}{n_s 4k\sin\dfrac{\alpha}{2}} = 33.21$ kN；用 $H = \sqrt{Q_1^2+V^2+2Q_1 V\sin\dfrac{\alpha}{2}} = 69.0$ kN

(6)确定最大扭矩处与零弯矩处两计算点之间的 N，$N = \dfrac{(n_s-1)s+d}{\sum\limits_{i=1}^{n_s}[(i-1)s+d]^2}T' = 11.6$ kN。

(7)校核破坏标准：① $C_F = \frac{N}{2} + \sqrt{\frac{N^2}{4} + H^2} = 75.1\,\text{kN} < f_u A_s = 98.1\,\text{kN}$，满足连接件的自身强度要求；② $H = 69.0\,\text{kN} < \min(0.43 A_s \sqrt{E_c f_c}, 0.7 A_s f_u) = 69.5\,\text{kN}$。

6.6.2 组合梁受扭设计程序

6.6.2.1 抗扭组合梁截面设计

(1)由文献[19]中组合梁的一般构造要求，选定组合梁的高度和翼板宽度。

(2)由抗扭板式构件的截面限制条件式(6-77)，确定混凝土翼板的厚度。

(3)由开口弯扭组合梁试验知，开口组合梁的极限扭矩一般不超过极限弯矩 20%。即 $T_u \leqslant 20\% M_u$。因此，当 $T_u > 20\% M_u$ 时，宜采用钢–混凝土闭口组合梁，以增加其抗扭能力。

6.6.2.2 复合受扭组合梁连接件的设计

(1)在没有扭矩作用下，有关文献[19]已给出了各种连接件在弯、剪和拉压下的设计方法，总体来讲可以分为弹性设计法和塑性设计法。

(2)在存在扭矩作用的组合梁，连接件设计时应考虑扭矩对连接件的剪力和轴向拉伸的影响，前面已给出了复合弯扭下组合梁连接件的设计方法。

6.6.2.3 组合梁的抗弯设计

扭矩存在时，极限弯矩最大能提高 15%，因此抗弯设计时，可以不考虑扭矩对极限弯矩的提高作用。单独考虑弯矩的作用计算出相应的配筋，并与抗扭的配筋相叠加。文献[19]、[20]中较详细地给出了组合梁抗弯的具体设计过程。

6.6.2.4 组合梁的抗扭和抗剪设计

(1)组合梁的竖向抗剪承载力 V_u，可以认为腹板均匀受剪且达到了钢材的塑性抗剪设计强度，不考虑混凝土板的作用，抗剪承载力 V_u 由式(6-114)求出。

$$V_u = h_w t_w f_p \tag{6-114}$$

式中：h_w 表示腹板高度，等于钢梁的截面全高；t_w 表示腹板的厚度；f_p 表示塑性设计的抗剪设计强度。

(2)抗扭箍筋设计。箍筋可以按照式(6-115)给出：

$$\frac{A_{svt}}{s} = \frac{T_{cu}}{\phi 2 A_0 f_{yv} \cot\alpha} \tag{6-115}$$

由于组合梁中钢梁的约束作用，对开口截面组合梁建议 α 为 40.5°。对闭口截面组合梁建议 α 为 37.5°。

剪力流所围面积 A_0 依赖于剪力流区厚度 t 的大小，也就是说，它是作用扭矩 T 的函数。它们之间的相互关系能够被箱壁的翘曲变形协调条件得出。实际设计时，A_0 和 t 的简化关系式可表示如下：

$$t = \frac{4T_{cu}}{\phi f_c A_c} \tag{6-116}$$

$$A_0 = A_c - \frac{t}{2} p_c \tag{6-117}$$

式中：A_c 表示混凝土截面外围周长所围的面积；p_c 表示混凝土截面的外部周长。把式(6-117)代入式(6-116)，得到：

$$A_0 = A_c - \frac{2T_{cu} p_c}{\phi f_c A_c} \tag{6-118}$$

对于实际设计时可以取下列关系式：

$$A_0 = 0.85 A_c \tag{6-119}$$

(3)抗扭纵筋设计。采用空间变角桁架模型，利用式(6-115)推出：

$$A_{st} = \frac{A_{svt}}{s} u_{cor} \left(\frac{f_{yv}}{f_{sy}} \right) \cot^2 \alpha \tag{6-120}$$

式中：u_{cor} 表示外层箍筋中心线的周长；f_{sy} 表示纵筋的屈服强度。

6.6.2.5 组合梁抗扭的最小配筋量

为了避免脆性受扭破坏，应对最小受扭钢筋(包括纵向和横向钢筋)量作出要求。确定最小抗扭钢筋量的标准为：裂后强度 T_n 等于开裂强度 T_{cr}。

$$T_n = T_{cr} \tag{6-121}$$

取α=45°，假设纵筋和箍筋的屈服强度相同，则裂后强度 T_n 都能由公式(6-122)计算得到。

$$T_n = \frac{2A_0 (A_{st} + A_{svt}) f_{yv}}{s} \tag{6-122}$$

开裂扭矩 T_{cr} 按式(6-15)或(6-29)计算，从而计算出抗扭配筋量公式如下。

开口截面组合梁抗扭最小配筋量：

$$A_{smin} = \frac{0.35 \left(0.664 + 0.041 \frac{b}{h_c} \right) W_{tp} f_{tk} s}{A_0 f_{yv}} \tag{6-123}$$

闭口截面组合梁抗扭最小配筋量：

$$A_{smin} = \frac{\left[0.25 \left(0.664 + 0.041 \frac{b}{h_c} \right) W_{tp} + abh_c \right] s f_{tk}}{A_0 f_{yv}} \tag{6-124}$$

式中符号同式(6-15)或式(6-29)。

6.6.2.6 抗扭设计的最小扭矩值

为了简化设计过程，实际过程中的微小扭矩可以忽略不计。建议当扭矩值小于 0.25 倍开裂扭矩时，可以忽略不计。

6.6.2.7 抗扭组合梁设计的一般程序

(1)抗扭组合梁的截面设计。应尽量使中和轴位于混凝土翼板和钢梁的交界面附近。

当中和轴的高度满足 $0.9h_g \leqslant H \leqslant 1.10h_g$，混凝土翼板和钢梁的抗弯和抗扭性能会得到较好发挥。其中，h_g表示钢梁的高度，H表示从底板到中和轴高度。用截面限制条件和相关方程式检查截面的大小是否合适，否则，应增大截面尺寸。

(2)复合受扭组合梁连接件设计。

(3)计算梁的剪力、弯矩和扭矩，选取最不利截面。

(4)检查临界截面的最大剪力和扭矩。对开口截面组合梁，检查是否小于仅由混凝土承担的极限扭矩值和极限剪力值；对闭口截面组合梁，检查是否小于在混凝土开裂时由箱形钢梁和混凝土承担的开裂扭矩之和，从而确定是否应该在设计时考虑剪力或扭矩。

(5)按文献[19]的方法，进行抗弯设计。

(6)按式(6-115)计算抗扭箍筋量 A_{svt}/s。箍筋必须作成封闭的箍筋，且应满足最大箍筋间距的要求。

(7)按式(6-120)计算纵筋量。纵筋必须均匀地沿截面四周布置，且应满足最大间距的要求和最小直径的要求。

(8)校验钢梁的抗剪能力是否满足要求，否则，增加钢梁高度、厚度或改用闭口截面。

(9)按式(6-123)或式(6-124)验算最小配筋率是否满足要求。

(10)按构造要求，配置其他钢筋。

附录A 部分剪力连接理论

A.1 简支梁理论

这个理论已于§2.6中介绍，并给出了本理论只有使用的假定及概念，首先发现的改写应用于图2-2所示具有十分简单的横截面的梁的代数式，通过下列替换形成新的代数式：

用 bh 代替 A_c 与 A_a；

用 $\frac{bh^3}{12}$ 代替 I_c 与 I_a，用 h 代替 d_c。

令 K_c=n=1，那么用 E 代替 E_c',E_c,E_s

要分析的梁如图2-15所示，图A-1以主平面图表示梁的短单元长为 dx，距跨中截面为 x。为明显起见，两组合件分开表示，并且将位移夸大，在横截面 x 处滑移为S，并沿单元的长度增至 $s+\left(\frac{\mathrm{d}s}{\mathrm{d}x}\right)\mathrm{d}x$，其记为 s^+。

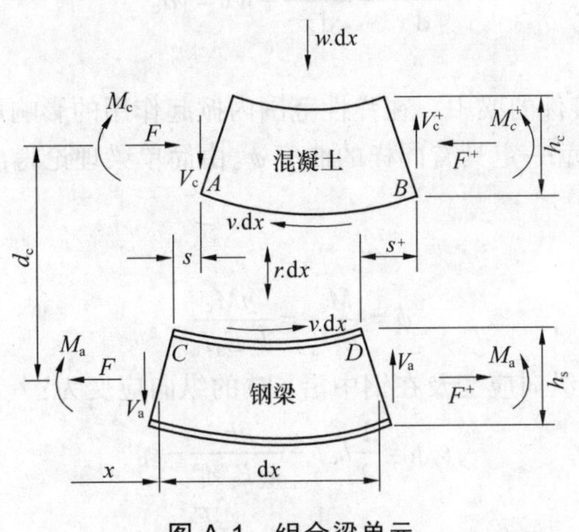

图A-1 组合梁单元

在图A-1中使用了其他变量增至的记号 M_c、M_a、F、V_c 及 V_a，它们分别代表弯矩、轴力、作用于梁两组合构件上的竖向剪力。下标c与a表示混凝土与钢材。由纵向平衡得在钢与混凝土中的力 F 相等。单位长度交界面竖向力 γ 未知，故还不能认为 V_c=V_a。

如果交界面的纵向剪力为单位长上 v，每个组合件上的力为 vdx。它须作用于图中所示方向，并与滑移 s 的符号一致。荷载—滑移关系为：

$$pv = ks \tag{A-1}$$

每个连接件上的荷载 pv。

我们首先由平衡、弹性力学及协调相容条件导出方程，然后从它们中消除 M、F、V 及 v 以及得到 s 对 x 的微分方程。最后引入边界条件并解微分方程。过程如下：

(1)由于对称，跨中的滑移为 0，故

当 $x=0$ 时，$s=0$ (A-2)

(2)在支座处，M 与 F 为 0。因此，在交界面处纵向应变之间的差别是微分应变 ε_c，因此

$$\frac{\mathrm{d}s}{\mathrm{d}x}=-\varepsilon_c \text{（当 } \chi=\pm\frac{L}{2} \text{ 时）} \tag{A-3}$$

平衡条件：

对一个部件纵向分解：

$$\frac{\mathrm{d}F}{\mathrm{d}x}=-v \tag{A-4}$$

取矩

$$\frac{\mathrm{d}M_c}{\mathrm{d}x}+V_c=\frac{1}{2}vh_c,\quad \frac{\mathrm{d}M_a}{\mathrm{d}x}+V_a=\frac{1}{2}vh_s \tag{A-5}$$

在截面 x 处的竖向剪力为 wx，于是

$$V_c+V_a=wx \tag{A-6}$$

现 $\frac{1}{2}(h_c+h_s)=d_c$，于是由式(A-5)与式(A-6)得：

$$\frac{\mathrm{d}M_c}{\mathrm{d}x}+\frac{\mathrm{d}M_a}{\mathrm{d}x}+wx=vd_c \tag{A-7}$$

弹性力学条件：

具有足够剪力连接件的梁中，在弹性范围内掀起作用的影响可忽略不计。如在两组合部件间无间隙，它们就一定具有同样的曲率 ϕ。由简单梁理论得出弯矩曲率关系，对 E_c' 使用式(2-19)。

那么

$$\phi=\frac{M_a}{E_sI_a}=\frac{nM_c}{k_cE_aI_c} \tag{A-8}$$

混凝土中沿 AB 的纵向应变及在钢中沿 CD 的纵向应变为：

$$\varepsilon_{AB}=\frac{1}{2}h_c\phi-\frac{nF}{k_cE_aA_c}-\varepsilon_c \tag{A-9}$$

$$\varepsilon_{CD}=-\frac{1}{2}h_s\phi+\frac{F}{E_aA_a} \tag{A-10}$$

协同相容条件：

ε_{AB} 与 ε_{CD} 之间的差额就是滑移应变，于是由式(A-9)与式(A-10)，并取 $\frac{1}{2}(h_c+h_s)=d_c$ 得：

$$\frac{\mathrm{d}s}{\mathrm{d}x}=\phi d_c-\frac{F}{E_a}\left(\frac{n}{k_cA_c}+\frac{1}{A_a}\right)-\varepsilon_c \tag{A-11}$$

现能导出关于 s 的微分方程。从式(A-7)与式(A-8)中消去 M_c 与 M_a 得：

$$E_a\left(\frac{K_c I_c}{n}+I_a\right)\frac{d\phi}{dx}+wx=vd_c \tag{A-12}$$

由式(A-1)及式(2-22)得：

$$\frac{d\phi}{dx}=\frac{kd_c s/p-wx}{E_a I_0} \tag{A-13}$$

对式(A-11)进行微分求导并从式(A-13)中消去ϕ，从式(A-4)中消去 F，从式(A-1)中消去 v，得：

$$\frac{d^2 s}{dx^2}=\frac{kd_c{}^2 s/p-wd_c x}{E_a I_0}+\frac{ks}{E_a A_0 p}=\frac{ks}{pE_a I_0}\left(d_c{}^2+\frac{I_0}{A_0}\right)-\frac{wd_c x}{E_a I_0}$$

引入式(2-21)中 A、式(2-23)中α^2，式(2-24)中β具有下列标准形式的结果，即为式(2-25)：

$$\frac{d^2 s}{dx^2}-\alpha^2 s=-\alpha^2\beta wx$$

求解 s：

$$s=K_1\sinh\alpha x+K_2\cosh\alpha c+\beta wx \tag{A-14}$$

由边界条件式(A-2)与式(A-3)得出：

$$K_2=0,\ \varepsilon_c=-K_1\alpha\cosh(aL/2)-\beta w$$

代入式(A-14)得出 s 与 x 的关系式(即式 2-27)：

$$s=\beta wx-\left(\frac{\beta w+\varepsilon_c}{\alpha}\right)\operatorname{sech}\left(\frac{\alpha L}{2}\right)\sinh\alpha x$$

现能得出需求的其他结果。例如，跨中的滑移应变为：

$$\left(\frac{ds}{dx}\right)_{x=0}=\beta w-(\beta w+\varepsilon_c)\operatorname{sech}(aL/2) \tag{A-15}$$

仅由 ε_c 引起的 $x=y_2$ 上的滑移量为：

$$(s)_{x=L/2}=-\frac{\varepsilon_c}{\alpha}\tanh\left(\frac{\alpha L}{2}\right) \tag{A-16}$$

A.2 实例：部分相互作用

这些计算已于§2.7 中介绍，并如图 2-16 中所示，梁沿简支跨 L 上单位长度的分布荷载 w。假定材料采用标准立方体强度为 30 N / mm^2 的混凝土及低碳钢，其屈服强度为 250 N / mm^2。不计徐变，取 n=10，于是由式(2-19)得混凝土的 $E_c=E_c'=20$ kN / mm^2。

选择如下梁的尺寸以使转换截面为正方形：L=10 m，b=0.6 m，h_c=h_s=0.3 m。钢构件为矩形，宽度为 0.06 m，于是 A_a=0.018 m^2，$I_a=1.35\times10^{-4}$ m^4。

基于极限强度设计此梁可能导出大约为 35 kN / m 的工作或施工荷载。如果螺钉连接件直径为 19 mm，长度为 100 mm，单排布设，适宜间距则为 0.18 m。推出试验测出其连接件的极限抗剪强度大约为 100 kN。此一半荷载作用下的滑移量通常为 0.2 ~ 0.4 m 之间，连接件在梁中的刚度比在推出试验中的刚度大。相应于当每个连接件上 50 kN 荷载时，认为连接件的模量 k=150 kN / mm，其滑移量为 0.33 mm。

通过部分相互作用理论并使用 § A-1 的结果以及完全相互作用理论，可求出沿梁长的滑移分布，及跨中的应力与曲率，结果已于 § 2.7 中讨论。

首先计算α、β，由式(2-22)取 $I_c=nI_a$(由转换截面形状)，并且 $k_c=1$，$I_0=2.7\times10^{-4}\ m^4$

由式(2-20)且 $A_c=nA_a$，$k_c=1$，$A_o=0.009\ m^2$

由式(2-21)，$1/A'=0.3^2+(2.7\times10^{-4})/0.009=0.12\ (m^2)$

由式(2-23)，且 k=150 kN / mm，$p=0.18\ m^2$

$$\alpha^2=\frac{150\times0.12}{0.18\times200\times0.27}=1.85(m^{-2})$$

由此 $\alpha=1.36\ m^{-1}$。现在 L=10 m，于是 $\alpha L/2=6.8$，并且 $\mathrm{sech}(\frac{\alpha L}{2})=0.002\,23$。由式(2-24)得：

$$\beta=\frac{0.18\times0.3}{0.12\times150\times1\,000}=3.0\times10^{-6}\ (m/kN)$$

取 w=35 kN / m，那么 $\beta w=1.05\times10^{-4}$，并且 $\beta w/\alpha=0.772\times10^{-4}$ m。滑移相关于 x 的表达式由式(2-27)给出，并且 $\varepsilon_c=0$，得式(2-28)：

$$10^4s=1.05x-0.001\,7\sinh(1.36x)$$

这得出最大滑移量为 ± 0.45 mm(当 $x=\pm5$ m)时

上值可与没有剪力连接件时，由式(2-6)给出的最大滑移相比较：

$$s=\frac{wl^3}{4Ebh^2}=\frac{35\times10^3}{4\times20\times0.6\times0.3^2\times1\,000}=8.1(mm)$$

跨中应力能由滑移应变及曲率获得，令 x=0 且对式(2-28)微分得：

$$10^4\left(\frac{ds}{dx}\right)_{x=0}=1.05-0.001\,7\times1.36=1.05$$

于是，跨中滑移应变为 1.05×10^{-6}。

由式(A-13)，得：$$\frac{d\phi}{dx}=4.64s-6.5\times10^{-4}x$$

对 s 使用式(2-28)并积分得：

$$10^6\phi=-81.5x^2-0.585\cosh(1.36x)+K$$

当 $x=L/2$ 时，取 $\phi=0.002\,3\ m^{-1}$，求出常数 K。

0.3 m 高的构件上，下底面之间应变改变量为 0.3 × 0.002 3 或 690×10^{-6}，转换截面关于交界面对称，于是每种材料应变为滑移应变一半，取为 52×10^{-6}，应变分布如图 2-17 所示。用 E_c(20 kN / mm^2)乘应变得到混凝土的应力为拉应力 1.04 N / mm^2，并且压应力 12.8 N / mm^2，拉应力低于开裂应力，同分析中假定一致。

混凝土中最大的压应力由完全相互作用理论给出，其值为：

$$\sigma_{cf}=\frac{3wl^2}{16bh^2}=\frac{3\times35\times100}{16\times0.6\times0.09\times10^3}=12.2\ (N/mm^2)$$

附录 B　有包壳的工字型截面柱主轴弯曲的相互作用曲线

§5.6.4 中参考的规范 4 附录 C，第 1.1 部分给出的简化计算方法。现使用此方法确定如图 B-1 所示，有包壳工字型截面柱，主轴弯曲的多折线相互作用曲线上如图 5-14 上 B、C、D 三点的坐标，同规范 4 及本书第 5 章中使用的相同。

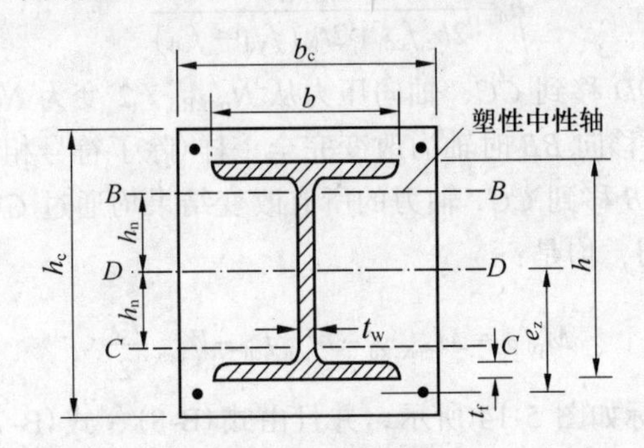

图 B-1　有包壳工字型截面塑性中性轴

假定只对于纯弯曲，塑性中性轴位于钢翼缘之间，距面积中心 G 的距离 h_n，规范 4 表示 B、C、D 点的塑性中性轴如图 B-1 所示分别为 BB、CC、DD。

材料的设计强度下定义为：

$$f_{yd}=\frac{f_y}{\gamma_a},\ f_{sd}=\frac{f_{sk}}{\gamma_s},\ f_{cd}=0.85\frac{f_{ck}}{\gamma_c} \tag{B-1}$$

假定混凝土不开裂，那么三材料的塑性截面模量如下：

$$W_{pa}=\frac{(h-2t_f)t_w^{\ 2}}{4}+bt_f(h-t_f) \tag{B-2}$$

$$W_{ps}=A_s e_z \tag{B-3}$$

$$W_{pc}=\frac{b_c h_c^{\ 2}}{4}-W_{pa}-W_{ps} \tag{B-4}$$

在轴 BB 与 CC 之间的高 $2h_n$ 的区域内塑性截面模量为：

$$W_{pan}=t_w h_n^{\ 2} \tag{B-5}$$

$$W_{pen}=(b_c-t_w)h_n^{\ 2} \tag{B-6}$$

其中 h_n 由式(B–9)给出。

对于绕轴 DD 弯曲，只有一半混凝土有效，于是 D 点的抵抗弯矩为：

$$M_{max.Rd}=W_{pa}f_{yd}+W_{ps}f_{sd}+\frac{w_{pc}f_{cd}}{2} \tag{B-7}$$

由于对称，钢截面及钢筋上的纵向力总和为 0，于是轴向压力为 $N_{pm.Rd}/2$，并且

$$N_{pm.Rd}=A_c f_{cd} \tag{B-8}$$

当塑性中性轴由 DD 移向 BB 时得出高度 h_n，并且相应的轴向压力从 $N_{pm.Rd}/2$ 到 0。在钢腹板的 $h_n t_w$ 面积内应力改变为 $2f_{yd}$(由压力转为拉力)，在 $h_n(b_c-t_w)$ 面积区域应力从 f_{cd} 变为 0，因此，

$$\frac{A_c f_{cd}}{2}=2h_n t_w f_{yd}+h_n(b_c-t_w)f_{cd}$$

从而：

$$h_n=\frac{A_c f_{ct}}{2b_c f_{cd}+2t_w(f_{yd}-f_{cd})} \tag{B-9}$$

当塑性中性轴从 DD 移到 CC，轴向压力从 $N_{pm.Rd}/2$ 变为 $N_{pm.Rd}$ 时，因为轴力的改变与塑性中性轴从 DD 移向 BB 时轴力改变完全一样(除了符号相反)。

当塑性中性轴从 BB 移到 CC，轴力的所有改变结果均通过 G 点(由于对称)，于是 B 与 C 点的抵抗弯矩相同，均是：

$$M_{pl.Rd}=M_{max.Rd}-W_{pan}f_{yd}-W_{pen}\frac{f_{cd}}{2} \tag{B-10}$$

点 B、C、D 的坐标如图 5-14 所示，并且由式(B-8)、式(B-7)与式(B-10)分别给出 $N_{pm.Rd}$、$M_{max.Rd}$ 与 $M_{pl.Rd}$，条件为：

$$h_n \leqslant \frac{h}{2}-t_f \tag{B-11}$$

对于此条件不满足的截面，以及对于次轴弯矩和钢管混凝土，可由类似推导得出分柱并于欧洲规范 4 § 1.1 部分的附录 C 中给出。

在 § 5.7.2 中的例中使用了上述结果。

参 考 文 献

[1] R.P.Johnson, R.J.Buckby. Composite Structures of Steel and Concrete. Oxford Blackwell scientific Publications

[2] Fish J.W. Design of composite beams with formed metal deck. Inst.Steel Constr.,7,88 ~ 96, July 1970

[3] Lawson R.M. and Newman G.M. Fire resistant design of steel structure; a Handbook to BS 5950: part 8. 1990

[4] Eurocode 1, Basis of design,and actions on structures. London,1992

[5] Eurocode 2, Design of concrete structures. London,1992

[6] Eurocode 3, Design of steel structures.British standard institution, London,1992

[7] Eurocode 4, Design of composite steel and concrete structures. British standard institution, London, 1994

[8] T.C.Hsu. Nonlinear analysis of concrete torsional members. ACI, Structural Journal, 1991(11)

[9] T.C.Hsu. Torsion of reinfored concrete. New York: Van Nostrand Reinhold, 1985

[10] R.K.Singh，S.K.Mallick. Experiments on steel-concrete beams subjected to torsion and combined flexure and torsion. India Concrete Journal，1977(1)

[11] M.B.Ray，S.K.Mallick. Interaction of flexure and torsion in steel-concrete composite beams. India Concrete Journal，1980(3)

[12] B.Ghosh，S.K.Mallick. Strength of steel-concrete composite beams under combined flexure and torsion. India Concrete Journal，1979(2)

[13] 胡少伟. 组合梁抗扭分析与设计. 北京：人民交通出版社，2005

[14] 赵嘉康，张连德，卫云亭. 钢筋混凝土压弯剪扭构件的抗扭强度. 土木工程学报，1993，26(1)

[15] 过镇海. 钢筋混凝土原理. 北京：清华大学出版社，1999

[16] G.S.Pandit. Combined bending and torsion of concrete beams. India Concrete Journal，1978(3)

[17] 殷芝霖，张誉，王振东. 抗扭. 北京：中国铁道出版社，1990

[18] 朱聘儒. 钢-混凝土组合梁设计原理. 北京：中国建筑工业出版社，1989

[19] T.C.Hsu. Shear flow zone in torsion for reinforced concrete. Journal of Structural Engineering, 1990, 116(11)

[20] Johnson R.P. Designers' handbook to Eurocode 4: Part 1.1,design of steel and composite structures,Thomas telford,London,1993

[21] Mottram J.T. and Johnson R.P. Push tests on studs welded through profiled steel sheeting. Journal of Structural Engineer, 68, May,1990

[22] BS 5950: Part 4, code of practice for design of composite slabs with profiled steel sheeting. British standard institution, London,1994

[23] 聂建国，孙国良．钢－混凝土组合梁槽钢剪力连接件的试验研究．郑州工学院学报，1985，6(2)：10 ~ 17

[24] 朱聘债，李铁强，陶解治．钢与混凝土组合梁弯筋连接件的抗剪性能．工业建筑，1985(10)：17 ~ 22

[25] 聂建国，沈聚敏．滑移效应对钢－混凝土组合梁抗弯强度的影响及其计算．土木工程学报，1997，30(1)

[26] 聂建国，沈聚敏，余志武．考虑滑移效应的钢－混凝土组合梁变形计算的折减刚度法．土木工程学报，1995,28(6):11 ~ 17

[27] 聂建国，沈聚敏，林伟，王文辉．钢－混凝土组合梁中剪力连接件实际承载力的研究．建筑结构学报，17(2)

[28] 胡少伟，苗同臣．结构振动理论及其应用．北京：中国建筑工业出版社，2005

[29] 胡少伟，赵军．箱形组合梁开裂和极限扭矩分析．哈尔滨工业大学学报，2005(2)

[30] 胡少伟．箱形钢－混凝土组合梁的复合弯扭试验研究．建筑结构，2005(3)

[31] 胡少伟，聂建国，熊辉．钢 －混凝土组合梁的受扭试验与抗扭极限分析．建筑结构学报，2005(2)

[32] 胡少伟．在用钻井井架可靠性分析与承载能力研究．见：中国科协第五届青年学术年会论文．2004(8)

[33] 胡少伟，聂建国．钢－混凝土组合梁复合弯扭作用下约束扭转的非线性分析．工程力学，2004(8)

[34] 胡少伟．抗扭钢－混凝土组合梁的构造要求和设计过程．建筑结构, 2005(6)

[35] 聂建国，胡少伟．开口截面钢－混凝土组合梁的弯扭性能研究．土木工程学报，2004, 11, Vol.37, No.11

[36] 胡少伟，聂建国．复合受扭钢－混凝土组合梁连接件的设计方法．土木工程学报，2004,10, Vol.37, No.10

[37] 胡少伟，聂建国．钢筋混凝土箱梁的约束扭转分析．清华大学学报, 2004, 12, Vol.44, No.12

[38] 胡少伟，聂建国．钢－混凝土组合梁弯扭相关性的试验研究，建筑结构, 2005(1), Vol.35,No.1

[39] Hu Shaowei , Wang Hongxia. Study on 3D finite bodies containing cracks using the finite element method of lines, Acta Mechanica Solida Sinica，Vol.17,No.1,2004.3

[40] 胡少伟．钢－混凝土组合梁受扭性能全过程分析．计算力学，2004, 8, Vol.21, No.4

[41] 胡少伟，聂建国，罗玲．钢－混凝土组合梁受扭特性分析．建筑结构，1999(4)

[42] 胡少伟，聂建国．组合梁受力分析一级数法．力学与实践，1999, Vol.21, No.3

[43] 聂建国，胡少伟，罗玲．钢－混凝土组合梁复合受扭的试验研究．见：北京市市政工程设计研究总院建院 45 周年论文集．2004